P9-EJZ-562

Данил

КОРЕЦКИЙ

РАСПИСНОЙ

ЭКСМО
2003

УДК 882
ББК 84(2Рос-Рус)6-4
К 66

Оформление серии
художников *Г. Саукова* и *В. Щербакова*

Серия основана в 1993 году

Корецкий Д. А.

К 66 Расписной: Роман. — М.: Изд-во Эксмо, 2003.— 432 с. (Серия «Черная кошка»).

ISBN 5-699-04055-2

Герой романа «Татуированная кожа» Волков-Вольф-Расписной снова в бою. Бывший боец разведки специального назначения, участник боевых операций выполняет особо важное задание, имеющее политическое значение. Ему приходится пройти по всем кругам тюремного ада, язык, законы и обычаи которого он хорошо знает. Физическая сила, опыт боксера, ледяное самообладание, смекалка помогают ему выдерживать чудовищные испытания. А еще... татуированные картинки на коже, которые вопреки законам природы ведут себя как живые существа...

УДК 882
ББК 84(2Рос-Рус)6-4

ISBN 5-699-04055-2

Часть первая

В ТЮРЕМНОМ ЗАЗЕРКАЛЬЕ

Глава 1

ПОБЕГ ИЗ-ПОД СТРАЖИ

Колесо у автозака отвалилось в самый неподходящий момент — при повороте на крутом обрыве к глубокому синему озеру, дающему название небольшому городку, раскинувшемуся на противоположном берегу. Шестьдесят тысяч жителей, механический завод и макаронная фабрика, густые леса вокруг, чистый воздух, живописные озера... На крупномасштабных картах общего назначения он не значился, но в специфических сферах был хорошо известен.

Известность захолустному городишке придавала синеозерская транзитно-пересыльная тюрьма, построенная еще в прошлом веке: через нее шли все этапы на уральский куст исправительно-трудовых колоний строгого и особого режима.

Потерпевший аварию спецавтомобиль вез от железнодорожной станции очередную партию особо опасных осужденных, и когда он круто повернул по неровной грунтовой дороге, раздался противный хруст лопнувшего железа, удар, машину резко занесло, вынося прямо на обрыв... Медленно, как при замедленной съемке, она накренилась на правый борт, миновала критическую точку и перевернулась, после чего уже быстро покатилась под откос, вздымая облако пыли и противоестественно мелькая тремя колесами и ржавым облупившимся днищем с прогорелой в нескольких местах выхлопной трубой.

Внизу холодно блестела ровная синяя гладь, под которой ждала добычу семиметровая водная толща. Болтавшийся в кабине рядом с водителем начкар сквозь мелькание серого неба и поросшей сочной зеленой травой земли разобрался в ситуации, умудрился открыть дверь и выпрыгнул, но тут же был раздавлен грубо склепанным стальным кузовом. Автозак врезался в тоненькую березку, с треском сломал ее, наткнулся на несколько деревьев потолще, которые, спружинив, погасили инерцию, и, лежа на боку, остановился у самой кромки каменистого берега.

В наступившей тишине слышался шорох сползающих камешков, бульканье выливающейся жидкости да чьи-то стоны. Остро запахло бензином.

— Открывай, слышь, открывай, щас рванет! — приглушенно прорвался сквозь стальной борт истошный крик.

— В натуре, вы чего, оборзели? Выпускайте, а то сгорим на х...!

— Менты поганые, рожи мусорские!

Контуженный сержант-водитель с трудом выбрался из кабины и, держась за голову, закружился на одном месте.

— Товарищ лейтенант! — хрипло выкрикнул он. — Где вы?

— Открывай! Открывай! — Мосластые кулаки замолотили изнутри по глухо загудевшей железной обшивке.

— Товарищ лейтенант! — Водитель остановился и осмотрелся. Взгляд его постепенно обретал осмысленность, он увидел беспомощно перевернутую форменную фуражку, а потом и самого начальника конвоя.

— Товарищ лейтенант!! Я сейчас!

Хромая и морщась, сержант подковылял к командиру и беспомощно уронил руки: сквозь черный от крови мундир торчали белые обломки ребер.

Автозак издал скребущий звук и съехал на двадцать сантиметров ближе к воде.

— Сидеть тихо там, потопнете как щенки! — Сержанту показалось, что он как обычно рыкнул на бунтующих зэков, но на самом деле получился не рык, а тихий сип.

— Открывай быстрей, Федун, — вдруг подал голос внутренний конвоир, и сержант запоздало вспомнил о товарищах, запертых в вонючем чреве арестантского фургона.

— Ща, ребятки, ща, — он суетливо зазвенел ключами. — Вы как там, целы?

— Володька сильно зашибся, — ответил тот же голос. — Его в больницу надо. Чего ты там возишься?

— Да вот, тут одна штука не выходит...

Водитель пытался застопорить застывший в неустойчивом равновесии автозак стволом сломанного дерева, но сил не хватало, и он, махнув рукой, вскарабкался на исцарапанный борт, отпер замок и с трудом поднял дверь, как когда-то в родной деревне поднимал люк, ведущий в прохладный подпол. Только сейчас из черного прямоугольника пахнуло не приятной сыроватой прохладой и запахами заготовленной на зиму снеди, а вонью немытых человеческих тел, блевотиной и кровью.

— Дай руку!

Лицо ефрейтора Щеглова было бледным, из рассеченного лба текла кровь. Он с трудом выбрался наружу, осмотрелся и выругался.

— Вот влипли! Сейчас эта колымага утопнет! Надо Володьку вытаскивать!

— А с этими что делать?

— А чего с ними делать... Пусть сидят. Наше дело их охранять. Отпирать камеры на маршруте запрещено...

— Так нельзя, товарищ ефрейтор, — послышался из темноты рассудительный голос. Мы же люди, а не звери. И вы люди. А люди в беде должны помогать друг другу. Раз такое дело, надо нас спасать. А мы вам поможем.

— И правда, сами мы Володьку не вытащим, — громко зашептал водитель. — Я совсем квелый, голова кругом идет, все нутро болит. Открой этого, пусть пособит...

— Шпиона?! Ты что, совсем?.. Лучше Каталу... Давай ключи...

Тяжело вздохнув, Щеглов нехотя сунулся обратно в смрадную темноту. Стараясь держать тяжелые сапоги подальше от мертво белеющего лица распростертого внизу Володьки Стрепетова, он кулем свалился на ставшую полом левую стенку фургона и, с трудом распрямившись, полез в опрокинутый, низкий, как звериный лаз, коридор между блоками камер. В восьми крохотных стальных отсеках притаились горячие тела арестантов, сквозь просверленные кругами мелкие дырочки доносилось тяжелое дыхание, биоволны страха и животной жажды свободы.

— Ты это, осторожней, — спохватившись, прохрипел водитель. Голова стала болеть меньше, и он осознал, что они допустили две очень серьезные ошибки.

Во-первых, открывать камеру можно лишь при явном

физическом и численном превосходстве конвоя: для особо опасного контингента это соотношение равно трем к одному. Во-вторых, конвоиры никогда не заходят к зэкам с оружием, да и тот, кто принимает их при высадке, обязательно отдает свой пистолет товарищам. Но сейчас все правила и инструкции летели к черту.

— Слышь, осторожней...

Автозак опасно заскрипел и вновь сдвинулся с места, мысли сержанта мгновенно переключились. Очень осторожно он сполз на землю и двумя руками уперся в стальной борт, как будто мог удержать трехтонную махину.

— Давай быстрей, Сашок... Быстрей...

Ефрейтор Щеглов отпер вторую камеру. Катала был щуплым малым, на станции он щедро угостил конвой сигаретами и рассказал пару смешных анекдотов. Казалось, неприятностей от него ожидать не приходится.

— Вылазь, помоги...

Щеглов не успел окончить фразу. Костлявые пальцы с нечеловеческой силой вцепились ему в горло, вминая кадык в гортань и перекрывая доступ воздуха в легкие. Рывок — и затылок ефрейтора глухо ударился о железо. Жадные руки быстро обшарили обмякшее тело, завладели пистолетом и ключами.

Лихорадочно защелкали замки, потные тела в серых пропотевших робах, как очнувшиеся от спячки змеи, рвались из тесных железных ящиков, сталкивались, сплетаясь в неловкий клубок, зло отталкивали друг друга, отчаянно стремясь к брезжущему впереди призрачному свету нежданной свободы.

— Ну, все? — не поднимая глаз спросил сержант, когда кто-то вылез на борт фургона.

— Все! — со зловещими интонациями отозвался незнакомый голос.

— Кто это?! — сержант вскинул голову и замер: сутулый широкоплечий зэк наводил на него пистолет.

Их взгляды встретились. Левый глаз стриженого рецидивиста был полузакрыт, вместо правого чернел девятимиллиметровый зрачок ствола. В следующую секунду он блеснул испепеляющей вспышкой, и острый удар грома разнес лобовую кость сержанта вдребезги.

— Все нормально, Зубач?

Из люка упруго выпрыгнул Утконос, потом показалась напряженная физиономия Груши, следом вылез весело скалящийся Катала.

— Это все я, я! Без меня вы бы хер выбрались!

Нервно пританцовывая, так что руки болтались как на шарнирах, он осмотрелся.

— Менты готовы? Давай, Груша, забери у них пушки!

— А с теми что? — Зубач кивнул на темный проем, откуда доносились вязкие удары, как будто рифленым молотком отбивали кусок сырой говядины.

— Ими Хорек занимается...

— Дорвался, мудила! Теперь его до вечера не оторвешь!

На свет божий показалась треугольная голова Скелета. Запавшие глаза, выступающие скулы, скошенный подбородок. Обычно он был бесцветный, как бельевая вошь. Редкая щетина светлых волос, невидимые брови, водянистые глаза, пористая серая кожа. Но сейчас красные брызги расцвечивали лоб, щеки, шею...

— Гля, что делает, — Скелет ужом выскользнул на борт фургона и стал тереть рукавом лицо. — Сука буду, полный псих! Они давно кончились, а он мочит и мочит...

— Пух! Пух! — Груша надел фуражку лейтенанта и целился в дружков сразу из двух пистолетов. — Конвой стреляет без предупреждения!

— Правильно, надо форму надеть! — Зубач сплюнул. — И дергаем по-быстрому, не хер здесь высиживать...

— Эй, а мы?! Вы чего, в натуре?! — две пары кулаков застучали по кузову. — Отоприте!

Автозак дернулся в очередной раз. Утконос и Скелет поспешно спрыгнули вниз и отбежали в сторону. Зубач презрительно плюнул им вслед.

— Давай, Катала, выпусти Челюстя и Расписного. И Хорька забери. А не пойдет — хер с ним!

Через несколько минут из люка вылезли еще трое. Остролицый, весь в кровавых потеках Хорек лихорадочно сжимал красную, словно лакированную, монтировку и безумно озирался по сторонам. Высокий, атлетически сложенный Расписной поддерживал похожего на питекантропа сорокалетнего цыгана с выступающей вперед массивной челюстью. Тот осторожно баюкал неестественно искривленную правую руку.

— Зараза, наверно, кость сломал! — губы цыгана болезненно кривились.

— Нам еще повезло, что камеры маленькие, — ощупывая плечи, сказал Катала. — Менты до полусмерти побились!

— А Хорек их до самой смерти задолбил, — оскалился Скелет.

— Хватит болтать! — мрачно сказал Зубач, переводя взгляд со сломанной руки Челюсти на зажатый в ладони пистолет. — Как ты пойдешь-то с такой клешней?

Цыган перестал кривиться, глянул недобро, провел здоровой рукой по щеке, густо заросшей черной щетиной.

— Очень просто. Я ж не на руках хожу!

— Ну ладно, поглядим...

Зубач сунул оружие за пояс.

— Тогда концы в воду и рвем когти! Груша, отдай одну пушку Катале!

Тюремный фургон, подняв фонтаны брызг, тяжело плюхнулся в озеро и мгновенно скрылся в глубине. На поверхность вырвался огромный воздушный пузырь, прозрачная вода замутилась...

Когда через полчаса на место происшествия прибыла поисковая группа, она обнаружила только сломанные деревья да следы крови на зеленой траве.

* * *

Побег, особенно с нападением на конвой, это всегда ЧП. Мигают лампочки на пультах дежурных частей, нервно звонят телефоны, трещат телетайпы, рассылая во все города и веси ориентировки с приметами беглецов. Громко лязгают дверцы раздолбанных милицейских «уазиков», матерятся поднятые по тревоге участковые, оперативники и розыскники конвойных подразделений, угрожающе рычат серьезные, натасканные на людей псы. Донесения с мест стекаются в областное УВД, оттуда уходит зашифрованное спецсообщение в Москву, и высокопоставленные чиновники МВД, кляня периферийных долбаков, подшивают его в папку особого контроля.

Информация о синеозерском побеге шла в Центр обычным путем, но на каком-то этапе она раздвоилась, и копия совершенно неожиданно поступила в КГБ СССР, который никогда не интересовался обычной уголовщиной. На этот раз к милицейской информации был проявлен самый живой интерес, она легла на стол самого председателя, а потом с резолюцией «Принять срочные и эффективные меры для доведения операции «Старый друг» до конца», спустилась к начальнику Главного управления контрразведки.

Генерал-майор Вострецов тут же вызвал непосредственно руководившего «Старым другом» подполковника Петрунова и недовольно сунул ему перечеркнутый красной полосой бланк шифротелеграммы.

— Вот вести о вашем кадре! Полюбуйтесь!

Несколько раз пробежав глазами казенный текст, подполковник осторожно положил документ на стол.

— А что он мог сделать... Расшифроваться и провалить операцию? К тому же его сразу бы и убили!

Перечить начальству — все равно, что мочиться против ветра.

— Да к черту такую операцию! — генерал грохнул кулаком по злополучной шифровке. — Затеяли какие-то игры с раскрашиванием, переодеванием, а теперь еще и побегами! Послать оперработника в Потьму на неделю и получить результат! К чему усложнять?! У нас немало сотрудников, которые справились бы с этим делом — быстро, без цирковых эффектов и головной боли для руководства! А насколько теперь все это затянется?

— Разрешите мне выехать в Синеозерск? — привычно сдерживая кипящее в груди раздражение, спросил Петрунов.

— Именно это я вам и приказываю! Примите все меры, чтобы его, по крайней мере, не застрелили при захвате!

— Есть! — сказал Петрунов, совершенно не представляя, какие меры тут можно принять. Ситуация вышла из-под контроля, и жизнь Волка находилась в его собственных руках.

* * *

Вечерний лес зловеще шелестел вокруг, прихватывал зелеными лапами за одежду, норовил подставить под ногу корягу или ткнуть острой веткой в лицо. Будто глумливый леший играл с заблукавшими в его владениях путниками, но делал это нерешительно, исподтишка, опасаясь подходить вплотную.

И действительно, продиравшаяся сквозь кустарник компания могла распугать всю лесную нечисть. Впереди, то и дело оглядываясь, как вышедший на маршрут карманник, ломился Скелет в порванной на груди лейтенантской форме — мокрой и покрытой бурыми пятнами. За ним с решительностью танка пер Груша, по его следам осторожно ступал Утконос в плохо застиранном мундире с сержантскими погонами, за ним Хорек зло рубил цепкие ветки отмытой монтировкой, Зубач выдерживал двухметровую дистанцию, за ним держался Катала в истрепанной форме ефрейтора, Челюсть и Расписной замыкали процессию. Цыган придерживал сломанную руку и время от времени сдавленно стонал, а Расписной двигался молча, контролируя походку, чтобы не перейти по привычке на лесной шаг разведчика. В голове лихорадочно роились тревожные мысли.

«Ломятся как слоны, за километр слышно... Не понимают, что живыми, скорей всего, нас брать не будут? Зубач-то понимает, недаром прячется в середке... Еще не хватало получить пулю вместе с этими скотами! Да и сколько мне с ними бегать? Может, перемочить гадов по одному? Так слишком много трупов выйдет... Или отстать и затеряться в лесу? Но хабар по всем зонам и пересылкам пойдет, там каждую деталь обмусолят. Куда я пропал, как опять объявился... Нет, тут не дернешься... Ладно, посмотрим. Скоро они остановятся — дыхалка-то в тюрьме пропадает и мускулы в вату превращаются...»

— Слышь, Зубач, у меня уже копыта отваливаются! — отдуваясь, сказал Утконос.

— Точняк! Покемарить надо! — поддержал его Катала.

Груша с готовностью остановился, Утконос ткнулся ему в спину. Размахивающий монтировкой Хорек чуть не размозжил Утконосу голову, механически шагнул в сторону и пошел дальше.

— Доходяги, я могу два дня гнать без остановки! — похвастался главарь и тут же опустился на корточки. — Давайте, раз сдохли, ложитесь на спину!

Все повалились на землю, только Хорек продолжил прорубаться сквозь кустарник.

— Гля! Куда он? — Груша полез за пазуху. — Может, шмальнуть?

Он растерянно шарил за пазухой, выворачивал карманы.

— Пусть идет...

Зубач зевнул и огляделся по сторонам.

— Давай, Груша, наломай веток вместо шконки. А Челюсть со Скелетом костер запалят. Чего ты себя шмонаешь?

— Да... Это... Пушку потерял... Вот сука! Только что на месте была...

— А яйца не потерял? Мудак ты! Быстро шконку ложи, совсем темно будет!

Расписной потер небритую щеку и отвернулся, чтобы скрыть непроизвольную ухмылку. Место совершенно не подходило для ночевки. Кругом впритык густой кустарник, высокая трава — к утру одежда будет насквозь мокрой от росы. Вдобавок к спящим легко подобраться вплотную. К тому же нет воды. Слева деревья редели, там наверняка можно найти удобную сухую поляну, возможно, ручей или озерко. Одно слово — дебилы... Ничего не умеют! Как они делают свои воровские делишки? Один теряет оружие, другой не может выбрать стоянку, а вот Скелет зажигает костер — спички тухнут одна за другой, ломаются, полкоробка извел! Да любой командир специальной разведки — от сержанта Шмелева до майора Шарова или полковника Чучканова — затоптал бы таких разгильдяев коваными каблуками тяжелых десантных сапог!

— Слышь, брателла, перевяжи, сил нет терпеть, аж голова кружится, — тихо попросил Челюсть, когда по хворосту заплясало набирающее силу пламя. — Он нарочно, сука, меня ветки таскать заставил! Знаешь зачем?

— Ну?

— Чтобы я отказался. Или выступил на него. Пришить меня хочет, не понял еще?

— Чего там не понял. Сам слышал, как он Скелету шептал...

Расписной обернул распухшую руку цыгана листьями и травой, сверху обмотал лоскутом арестантской робы, рывком совместил обломки костей и зафиксировал шиной из прочных веток.

— Что... шептал?.. — Челюсть стойко перенес болезненную процедуру, только на лице выступили крупные капли пота.

— Что надо тебя завалить. На хер нам обуза с одной клешней... Только тихо, чтоб никто не видел. Так что держись ближе ко мне... Готово. Теперь вставляй в перевязь, пусть висит на шее — быстрей заживет.

Все это Расписной придумал. Но в жестоком уголовном мире любое семя подозрения находит благоприятную почву.

— Ну паскуда... Я его первый сделаю!

Цыган недобро ощерился, обнажив большие неровные зубы.

Темнота сгустилась окончательно, и красноватые блики разгоревшегося костра придавали зловещий вид лицам окружавших его людей. Осматривающий растертые ноги Груша наклонил голову, пухлые щеки лоснились, как у насосавшегося упыря. Привалившийся к дереву Скелет напоминал истлевшего мертвеца. Изломанные тенями Зубач, Утконос и Катала казались вынырнувшими из преисподней чертями с тлеющими угольками в черных глазницах.

— Надо бы порыскать вокруг, жратву поискать, — сказал Груша.

— Тут вокруг волки рыщут, как бы ты сам жратвой не оказался, — реготнул Утконос.

— Так часто бывает — пошел за харевом, а самого отхарили, — Зубач длинно плюнул в костер.

— Мы раз рванули с пересылки и «корову» прихватили. Здоровый такой фраер, молодой, из деревни. Забили баки: мол, нам сила твоя в пути нужна, потом всю жизнь в авторитете ходить будешь...

— И что? — заинтересовался Катала.

— Через плечо. Двести километров по тундре, три дня он сам шел, а потом мы его разделали. Тем и продержались всю дорогу.

— И как она, человечинка? — не унимался Катала.

— Ништяк. Сладковатая, сытная...

— Тихо! — Утконос привстал, вглядываясь в темноту.

— Слышьте, кажись, ходит кто-то...

У костра наступила настороженная тишина. Вокруг шелестел ночной лес, но в обычном шумовом фоне Расписной разобрал лишний звук.

— Чего хипешишься, — процедил Зубач. — Вроде без кайфа, а глюки ловишь!

— Кому здесь ходить... Только зверям, — поддержал его Катала.

— Сука буду, слышал...

— Я вкуса не разобрал, — сказал Катала.

— Чего?

— Раз дрался с одним рогометом, ухо ему и отгрыз. Только сразу выплюнул, не распробовал. Соленое вроде...

— Ша! — вскинул ладонь Расписной.

Снова все смолкли, и вновь донесся запоздавший хруст. Расписной понял, что к ним подбирается человек и сейчас он замер на месте с поднятой ногой.

— У кого пушка? Быстро!

Зубач заерзал, сунул под себя руку и суетливо достал пистолет, неловко поворачивая ствол то в одну, то в другую сторону. Он явно ничего подозрительного не слышал.

— Ну?! Чо волну гонишь?

— Ха-ха-ха! — раздался из кустов визгливый, какой-то нечеловеческий смех. Что-то темное, с хвостом, пролетело над костром и упало Груше на колени. Тот истошно заорал, рванулся в сторону и повалился на Скелета. Охваченные ужасом беглецы вскочили на ноги, шарахаясь в разные стороны. Зубач выстрелил наугад — раз, другой, третий... С другой стороны костра дважды пальнул Катала.

— Обосрались, ха-ха-ха, все обосрались! — Прямо там, куда ушли пули, материализовался криво усмехающийся Хорек с топором в руке. — А я вам хавку принес. Тут деревня близко...

Рядом с костром лежала крупная беспородная собака с разрубленной головой.

— Уф... — Зубач перевел дух. — Пришили бы тебя, узнал бы, кто обосрался... Ну ладно, давай, жрать охота!

Собаку разделали, зажарили и съели. Хорек держался героем и косноязычно рассказывал о своих приключениях.

— Секу в окно, гля — баба раздевается, сиськи — во, до пупа... Белые... И ляжки белые, мягкие...

— Ну?! Чего ж ты не бабу, а кобеля приволок? — спросил Груша, обсасывая красную то ли от бликов костра, то ли от крови косточку.

— Он мне, паскуда, чуть яйца не отгрыз! И выл потом... Шухер поднялся, мужики набежали... Еле сделал ноги. Ну да можно завтра пойти...

— Завтра, завтра! — Груша швырнул кость в огонь, сноп искр брызнул на ногу Утконосу, тот выругался.

— Ты чо? Или крыша едет от суходрочки?

— Баба небось слаще кобеля? — поддразнил Катала. — Чего ее не притащил?

— Тяжелая... Я б ее лучше там отхарил, а сюда ляжку на хавку...

— А Расписной бабий фляш[1] хавать бы не стал, — внезапно сказал Зубач. — Точняк не стал бы?

— Нет, — Расписной качнул головой.

— В падлу, да? Пса голимого[2] жрать не в падлу, а бабу чистую — в падлу? Как так выходит?

— Вот если мы с тобой недели две в пустыне прокантуемся, тогда узнаешь, как выходит!

— Так ты меня что, за пса держишь? — Зубач угрожающе скривился и наклонился вперед, шаря ладонью за поясом.

— Ты сам себя за хобот держишь, — Расписной рассмеялся, показал пальцем. — Сейчас кайф словишь.

Усмехнулся Катала, прыснул Скелет, визгливо хихикнул Утконос, в открытую захохотали Челюсть и Хорек. Зубач поспешно вынул руку из штанов.

— Пушка провалилась, — буркнул он. — Ну ладно, метла

---

[1] Фляш — мясо *(блатной жарг.)*.

[2] Голимый — презираемый, противный.

у тебя чисто метет[1]. А шухер ты в цвет поднял, вертухаи поучиться могут! И лепила[2] классный — вон как Челюсти руку подвесил. И где тебя этому учили?

Улыбка у него была нехорошая: *подозревающая*, даже того хуже — *догадывающаяся*. Именно такой улыбкой он встретил Расписного при первом знакомстве.

Глава 2
ПО КРУГАМ АДА

Камера Бутырки напоминала преисподнюю: густо затянутое проволочной сеткой и вдобавок закрытое ржавым намордником окно под потолком, шконки в три яруса, развешанные на просушку простыни, белье, носки, непереносимая духота и влажность, специфическая вонь немытых тел, параши и карболки. Вонючие испарения поднимались вверх, конденсировались на потолке, каплями срывались вниз и ручейками стекали по стенам.

За спиной резко хлопнула обитая железом обшарпанная дверь с кривой цифрой 76, грубо намалеванной серой масляной краской. Со скрипом провернулся огромный вертухайский ключ, противно лязгнул засов. О специальной миссии Вольфа не знал ни начальник учреждения, ни его заместители, ни оперативный состав. Он вошел в общую камеру как обычный зэк, и только от него самого зависело, как его встретят в этом мире и как сложится здесь его жизнь.

— Кто — это — к — нам — заехал? — На корточках напротив двери сидели двое, один из них резко поднялся навстречу — высокий стройный парень в красных плавках, резко контрастировавших со смуглой гладкой кожей, обильно покрытой потом. Он многозначительно кривил губы и по-блатному растягивал слова.

— В гостинице «Бутюр»[3] свободных мест нет!

Развязной походкой парень направился к Вольфу, явно

---

[1] Метла чисто метет — язык хорошо подвешен.

[2] Лепила — врач.

[3] Бутюр — сокращение от «Бутырская тюрьма». Такой штамп раньше ставили на постельном белье.

намереваясь подойти вплотную и гипнотизируя намеченную жертву большими, широко поставленными глазами.

— Ну ладно, так и быть... Пущу спать под свою шконку... Только вначале заплатишь мне за прописку...

Гипноз не удался. То ли что-то во взгляде Вольфа сыграло свою роль, то ли виднеющийся в расстегнутом вороте многокупольный храм, то ли исходящее от могучей фигуры ощущение уверенности и силы, но планы гладкого красавчика мгновенно изменились: вошедший перестал для него существовать.

— Санаторий «Незабудка» — побываешь, не забудешь! — сообщил он, уже ни к кому конкретно не обращаясь, и, пританцовывая, направился к облупленной раковине, открыл кран и принялся плескать воду в лицо и на безволосую грудь.

Больше на Вольфа никто не обращал внимания. Арестанты безучастно переговаривались, за простынями стучали костяшки домино, кто-то заунывно повторял неразборчивые фразы — то ли молился, то ли пел. Справа от двери на железном толчке орлом сидел человек с мятой газетой в руке. Тусклые глаза ничего не выражали, как у мертвеца.

— Здорово, бродяги, привет, мужики! — громко произнес Расписной. И так же громко спросил: — Люди есть?

В камере, которую никто из арестантов так не называет, а называют исключительно хатой, томилось не менее сорока полуголых потных людей. Но и приветствие, и вопрос Расписного не показались странными, напротив, они демонстрировали, что вошедший далеко не новичок и прекрасно знает о делении обитателей тюремного мира на две категории — блатных, то есть собственно людей, и остальное камерное быдло.

— Иди сюда, корефан! — раздалось откуда-то из глубины преисподней, и Расписной двинулся на голос, причем местные черти сноровисто освобождали ему дорогу.

Торцом к окну стоял длинный, разрисованный неприличными картинками дощатый стол. На ближнем к двери конце несколько мужиков азартно припечатывали костяшки домино. На дальнем четверо блатных играли в карты. Хотя камера была переполнена, вокруг них было свободно, как будто существовала линия, пересекать которую посторонним запрещалось. Расписной перешагнул невидимую границу и, не дожидаясь особого приглашения, подсел к играющим.

Казалось, на подошедшего не обратили внимания, но Вольф почувствовал, как мелькнули в прищуренных глазах восемь быстрых зрачков, мгновенно «срисовав» облик чужака. Так мелькали в белых песках Рохи Сафед стремительные, смертельно ядовитые скорпионы.

Играли двое, и двое наблюдали за игрой. Все были обнажены по пояс, татуированные тела покрывал клейкий пот.

— Еще, — бесстрастно сказал высохший урка с перевитыми венами жилистыми руками. Шишковатую голову неряшливо покрывала редкая седая щетина. На плечах выколоты синие эполеты — символ высокого положения в зоне. На груди орел с плохо расправленными крыльями нес в когтях безвольно обвисшую голую женщину. Держался урка властно и уверенно, как хозяин.

— На! — Небольшого роста, дерганый, будто собранный из пружинок банкир ловко бросил очередную карту. Не какую-то склеенную из газеты стиру, а настоящую, атласную, из новой, не успевшей истрепаться колоды. На тыльной стороне ладони у него красовалась стрела, на которую, как на шампур, были нанизаны несколько карт — знак профессионального игрока.

— Еще?

— Хорош, Катала, себе. — Седой перекатил папиросу из одного угла большого рта в другой и постучал ребром сложенных карт по кривобокой русалке с гипертрофированным половым органом. Черты его лица оставались твердыми и холодными, будто складки и трещины в сером булыжнике.

На круглой физиономии Каталы, напротив, отражалось кипение азарта.

— Посмотрим, как повезет...

Приподнятые «домиком» брови придавали ему вид простоватый и наивный. Расписной знал, что впечатление обманчиво: на строгом режиме наивных простаков не бывает — только те, кто уже прошел зону или залетел впервые, но по особо тяжкой статье. Двое наблюдающих за игрой угрюмых коренастых малых — явные душегубы. И татуировки на мускулистых телах: оскаленные тигры, кинжалы, топоры, могилы — говорили о насильственных наклонностях.

— Раз! — рука Каталы дернулась, будто на шарнире, и на стол упала бубновая десятка. — Два! — сверху шлепнулась еще десятка — пиковая.

— Две доски! — перевел дух банкир и озабоченно спросил: — А у тебя, Калик, сколько?

Расписной усмехнулся. Катала играл спектакль и явно переигрывал. Он набрал двадцать очков, если бы у Калика было двадцать одно, тот бы объявил сразу. При одинаковой же сумме всегда выигрывает банкир. Тогда к чему эта деланная озабоченность?

— Восемнадцать. — Седой бросил карты. Девятка, шестерка и дама веером рассыпались поверх выигрышных десяток.

— Выходит, повезло тебе? — тяжелый взгляд пригвоздил банкира к лавке.

— Выходит, так, — кивнул тот и демонстративно положил перед Каликом колоду, мол, если хочешь — проверяй.

— Если я тебя на вольтах или зехере заловлю[1] — клешню отрублю, — спокойно произнес Калик, даже не посмотрев на колоду.

Угрюмые переглянулись. Они были похожи, только у одного правая бровь разделялась надвое белым рубцом и на щеке багровел длинный шрам, а глаз между ними почти не открывался.

Приподнятые брови опали, будто в домиках подпилили стропила.

— Да что я — волчара позорный, дьявол зачуханный? — обиделся Катала. — Не врубаюсь, с кем финтами шпилить?

— Ладно. Я сказал, ты слышал. Ероха!

У невидимой границы тут же появился толстый мужик в черных сатиновых трусах до колена. Вид у него был обреченный, мокрая грудь тяжело вздымалась.

— Жарко? — вроде как сочувственно спросил Калик.

---

[1] Вольты, зехер — шулерские приемы.

— Дышать... нечем... — с трудом проговорил тот, глядя в пол.

— Ты свой костюм спортивный Катале-то отдай. Куда он тебе в такую жару?

— Зачем зайцу жилетка, он ее о кусты порвет! — хохотнул Катала. — Не бзди, Ероха, до зимы снова шерстью обрастешь...

— Я не доживу до зимы. У меня сердце выскакивает...

Калик недобро прищурил глаза.

— А как ты думал народное добро разграблять? Тащи костюм, хищник! И не коси, тут твои мастырки не канают![1]

Вор повернулся к Расписному:

— Икряной[2] нас жалобить хочет! Мы шкурой рискуем за пару соток, а он, гумозник, в кабинете сидел и без напряга тыщи тырил!

— А тут и впрямь жарковато! — Расписной стянул через голову взопревшую рубаху, стащил брюки, оставшись в белых облегающих плавках.

Калик и Катала переглянулись, угрюмые впились взглядами в открывшуюся картинную галерею на могучем теле культуриста.

Трехкупольный храм во всю грудь говорил о трех судимостях, а размер и расположение татуировки вкупе с витыми погонами на плечах и звездами вокруг сосков свидетельствовали, что по рангу он не уступает Калику. Под ключицами вытатуированы широко открытые глаза, жестокий и беспощадный взгляд которых постоянно ищет сук и стукачей. На левом плече скалил зубы кот в цилиндре и бабочке — символ фарта и воровской удачи. На правом одноглазый пират в косынке и с серьгой зажимал в зубах финку с надписью «ИРА» — иду резать актив. На животе массивный воровской крест с распятой голой женщиной — глумление над христианской символикой и знак служения воровской идее. На левом предплечье сидящий на полумесяце черт с гитарой, под ним надпись: «Ах, почему нет водки на луне», рядом непристойного вида русалка — показатель любви к

---

[1] Не притворяйся, тут симуляция не проходит.

[2] Икряной — богатый человек.

красивой жизни. На правом предплечье обвитый змеей кинжал сообщал, что его носитель судим за разбой, убийство или бандитизм, чуть ниже разорванные цепи выдавали стремление к свободе. Парусник под локтевым сгибом тоже отражал желание любым путем вырваться на волю. На бедре перечеркнутая колючей проволокой роза показывала, что совершеннолетие он встретил за решеткой. Восьмиконечные звезды на коленях — знак несгибаемости: «никогда не стану на колени».

Крепыш с полузакрытым глазом поднялся и будто невзначай обошел нового обитателя хаты.

На треугольной спине упитанный монах в развевающейся рясе усердно бил в большой и маленький колокола, показывая, что его хозяин не отмалчивается, когда надо восстановить справедливость. На левой лопатке скалился свирепый тигр. Это означало, что новичок свиреп, агрессивен, никого не боится и может дать отпор кому угодно. На правой был изображен рыцарь на коне с копьем и щитом — в обычном варианте символ борьбы за жизнь, но на щите красовалась фашистская свастика — знак анархиста, плюющего на всех и вся. Только отпетый сорвиголова мог наколоть себе такую штуку, наверняка провоцирующую оперов и надзирателей на палки, карцер и пониженную норму питания.

Покрутив головой, полутораглазый вернулся на место.

— Я Расписной, — представился Вольф. — Как жизнь в хате?

Возникло секундное замешательство. Новичок, нулевик, так себя не ведет. Он сидит смирненько и ждет, пока его расспросят, определят, кто он есть такой, и укажут, где спать и кем жить. А татуированный здоровяк сразу по-хозяйски брал быка за рога, так может поступать только привыкший командовать авторитет, уверенный в том, что его погремуха[1] хорошо известна всему арестантскому миру.

— Я Калик, — после некоторой заминки назвался вор. — Это Катала, это Меченый, а это Зубач. Я смотрю за хатой, пацаны мне помогают, у нас все в порядке.

---

[1] Погремуха, погоняло — прозвище.

— Дорога[1], я гляжу, у вас протоптана, — Расписной кивнул на новую колоду. — Грев[2] идет нормальный?

— Все есть, — кивнул Калик. — Я нарочно тормознулся, на этап не иду, чтоб порядок был. Хочешь — кайфа подгоним, хочешь — малевку передадим.

— Да нет, мне ничего не надо, все есть, — Вольф полез в свой тощий мешок, вытащил плитку прессованного чая, кусок колбасы, пачку порезанных пополам сигарет «Прима» и упаковку анальгина.

— Это мой взнос на общество.

Он подвинул немалое по камерным меркам богатство смотрящему.

— За душевную щедрость братский поклон, — кивнул Калик. — Сейчас поужинаем.

И, не поворачивая головы, бросил в сторону:

— Савка, ужин. И чифирь на всех.

— Хорошо бы литр водки приговорить, — мечтательно сказал Меченый.

— А мне бы кофе с булочкой, да постебаться с дурочкой! — засмеялся Катала и подмигнул. Он находился в хорошем настроении.

— Как абвер[3] стойку держит? Наседок[4] много? — спросил Расписной.

— Пересыльная хата, брателла, сам понимаешь, все время движение идет, разобраться трудно. Но вроде нету.

— Теперь будут. Меня на крючке держат, дыхнуть не дают. Кто за домом[5] смотрит?

— Пинтос был, на Владимир ушел. Сейчас пока Краевой.

Худой юркий Савка разложил на листах чистой белой бумаги сало, копченую колбасу, хлеб, помидоры, огурцы, редиску, открыл консервы — шпроты, сайру, сгущенное молоко, поставил коробку шоколадных конфет и, наконец, принес чифирбак — большую алюминиевую кружку, напол-

---

[1] Дорога — связь с волей.

[2] Грев — материальная поддержка заключенных деньгами, продуктами, наркотиками, лекарствами.

[3] Абвер — оперчасть.

[4] Наседка — осведомитель.

[5] Дом — тюрьма.

ненную дымящейся черной жидкостью. Кружку он поставил перед Каликом, а тот протянул Расписному.

— Пей, братишка...

Расписной, не выказав отвращения, отхлебнул горький, до ломоты в зубах настой, перевел дух и вроде бы даже с жадностью глотнул еще. Недаром Потапыч старательно приучал его к этой гадости. Калик вроде бы безучастно наблюдал, но на самом деле внимательно рассматривал перстни на пальцах: синий ромб со светлой серединой и тремя лучами означал срок в три года, начатый в детской зоне и законченный на взросляке, второй ромб с двумя заштрихованными треугольниками внутри и четырьмя лучами — оттянул четыре года за тяжкое преступление, в зоне был отрицалой[1], прямоугольник с крестом внутри и четырьмя лучами — судимость за грабеж к четырем годам, три луча перечеркнуты — они не отбывались из-за побега.

— Ништяк, захорошело. — Расписной отдал кружку, и к ней по очереди приложились Калик, Меченый и Зубач. Это было не просто угощение, но и проверка. Если вновь прибывший опущенный — гребень, петух, пидор, то он обязан сразу же объявиться, в противном случае «зашкваренными» окажутся все, кто с ним общался. Но любому человеку свойственно откладывать момент объявки, поэтому угощение из общей кружки есть своеобразный тест, понуждающий к этому: зашкварить авторитетных людей может только самоубийца.

Расписной знал: здесь никто никому и никогда не верит, все постоянно проверяют друг друга. И его, несмотря на козырные «регалки»[2], проверяют с первых слов и первых поступков. Недаром Калик внимательно изучил его роспись, особо осмотрел розу за колючей проволокой, потом пять точек на косточке у правого запястья, а потом глянул на ромбовидный перстень со светлой полосой. Эти знаки до-

---

[1] Отрицала — осужденный, нарушающий режим и не поддающийся исправлению.

[2] Регалки — татуировки, показывающие заслуги их обладателя, его ранг. Другое дело «порчушки» — примитивные рисунки украшательского или информационного характера.

полняли друг друга, подтверждая, что он действительно мотал срок на малолетке.

Придраться пока не к чему, главное, он правильно вошел в хату, как авторитет: поинтересовался общественными делами, сделал щедрый взнос в общак, задал вопросы, которые не приходят в голову обычному босяку. В общем, сделал все по «закону».

А кстати, сам Калик, обирая Ероху, нарушил закон справедливости, что недопустимо для честняги[1], тем более для смотрящего. Если бы у Расписного имелись две-три «торпеды»[2], можно было устроить разбор и занять место пахана самому. Но «торпед» пока нет...

Расписной круто посолил розовую влажную мякоть надкушенного помидора. Пикантный острый вкус копченой колбасы идеально сочетался с мягким ароматом белого батона и сладко-соленым соком напоенного южным солнцем плода. В жизни ему не часто перепадали деликатесы. Да и вообще мало кто на воле садится за столь богатый стол... И вряд ли Зубач с Меченым так едят на свободе: вон как мечут в щербатые пасти все подряд — сало, конфеты, шпроты, сгущенку...

От наглухо законопаченного окна вблизи слегка тянуло свежим воздухом, он разбавлял густой смрад камеры и давал возможность дышать. Подальше кислорода уже не хватало, даже спички не зажигались, и зэки осторожно подходили прикуривать к запретной черте. Некоторые не прикуривали, а просто глубоко вздыхали, вентилируя легкие. Расписному показалось, что за двадцать минут все обитатели камеры перебывали здесь, причем ни Калик не обращал на них внимания, ни Меченый с Зубачом, которые, похоже, держали всех в страхе. Может, мужикам разрешалось иногда подышать у окна?

Когда еда была съедена, а чифирь выпит, Калик оперся руками на стол и в упор глянул на Расписного. От показного

---

[1] Честняга — блатной, соблюдающий нормы воровского «закона».

[2] Торпеды — физически сильные зэки, выполняющие приказы старшего.

радушия не осталось и следа — взгляд был холодным и жестким.

— Поел?

— Да, благодарствую, — ответил тот в традициях опытных арестантов, избегающих употреблять неодобряемое в зоне слово «спасибо».

— Сыт?

— Сыт.

— Тогда расскажи о себе, братишка. Да поподробней. А то непонятки вылезают: по росписи судя, ты много домов объехал, во многих хатах перебывал, а только никто тебя не знает. Никто. Всей камере показали — ноль. И вот ребята посовещались — тоже ноль.

К первому столу[1] подошли вплотную еще несколько зэков, теперь Расписного рассматривали в упор семь человек, очевидно блаткомитет[2]. Вид у них был хмурый и явно недружелюбный.

— Даже не слыхал никто о тебе. Так не бывает!

— В жизни всяко бывает, — равнодушно отозвался Расписной, скрывая вмиг накатившее напряжение. Теперь он понял, почему все арестанты побывали у их стола.

— Кто здесь по шестьдесят четвертой пункт «а» чалится? Кто в Лефортове сидел? Кого трибунал судил?

Калик наморщил лоб.

— Политик, что ли? У нас, ясный хер, таких и нет! А что за шестьдесят четвертая?

— Измена родине, шпионаж.

— Погодь, погодь... Так это тебе червонец с двойкой навесили? А ты психанул, бой быков устроил, судью хотел стулом грохнуть?

Расписной усмехнулся.

— А говоришь — не слыхали!

Внимательно впитывающие каждое слово Катала и Меченый переглянулись. И напряженно слушающие разговор

---

[1] П е р в ы й с т о л — отдельный стол или часть общего стола, за которым сидят только авторитеты.

[2] Б л а т к о м и т е т — теневой коллегиальный орган управления камерой или зоной, состоит при воре зоны или замещающем его лице.

члены блаткомитета переглянулись тоже. Только Зубач сохранял на лице презрительное и недоверчивое выражение.

— Погодь, погодь, — Калик напрягся. Настроение у него изменилось — напор пропал, уверенность сменилась некоторой растерянностью. Потому что первый раунд новичок выиграл.

В ограниченном пространстве тюремного мира чрезвычайно важны слова, которые очень часто заменяют привычные, но запрещенные здесь и строго наказуемые поступки. Люди, мужики и даже козлы[1] вынуждены в разговоре показывать, кто чего стоит. Хорошо подвешенный язык иногда значит не меньше, чем накачанные мышцы. А иногда и больше, потому что накачанных мышц здесь хватает, а с ловкими языками наблюдается явная недостача. Умение «вести базар» находится в ряду наиболее ценимых достоинств. Сейчас Расписной двумя фразами опрокинул серьезные подозрения, высказанные Каликом, поймал его на противоречиях и поставил в дурацкое положение. Если это повторится несколько раз, смотрящий может потерять лицо.

— Что-то я первый раз вижу шпиона с такой росписью!

— А вообще ты много шпионов видел? — Расписной усмехнулся еще раз. Он явно набирал очки. Но ссориться с авторитетом пока не входило в его планы, и он смягчил ответ: — Какой я шпион... Взял фуцана на гоп-стоп, не успел лопатник спулить — меня вяжут![2] Не менты, а чекисты! Оказалось, фуцан не наш, шпион, греб его мать, а в лопатнике пленка шпионская!

Расписной вскочил и изо всей силы ударил кулаком по столу так, что треснула доска. Ему даже не пришлось изображать возмущение и гнев, все получилось само собой и выглядело очень естественно, что было крайне важно, ибо зэки внимательные наблюдатели и прекрасные психологи.

— Постой, постой... Так ты, выходит, не при делах, зазря под шпионский хомут попал? — Калик рассмеялся, обнажив

---

[1] К о з л ы — активисты, общественники из числа заключенных.

[2] Ограбил хорошо одетого человека, не успел выкинуть бумажник — меня задержали.

желтые десны с изрядно поредевшими испорченными зубами: в тюрьме их не лечат — только удаляют. Но лицо его сохраняло прежнее выражение, и от этого непривычному человеку становилось жутко: не так часто видишь смеющийся булыжник. Блаткомитет тоже усмехался: получить срок по чужой статье считается фраерской глупостью.

— Хуля зубы скалить... Двенадцать лет на одной ноге не отстоять!

Расписной глянул так, что «булыжник» перестал смеяться.

— Ну ладно... Родом откуда?

— Из Тиходонска.

— Кого там знаешь?

— Кого... Пацаном еще был. Крутился вокруг Зуба, с Кентом малость водился... Скворца... Филька... В шестнадцать уже залетел, ушел на зону.

При подготовке операции всех его тиходонских знакомых проверяли. Зуб с тяжелым сотрясением мозга лежал в городской больнице, Кент отбывал семилетний срок в Степнянской тюрьме, Скворцов лечился от наркомании, Фильков слесарил на той же автобазе. На всякий случай Кента изолировали в одиночке особорежимного корпуса, Филька послали в командировку за Урал, двух других не стоило принимать в расчет.

Калик покачал головой.

— Про Кента слышал, про других нет. А за что попал на малолетку?

— За пушку самодельную. Пару краж не доказали, а самопал нашли. Вот и воткнули трешник.

— А вторая ходка?

— По дурке... Махались с одним, я ему глаз пикой и выстеклил[1].

— Ты что ж, все дела сам делал? — ехидно спросил Зубач, улыбаясь опасной, догадывающейся улыбкой. — Без корешей, без помощников?

— Почему? Третья ходка за сберкассу, мы ее набздюм ставили[2].

---

[1] Ножом выбил глаз.

[2] Вдвоем грабили.

— С кем?! — встрепенулся Калик. Так вскидывается из песка гюрза, когда десантный сапог наступает ей на хвост.

— С косым Керимом. Его-то ты знать должен.

— Какой такой Керим? — Из глубины булыжника выскользнул покрытый белым налетом язык, облизнул бледные губы.

— Косого Керима я знаю, — сказал один из блаткомитетчиков — здоровенный громила с блестящей лысой башкой. — Мы с ним раз ссали под батайский семафор[1].

Катала кивнул:

— Я с ним в Каменном Броду зону топтал. Авторитетный вор. Законник.

— Почему я про него не слышал? — недоверчиво спросил Калик, переводя взгляд с Каталы на лысого и обратно, будто подозревая их в сговоре.

— Он то ли узбек, то ли таджик. Короче, оттуда, — пояснил Катала. — У нас редко бывал. И в Каменном Броду меньше года кантовался — закосил астму и ушел к себе в пески. Ему и правда здесь не климатило.

— Ладно, — Калик кивнул и вновь повернулся к Расписному. — А где ты, братишка, чалился?[2]

— Про «Белый лебедь»[3] в Рохи Сафед слыхал?

— Слыхал чего-то...

— Керим про эту зону рассказывал, — вмешался Катала.

— И мне тоже, — подтвердил лысый громила. — Говорил, там даже законника опетушить[4] могут.

Расписной кивнул:

— Точно. В «Белом лебеде» ни шестерок, ни петухов, ни козлов, ни мужиков нет. Вообще нет «перхоти». Один блат — воры и жулики, вся отрицаловка[5]. А вместо вертухаев —

---

[1] Грузились при этапировании на станции Батайск под Ростовом-на-Дону.

[2] Чалиться, топтать зону — отбывать срок наказания.

[3] «Белый лебедь» — колония с очень жестким режимом для рецидивистов.

[4] Опетушить — сделать пассивным педерастом.

[5] Воры, жулики, отрицаловка — высокие ранги в криминальной иерархии, злостные нарушители режима.

спецназ с дубинками. Только не с резиновыми, а деревянными: врежет раз — мозги наружу, сам видел. И сактируют без проблем — или тепловой удар напишут, или инфаркт, или еще что... Через месяц из воров да жуликов и мужики получаются, и шестерки, и петухи... А кто не выдерживает такого беспредела, пишет начальнику заяву, мол, прошу перевести в обычную колонию...

— Если воры гнутся, у них уши мнутся[1], — бойко произнес Катала, но его шутка повисла в воздухе. Все помрачнели. Ни Калику, ни блаткомитету не хотелось бы оказаться в «Белом лебеде».

— А он, братва, все в цвет говорит, — обратился к остальным лысый. — Керим точно так рассказывал. Я думаю, пацан правильный.

— Кажись, так, — поддержал его еще один блаткомитетчик со сморщенным, как печеное яблоко, лицом и белесыми ресницами. — Наш он. Я сук за километр чую.

— Свойский, сразу видать... — слегка улыбнулся высокий мускулистый парень. На правом плече у него красовалась каллиграфическая надпись: «Я сполна уплатил за дорогу». На левом она продолжалась: «Дайте в юность обратный билет». Обе надписи окружали виньетки из колючей проволоки и рисунки — нынешней беспутной и прежней — чистой и непорочной жизни.

— Закон знает, общество уважает, надо принять как человека...

— Наш...

— Деловой...

Большая часть блаткомитета высказалась в пользу новичка.

— А мне он не нравится, — Зубач заглянул Расписному в глаза, усмехаясь настолько *знающе*, будто читал совершенно секретный план инфильтрации Вольфа в мордовскую ИТК-18 и даже знал кодовое обозначение операции «Старый друг».

— Если он шпион, почему его в общую хату кинули? По-

---

[1] Обратившись к администрации, вор нарушает «закон», «гнется» и подлежит раскоронованию. Эта процедура сводится к удару по ушам.

чему у него все отмазки на такой дальняк? Пока малевки[1] в пустыню дойдут, пока ответ придет, нас уже всех растасуют по зонам!

— А зоны где? На луне или на земле? — спросил зэк, мечтающий вернуться в юность.

— Ладно, — веско сказал Калик, и все замолчали: последнее слово оставалось за смотрящим. А он должен был продемонстрировать мудрость и справедливость.

— Расписной нам свою жизнь обсказал. Мы его выслушали, слова вроде правильные. На фуфле мы его не поймали. Пусть пока живет, как блатной, будем за одним столом корянку ломать[2]. И спит пусть на нижней шконке...

— А если он сука?! — оскалился Зубач.

Расписной вскочил:

— Фильтруй базар[3], кадык вырву!

В данной ситуации у него был только один путь: если Зубач не включит заднюю передачу, его придется искалечить или убить. Вольф мог сделать и то и другое, причем ничем не рискуя: выступая от своего имени, Зубач сам и обязан отвечать за слова, камера мазу за него держать не станет[4]. Если же оскорбление останется безнаказанным, то повиснет на вороте сучьим ярлыком. Но настрой Расписного почувствовали все. Зубач отвел взгляд и сбавил тон.

— Я тебя сукой не назвал, брателла, я сказал «если». Менты гады хитрые, на любые подлянки идут... Нам нужно ухо востро держать!

— Ладно, — повторил Калик. — Волну гнать не надо. Мы Керима спросим, он нам все и обскажет.

«Это вряд ли», — подумал Вольф.

Керим погиб два месяца назад, именно поэтому он и был выбран на роль главного свидетеля в пользу Расписного.

— Конечно, спросите, братаны. Можете еще Сивого спросить. Когда меня за лопатник шпионский упаковали, я

---

[1] М а л е в к а (м а л я в к а, м а л я в а) — письмо, нелегально передаваемое на волю или в другую зону.

[2] Буквально: есть хлеб, отламывая от одной буханки. Знак дружбы.

[3] Контролируй, что говоришь.

[4] М а з у д е р ж а т ь — поддерживать, заступаться.

с ним три месяца в одной хате парился. Там же, в Рохи Сафед, в следственном блоке. Пока в Москву не отвезли.

— О! Чего ж ты сразу не сказал? — на сером булыжнике появилось подобие улыбки. — Это ж мой кореш, мы пять лет на соседних шконках валялись! Я знаю, что он там за наркоту влетел.

— Ему еще двойной мокряк шьют, — сказал Расписной. — Менты прессовали по-черному, у него ж, знаешь, язва, экзема...

— Знаю, — Калик кивнул.

— Они его так дуплили, что язва по новой открылась, и он струпьями весь покрылся, как прокаженный... Неделю кровью блевал, не жрал ничего, думал — коньки отбросит...

С Сивым сидел двойник Расписного. Не точная копия, конечно, просто светловолосый мускулистый парень, подобранный из младших офицеров Системы. Офицера покрыли схожими рисунками из трудносмываемой краски, снабдили документами на имя Вольдемара Генриха Вольфа. Двойник наделал шуму в следственном корпусе: дважды пытался бежать, отобрал пистолет у дежурного, объявлял голодовку, подбивал зэков на бунт. «Ввиду крайней опасности» его держали в одиночке и даже выводили на прогулку отдельно. Таким образом, все слышали об отчаянном татуированном немце, многие видели его издалека, а с Сивым он действительно просидел несколько недель в одной камере. Потом Вольф прослушал все магнитофонные записи их разговоров и изучил письменные отчеты офицера, удивляясь его стойкости и долготерпению. Сивый был гнойным полутрупом, крайне подозрительным, жестоким и агрессивным, ожидать от него можно было чего угодно.

Потом двойника вроде бы повезли в Москву на дальнейшее следствие и вывели из разработки, он давно смыл с тела краску и, может быть, забыл об этом непродолжительном эпизоде своей службы. А слухи о поставившем на уши следственный корпус и круто насолившем рохи-сафедским вертухаям Вольфе стали распространяться по уголовному миру со скоростью тюремных этапов. То, что Калик оказался другом Сивого, было чистой случайностью, но эта случайность оказалась полезной. А от возможных неприятных последствий такой случайности следовало застраховаться.

— У него даже крыша потекла: то мать свою в камере увидел, то меня по утрянке не узнал... Каждую неделю к психиатру водили!

— Жаль другана. Мы с ним вдвоем, считай, усольскую зону перекрасили. Была красная, стала черная[1]. Нас вначале всего два человека и было, все остальные перхоть, бакланье и петушня[2]. Раз мы спина к спине против двадцати козлов махались! А потом Сашка Черный на зону зарулил, Хохол, Сеня Хохотун...

— И Алик Глинозем! — продолжил за Калика Расписной. — Алик этого козла Балабанова из СВП[3] насквозь арматурным прутом проткнул, а Щелявого в бетономешалку засунули!

— Точно, так все и было! Я его и засунул!

На лице Калика впервые появилось человеческое выражение.

— Тогда эта шелупня прикинула муде к бороде и выступать перестала. Поняли, сучня, чем пахнет!

Калик встал и улыбнулся непривычными губами.

— Знаете, братва, я ведь вначале сомневался. Не люблю непоняток, на них всегда можно вляпаться вблудную[4]. Но теперь сам вижу — Расписной из наших...

— Я думаю, проверить все равно надо! — перебил смотрящего Зубач.

Калик вспылил.

— Что ты думаешь, я то давно высрал! — окрысился он. — Ты на кого балан катишь?![5] Я здесь решаю, кто чего стоит! Потому освобождай свою шконку — на ней Расписной спать будет!

Зубач бросил на Вольфа откровенно ненавидящий взгляд

---

[1] В красной зоне управляет администрация и актив, в черной — пахан и блаткомитет.

[2] Неавторитетные, презираемые осужденные, хулиганы и гомосексуалисты.

[3] СВП — секция внутреннего порядка, нечто вроде ДНД в колонии.

[4] Попасть в неприятное положение.

[5] Кого задираешь, на кого прешь?

и собрал постель с третьей от окна шконки. Через минуту он сильными пинками согнал мостящихся на одной кровати Савку и Ероху.

* * *

Спать на нижней койке в блатном кутке — совсем не то, что на третьем ярусе у двери. Ночная прохлада просачивалась сквозь затянутое проволочной сеткой окно, кислород почти нормально насыщал воздух, позволяя свободно дышать. Занимать шконки второго и третьего ярусов над местами людей запрещалось, поэтому плотность населения здесь была невысокой.

Зато дальше от окна она возрастала в геометрической прогрессии. Слабое движение воздуха здесь не ощущалось вовсе, потому что Катала отгородил блатной угол простынями, перекрыв кислород остальной части камеры. Парашная вонь, испарения немытых тел, храп, миазмы тяжелого дыхания и бурления кишечников поднимались к потолку, и на третьем ярусе нормальное человеческое существо не смогло бы выдержать больше десяти минут. Поэтому многие спускались, присаживались на краешек нижней койки, пытались пристроиться вторым на кровати. Иногда это не встречало сопротивления, чаще вызывало озлобленное противодействие.

— Лезь назад, сучара! Тут и без тебя дышать нечем!

В глубине «хаты» раздались две увесистые оплеухи. Оттуда то и дело доносились хрипы, стоны, какая-то возня, приглушенные вскрики. Кто-то отчаянно чесался, кто-то звонко хлестал ладонью по голому телу, кто-то всхлипывал во сне или наяву. Вольф понимал: происходить там может все, что угодно. Кого-то могут оформшачить[1], опетушить или вовсе заделать вчистую[2]: задушить подушкой или вогнать в ухо тонкую острую заточку. Потапыч говорил, что зэков актируют без вскрытия и обычных формальностей.

И с ним тоже могут сделать что угодно — или оскорблен-

---

[1] Унизить, опозорить, переведя таким образом в ранг отверженных. Для этого достаточно вылить спящему на лицо воду из унитаза или провести членом по губам.

[2] Заделать вчистую — убить.

ный Зубач по своей инициативе, или кто-то из «торпед» по приказу смотрящего. Ибо демонстративное признание Каликом Расписного и явно выраженное расположение к нему ничего не значат — очень часто именно так усыпляют бдительность намеченной жертвы... С этой мыслью Вольф провалился в тяжелое, тревожное забытье.

* * *

— Встать! — Резкая команда ворвалась в одурманенное сознание, и Вольф мгновенно вскочил, не дожидаясь второй ее части, какой бы она ни была: «Смирно!» «Становись!» «Боевая тревога!»

— К стене! Живо к стене, я сказал!

Таких команд он отродясь не слышал. Мерзкий сон продолжался и наяву, преисподняя никуда не делась, только кроме постоянных обитателей в ней появились коренастые прапорщики с резиновыми палками на изготовку.

— К стене! — Литая резина смачно влипла в чью-то спину.

— Зря ты так, начальник, — прерывисто откашлялся пострадавший зэк. — Где тут стена? К ней из-за шконок не подойдешь!

— Значит, к шконке становись! И закрой варежку, а то еще врежу!

Четверо прапорщиков были безоружны, навались вся хата — задавят вмиг. Но они об этом не думали, обращаясь с зэками, как привыкшие к хищникам дрессировщики. Возможно, уверенность в своем превосходстве и придавала им силу. Но у Вольфа мелькнула мысль, что сторожить загнанных в клетку зверей — это одно, а ловить их на воле — совсем другое. Да и здесь нельзя расслабляться, если хевра взбунтуется...

Но бунтовать никто не думал. Серая арестантская масса покорно выстроилась вдоль кроватей. И Меченый стал, и Катала, и Калик... В камеру зашел невысокий кряжистый подполковник в форменной зеленой рубахе с распахнутым воротом и закатанными по локоть рукавами. Державшиеся чуть сзади капитан и старший лейтенант парились в полной форме — с галстуками и длинными рукавами.

— Бля, щас Дуболом даст просраться! — угрюмо процедил Зубач.

— Ну, кто его заделал? — обыденно спросил подполковник. У него была красная физиономия выпивохи, однако от коренастой фигуры веяло уверенностью и животной силой. Биологическая волна была так сильна, что даже Волк ощутил чувство беспокойства.

— Сам он, гражданин начальник, — маленький лупоглазый Лубок для убедительности прижал одну руку к груди, а второй показал куда-то в сторону параши.

— Захрипел и помер. Тут же кислорода совсем нет...

Высунувшись из строя и проследив за пальцем Лубка, Вольф увидел распростертого на полу Ероху.

— Карцер, пять суток! — прежним обыденным тоном распорядился начальник. — Кому тут еще кислорода не хватает?

Прапорщик сноровисто выволок Лубка в коридор. Больше желающих жаловаться не находилось.

— Убрать! — подполковник брезгливо взмахнул рукой. Два прапора за руки и за ноги потащили мертвеца к двери. Провисающий зад Ерохи волочился по полу и потому зацепился за порог камеры. Так, экономя силы, солдаты-первогодки таскают на кухне мешки с картошкой.

— Где его вещи? — поинтересовался капитан.

— Какие там вещи — хер да клещи! — отозвался Меченый. — Пустой он был, как турецкий барабан.

— Поговори мне! — рявкнул Дуболом. Меченый замолчал.

— Кто отвечает за хату? — спросил Дуболом, проходя вдоль строя почтительно окаменевших зэков.

— Ну, я, — после короткой паузы отозвался Калик.

— Как положено отвечай! — рявкнул подполковник. — Или научить?!

— Осужденный Калитин, статья 146 часть вторая[1], срок шесть лет!

— Так вот, гусь лапчатый, — Дуболом подошел к смотрящему вплотную и впился в него гипнотизирующим взгля-

---

[1] Разбой при отягчающих обстоятельствах.

дом. — Если эксперт скажет, что его замочили, я с тебя шкуру спущу и голым в карцер запущу! Там ты у меня и сгниешь! Ты понял?

— Понятно говоришь, хозяин. Только не трогал его никто. Сам копыта отбросил.

Калик хотя и старался вести себя как обычно — высокомерно и властно, это у него плохо получалось. Когда он и Дуболом стояли лицом к лицу, сразу было ясно, кто здесь держит масть[1].

— Что-то ты у меня задержался, все под больного косишь, — недобро улыбнулся начальник. — Следующим этапом пойдешь на Владимир! А пока наведи порядок в хате! Завтра проверю, если свинюшник останется — дам веник и самого мести заставлю!

У Калика вздулись желваки, но он смолчал. А значит, проявил слабость. Поняли это не все — только опытные арестанты. Расписной, которому Потапыч несколько месяцев вбивал в голову законы зоны, тоже понял. Они обменялись взглядами с Мордой — парнем, который просил обратный билет в юность. Тот едва заметно презрительно усмехнулся, и Расписной согласно кивнул.

За завтраком они оказались рядом. Блаткомитет неторопливо жевал сало и колбасу, все остальные звенели алюминиевыми мисками с жидкой пшенкой. Миски имели такой отвратительный, жирный и липкий вид, что об их содержимом не хотелось даже думать. Места за столом не хватало, многим приходилось устраиваться на шконках или быстро лакать еду стоя.

— Машке с Веркой хату вымыть! — бросил в пространство Калик. Он был мрачен и очень озабочен. — А Шкет пусть коней прогонит. И Хорька ко мне!

— Щас сделаем, — кивнул Меченый.

— Слышь, Расписной, а как там, где «перхоти» нет? — спросил Морда, расчесывая волдырь на руке. — Кто по хате дежурит, кто убирает, кто чифирь готовит?

Вольф усмехнулся.

— Дошло? В том-то и весь расчет! Паханы без шестерок

---

[1] Держать масть — обладать реальной властью.

не могут. Когда в хате собираются одни бугры, они начинают друг друга за глотку брать. Кто круче — тот наверху остается, остальные — в осадок...

Морда покрутил головой.

— Да-а-а... Менты всякое придумывали. В Коми, на волчьей зоне, брали человек десять из отрицаловки, пятерых сажали в железную цистерну, а пятерых оставляли снаружи с кувалдами. Мороз за сорок, теплой одежды нет. Одни греются, долбят кувалдами изо всех сил, другие от холода и грохота с ума сходят... Потом меняются, а через два часа все десять лежат пластом. Но это гадство еще похлеще...

Морда достал пачку «Беломора», вытряхнул папиросу, привычно размял табак и закурил.

— Представляю, какой получился дурдом... Не-е-ет, так жить не можно. Всегда должны быть старшие, те, кто помладше, самые младшие. Только пахан обязан быть путевым. Если он пляшет под ментовскую дудку...

Морда указал на двух пидоров, старательно убирающих в камере. Веркой звали того самого гладкого красавчика в красных плавках. Он старался руководить, то и дело покрикивая на Машку — совсем молодого парня с бакланскими[1] наколками.

— Видишь, у гребней тоже одни командуют, другие подчиняются. На зоне Верка, может, в главпетухи пробьется.

Но Расписной смотрел в другую сторону, на окно. Шкет стоял на плечах у Зубача и через дырку в проволочной сетке пропускал между стеной и «намордником» привязанную к толстой нитке записку. Сто процентов, что это был запрос про него.

Малевки поступят в соседние камеры — слева и справа, а может быть, еще в нижнюю и верхнюю. Оттуда записки передадут дальше, или продублируют их содержание через прижатую к стене кружку, или криком во время прогулки, на худой конец простучат по водопроводным трубам... Через несколько часов многочисленные обитатели тюрьмы смогут высказать все, что они знают или слышали о Вольфе-Рас-

---

[1] Бакланские наколки — татуировка хулиганов.

писном... Страхующий операцию лейтенант Медведев обеспечивает отсутствие в камере тех, с кем Вольфа могла сводить судьба — земляков, бойцов специальной разведки, соучеников и знакомых. Но черт его знает, кто может оказаться среди полутора тысяч собранных со всей страны босяков...

— Нашего пахана рассматриваешь? — хмыкнул Морда и ожесточенно почесал под мышкой. — На что это он Хорька фалует?

Калик сидел под окном и, доверительно наклонившись, что-то говорил низкорослому зэку, острые мелкие черты которого действительно делали его похожим на отвратительного грызуна. Грызун завороженно слушал и чуть заметно кивал. Бессмысленный взгляд, идиотски приоткрытый рот... Вид у него был жуткий.

— У Хорька крыша течет. Настоящий бельмондо[1]. Иначе ему бы за два мокряка в натуре зеленкой лоб намазали[2]...

Морда глубоко затянулся и окурил едким дымом лоснящееся тело.

— Блядь, искусали всего! Вшей хоть прожарками немного гробим, а клопов вообще не переведешь! А тебя сильно нагрызли?

— Да нет, — рассеянно отозвался Волк. Он вообще не почувствовал присутствия насекомых.

— Гля, везет! Видно, кровь такая...

Звенел ведром Машка, громко командовал им Верка.

Волк впился взглядом в шевелящиеся губы Калика. Верхняя то и дело вытягивалась хоботком, нижняя попеременно отквашивалась и подбиралась, будто подхватывая невидимую жвачку. Боец специальной разведки умеет читать таким образом даже иностранную речь.

«Завтра... дуболома... заделаешь... Заточи... весло...»[3]

— Совсем ни хера не соображает: под блатного работает, думает, что его вот-вот коронуют! — рассмеялся Морда.

«Я... базар... отвлеку... ты... быстро... бочину... или... шею...»

— Потому пахана слушает, что он скажет, то Хорек и делает.

---

[1] Бельмондо — сумасшедший, ненормальный.

[2] Его бы за два убийства обязательно расстреляли.

[3] Весло — ложка.

«Справка... ничего... не... сделают... Зато... потом... сразу... покрестим...[1]»

— Ну, с психа спроса нет, а с Калика? Хорек по жизни дурак, как его руками дела делать? Все равно что с чушкарем из одной миски хавать. Если ты настоящий пахан, то себя марать не должен. Я, знаешь, таких мудозвонов не терплю, зубами грызть готов!

Грызун послушно кивнул и исчез. Калик полез за сигаретой.

— С чего ты так? — поинтересовался Расписной.

— Из-за брата младшего. Молодой, знаешь, — в поле ветер, в жопе дым... Один хер из малолетки откинулся[2], ребятня вокруг него и скучковалась — как же, зону топтал! А у него передних зубов нету, говорит — авторитетным пацанам доминошкой выбивают, вроде как знак доблести... Мой и подписался! Тот ему сам два зуба выставил — теперь, говорит, ты самый правильный пацан в квартале. Ну братуха и гарцевал... Только они-то, дураки, не знали, что это вафлерский знак! А через полгода братан ларек бомбанул и загремел на два года. Тут-то и узнал, что это значит!

— Чего ж ты родной душе не подсказал?

— Не было меня тогда. Я через полтора года объявился, чего сделаешь, поздно уже... Ну тому гаду пику засунул, а моему не легче!

— Так ты по «мокрой» чалишься?

Морда покачал головой.

— Не, то дело на меня даже не мерили. Менты прохлопали. За карман попал...

Жизнь в хате текла размеренно и вяло. Пидоры закончили уборку, лысого громилу и его дружка — белесого со сморщенной как печеное яблоко физиономией — выдернули с вещами на этап. Хорек сидел на корточках в углу и как заведенный чиркал о бетон черенком ложки. Вжик-вжик-вжик! Время от времени он корявым пальцем проверял остроту получающегося лезвия и продолжал свою работу. Вжик-вжик-вжик...

---

[1] Короновать, покрестить — присвоить ранг «вора в законе».

[2] Освободился из колонии для несовершеннолетних.

Волка это не касалось. По инструкции, он имел право расшифроваться только для предотвращения особо опасного государственного преступления или посягательства на ответственного партийно-советского работника. Предписанное приказом бездействие вызывало в душе протест, но не слишком сильный. Может, оттого, что он уже нарушал инструкцию, чтобы спасти мальчика от кровавого маньяка, и хорошо запомнил урок полковника Троепольского, едва не растоптавшего его за это. Может, потому, что сам ходил по краю и в любой момент мог расстаться с жизнью. Может, из-за того, что в тюремном мире не было особей, вызывающих сочувствие, и спасать никого не хотелось. Может, срабатывал эффект отстраненности, с каким пассажир поезда смотрит через мутное окно на ночной полустанок со своим, не касающимся его житьем-бытьем. А скорее всего, действовали все перечисленные причины вместе взятые...

Вжик-вжик-вжик!

После обеда обитателей хаты повели на прогулку. Тускло освещенные слабыми желтыми лампочками коридоры, обшарпанные, побитые грибком стены, бесконечные ряды облупленных железных дверей, грубо приклепанные засовы, висячие амбарные замки, ржавые решетки в конце каждого коридора и пропитывающая все тошнотворная тюремная вонь — смесь дезинфекции, параши, табака и потных, давно не мытых тел... Этот мир убожества и нищеты был враждебен человеку, может, он подходил, чтобы держать здесь свиней, да и то — только перепачканных навозом недокормленных хавроний из захудалого колхоза «Рассвет», потому что дядя Иоганн рассказывал: в Германии свинарники не уступают по чистоте многим российским квартирам. Наверняка и эти его рассказы учтены в пятнадцатилетнем приговоре...

Прогулочный дворик тоже был убогим: бетонный квадрат пять на пять метров, цементная «шуба» на стенах, чтобы не писали и надписи, оставленные вопреки правилам и физической невозможности. Сверху натянута крупноячеистая проволочная сетка, сквозь которую виднелось ясное синее небо, желтое солнце и легкие перистые облака.

Волк жадно вдыхал свежий воздух, подставлял тело солнечным лучам и радовался, что исчезла непереносимая камерная вонь. Но она, оказывается, не исчезла, только отступила: камерой провонялись его волосы, руки, камерой разило от Морды, Голубя, Лешего, от всех вокруг...

— Раз в Омской киче мы вертухаев подогрели, они нас пустили во дворик к трем бабам, — мечтательно улыбаясь, рассказывал Морда, а Голубь и Леший с интересом слушали.

— Зима, мороз, снег идет, а мы их скрутили, бросили голыми жопами на лед — и погнали! Бабы визжат, менты сверху смотрят и ржут... Нас семеро, кто сразу не залез, боится не поспеть, толкается, к пасти мостится... Умат!

— Ты-то успел? — жадно облизываясь, спросил Голубь.

— Я всегда успеваю! — надменно ответил Морда и сплюнул.

— Эй вы! Какого хера шушукаетесь? — крикнул сверху вертухай. Лица его против солнца видно не было, только угловатый силуэт на фоне ячеистого неба. — Хотите обратно в камеру?! Щас загоню!

— Все в порядке, начальник, уже гуляем, — подчеркнуто смирно ответил Леший, и вся троица степенно двинулась по кругу.

К вечеру в хату заехал новый пассажир — обтрепанный, сельского вида человечек неопределенного возраста. В руках он держал тощий мешок и настороженно озирался.

— Здравствуйте, люди добрые, — голос у него был тихий и испуганный.

— Здравствуй, здравствуй, хер мордастый! — Верка со своей вихляющей походкой и блатными ужимками был тут как тут.

— Ты куда зарулил, чмо болотное?! — пидор подошел к новичку вплотную.

Тот попятился, но сразу же уперся спиной в дверь.

— Дык... Привели вот...

— А у нас ты спросил: есть тут для тебя место? На фуй ты нам тут нужен? И без тебя дышать нечем!

— Дык... Не по своей-то воле...

— А кто тут по своей?! — напирал Верка. — Один вон тоже не по своей попал без спросу, место занимал да наш воздух переводил... Знаешь, где он? Деревянный клифт примеряет! Я сам его заделал! Вот как бывает!

Он замахнулся. Новичок, не пытаясь защититься, втянул голову в плечи.

Волк не мог понять, что происходит. Творился неслыханный беспредел. Петух — самое презираемое в арестантском мире существо. Он должен сидеть в своем кутке у параши и рта не открывать, чтобы не получить по рогам! Наехать на честного зэка для него все равно, что броситься под поезд!

Верка обернулся и посмотрел на сокамерников. Угрожающая гримаса сменилась глумливой усмешкой. Он не боялся немедленной расправы, напротив, приглашал всех полюбоваться спектаклем. Значит, спектакль санкционирован.

— Ну что, гнидняк, платить за место будешь? — Кулак пидора несильно ткнулся в небритую скулу селянина.

— Дык нету ничего... Вот только колбасы шматок, носки да шесть сигарет...

Человечек распахнул мешок и протянул Верке. Но тот спрятал руки за спину.

— Ложи на стол!

Медленно приблизившись к столу, новичок выложил на краешек содержимое мешка.

— Вот теперь молоток! Сразу видно, нашенский! — смягчил тон Верка и погладил новенького по спине, похлопал по заду.

— Нашенский ведь? Честно говори, не бзди!

— Дык я уже два раза чалился, — приободрился тот.

— Ух ты! А за что? — Верка продолжал оглаживать свою жертву и норовил прижаться к ней сзади. Мужик растерянно отодвигался.

— За кражи... Раз комбикорм, потом свинью с поросенком. А теперь зерно... Полбункера оставил, только высыпал под сарай, а тут участковый... Ты чего приставляешься?!

— Дык полюбил я тебя! — передразнил пидор. — Теперь мы с тобой кореша на всю жисть, точняк? Спать на моей шконке станешь, хлеб делить будем... Чего ты дергаешься, как неродной, ты же из нашенских, сам вижу... Дай я тебя поцелую!

Верка обхватил новичка, прижался к нему всем телом и быстро задвигал тазом. Его губы впились в небритую щеку.

— Да ты чо! — селянин вырвался. — Ты это, не балуй... Я не первый раз...

— Ах, не первый! Я же говорю — нашего племени!

Верка издевательски засмеялся. Его поддержал хохот сокамерников. Калика и членов блаткомитета видно не было, зато остальные веселились от души.

— Ты это... Кончай!

Хохот усилился.

— Пойдем на шконарь, там и кончу!

Верка потянул мужичонку за руку, тот опять вырвался и отскочил в сторону.

— Вяжи базар! — раздался уверенный голос Меченого, и Волк понял, что со всякой малозначительной перхотью разбирается именно он.

— Ну-ка, иди сюда! Ты кто?

— Семен... Горшков я, Семен!

Тяжело переступая на негнущихся ногах, Семен Горшков подошел ближе к монументально усевшемуся в середине стола Меченому. Потные арестанты пропустили его к месту судилища и вновь сомкнулись вокруг.

— Кликуха есть?

— Дык... Когда-то давно Драным звали...

— Петух? — полтора глаза презрительно рассматривали незадачливого пассажира.

— Чего? — Драный посмотрел блатному в лицо, и тут до него дошло, к чему катит дело.

— Боже упаси! Я всегда честным мужиком был! Ни с козлами, ни с гребнями не водился!

— А чего тогда ты к честным людям не идешь, а с проткнутым пидором лижешься?

— Дык я-то не знал! Я думал, он тут масть держит!

В камере раздался новый взрыв хохота.

— Кто масть держит? Верка? Ты глянь на него!

Пидор дразнился высунутым языком и делал непристойные жесты.

— Я-то ничо не сделал... — обреченно сказал Драный.

— Как ничо? Кто ему докладывался, вещи показывал, обнимался да целовался? Это ничо?

— Дык, он ведь сам... И вся хата молчала... Я ведь хате верю...

— Он сам, хата молчала! — передразнил Меченый. — Все тебе виноваты, только ты целка! Это ты молчал, потому и зашкварился! Значит, ты теперь кто?

Драный опустил голову. Руки его мелко дрожали.

— Значит, ты теперь пидор непроткнутый! — безжалостно подвел итог Меченый. — А проткнуть — дело нехитрое. Верка тебе и воткнет в гудок, а ты опять будешь ни в чем не виноватый!

— Да я его... Я его! — задыхаясь от ненависти, Драный обернулся к Верке.

— Ну давай! — подбодрил Меченый. — Давай!

Драный бросился на обидчика. Зэки мгновенно отхлынули в стороны, освобождая пространство для схватки. Два тела сцепились и покатились по полу. Мелькали кулаки, барабанной дробью сыпались удары. Верка был помоложе и покрепче, зато Драным руководили ярость и отчаяние. Он расцарапал пидору физиономию, вывихнул палец и укусил за плечо так, что почти выгрыз полукруглый кусок мяса. Из раны обильно потекла кровь. Верка, в свою очередь, подбил ему глаз, разбил нос и в лепешку расквасил губы.

— Сука, петух сраный, убью!

— Сам петух! Я тебя схаваю без соли!

Оба противника были плохими бойцами и не могли голыми руками выполнить свои угрозы. Если бы у кого-то оказалось бритвенное лезвие, заточенный супинатор или кусочек стекла, не говоря уже о полноценной финке... Но ничего такого у них не было, и Драный пустил в ход естественное оружие — зубы и ногти. Он кусал врага, царапал его, норовил добраться до глаз и в конце концов подмял Верку под себя и принялся бить головой о пол. Через несколько минут схватка завершилась: окровавленный пидор остался неподвижно лежать на бетоне, а Драный с трудом поднялся на ноги и шатаясь подошел к крану.

Пока он смывал кровь и пот с разгоряченного тела, к Меченому подсел Зубач. Они пошушукались между собой, потом подозвали измученного дракой новичка.

— Хоть и не по своей вине, но зашкварился ты капитально, — мрачно объявил Меченый. — По всем нашим законам тебя надо либо в гребни определять, либо, по крайности, в чушкари...

Разбитое лицо Драного вначале посерело, потом на нем мелькнула тень надежды. В отличие от гребня чушкарь может восстановить свое доброе имя.

— Но махался ты смело и навешал ему от души, сразу видно, что духарик[1]! Поэтому...

Наступила звонкая тишина, стало слышно, как журчит в толчке струйка воды. Драный вытянул шею и напряженно впился взглядом в изуродованную харю Меченого. Наверняка она будет сниться ему до конца жизни. Меченый выдержал паузу, неспешно огляделся по сторонам:

— Поэтому мы тебя прощаем. Живи мужиком!

В камере вновь повис привычный монотонный гул. Потеряв интерес к происходящему, арестанты стали расходиться по своим местам.

Только истекающий кровью Верка валялся на полу в прежней позе да застыл столбом возвращенный к жизни Драный.

— Спасибо вам сердечное за доброту, — выговорил наконец он и поклонился.

— Спасибо, чтоб тебя скосило! Спасибо куму скажешь, когда он тебя салом угостит! — зло отрезал Зубач. — А в общак положишь пятьсот рупий да хорошего кайфа!

— Дык откуда?! Я ж показал все, что есть!

— Ты чо, не догоняешь? — Меченый угрожающе прищурил здоровый глаз.

— Дык догоняю... Спасибо, что в петушиный куток не загнали... То есть, извиняйте, благодарствую... Но если впрямь нету? Жена с тремя детьми концов не сведет, дачек от нее и не жду... Так чо мне теперь делать? Я не против общества, но кожу-то с себя не стянешь...

Меченый и Зубач переглянулись:

— Ладно, будешь в обязаловке. Что скажем, то и сделаешь! Понял?

— Чего ж не понять...

Драный опустил голову.

— Забирай свои крохи да лезь вон туда, на третью шконку, — сказал Меченый.

Кряхтя и вздыхая, мужик выполнил приказ.

---

[1] **Духарик** — смелый, отчаянный, сорвиголова.

Морда наклонился к сидящему рядом Расписному.

— Совсем охерели, беспредел творят! Разве в правильной хате так делают? Надо им предъяву кинуть, а то и нам отвечать придется! Ты в подписке?

Волк секунду подумал:

— Да.

Верка повернулся, попытался встать и застонал.

— Машка, перевяжи эту падаль да убери с глаз долой! — крикнул Меченый.

Изуродованную физиономию искривила зловещая улыбка.

— Клевая мясня[1] вышла, кайф в жилу! Точняк?

Но веселился с ним только Зубач. Остальные разошлись, а подошедший вплотную Морда был мрачен и явно не собирался шутить. Он смотрел прямо в здоровый глаз Меченого.

— Слышь, пацаны, а с чего это вы нулевика принимаете? Или смотрящего в хате нет?

Расписной тоже подошел и стал рядом с Мордой.

— Калик спит, брателла, — невозмутимо пояснил Меченый. — Он сказал мне разбираться. Тут все правильно.

— А что пидора на мужика напустили? Это тоже правильно?

— Так для смеха! Опять же обществу польза: мужик завис в обязаловке, что надо будет — то и сделает!

— А ты знаешь, что за такой смех бывает?

Меченый перестал улыбаться и настороженно оглянулся.

— Об чем базар, Морда? — раздался сзади недовольный голос. — Любую предъяву смотрящему делают, значит, мне ответ держать. Ты-то чего волну гонишь?

Калик появился внезапно, будто ненадолго выходил погулять и вернулся, проверяя — сохранился ли порядок за время его отсутствия. Похоже, результаты проверки ему не понравились. Обойдя Морду и Расписного, он смерил их оценивающим взглядом и нахмурился. Губы у смотрящего совсем исчезли. Только узкая щель рассекала каменное лицо между массивной челюстью и мясистым, в красных прожилках носом. Колюче поблескивали маленькие злые глаза, даже огромные, похожие на плохо слепленные вареники уши топорщились грозно и непримиримо.

---

[1] Мясня — кровавая драка.

Но на Морду угрожающий вид смотрящего впечатления не произвел.

— За беспредел в хате со всей блатпятерки спросят! А могут и целую хату сминусовать![1]

— И к чему ты базар ведешь? — надменно спросил Калик.

— К разбору по закону! Вот сейчас соберем всех и разберемся по справедливости!

По камере прошло шевеление. Острый разговор и слово «справедливость» слышали все, кто хотел услышать. И сейчас десятки арестантов принялись спускаться со шконок, выходить из завешенных углов, подниматься с лавок. Через несколько минут масса горячей, потной, татуированной плоти сомкнется вокруг, и предсказать исход разбора заранее будет нелегко.

— А кто ты такой, чтобы толковище устраивать?! — загнанным в угол волком взревел Калик и ощерился. Казалось, что из углов большого рта сейчас выглянут клыки.

Его выкрик стал сигналом для «торпед».

— Мочи гадов! — крикнул Меченый и прыгнул. В вытянутой руке он держал длинный гвоздь — «сотку», остро заточенный конец целился Морде в глаз. Но удар Расписного перехватил его на лету: кулак врезался в левый бок, ребра хрустнули, бесчувственное тело тяжело обрушилось на стол, а гвоздь зазвенел о бетон возле параши.

Зубач тоже бросился вперед, но не так резво, и Морда без труда сшиб его с ног.

Быстрая и эффективная расправа с «торпедами» оказалась хорошим уроком для остальных. Напрягшийся было Катала расслабился, Савка и Шкет резко затормозили и отступили. Расписной поискал взглядом Хорька, но того видно не было. Только из дальнего угла доносилось надоедливое: вжик-вжик-вжик! Бельмондо готовился выполнить поручение смотрящего, а переключаться он явно не умел.

— Ну что, Калик, — спросил Морда, победно осматриваясь по сторонам. — Давай разберемся по нашим законам, как ты за хатой смотрел...

— Давай разберемся! — спокойно кивнул тот, достал

---

[1] Если тюремные авторитеты поставят камере «минус», все ее обитатели подлежат репрессиям.

пачку «Беломора», закурил, несколько папирос отдал стоящим рядом арестантам, те тоже радостно задымили. — Говори, Морда, я тебя слушаю. И честные бродяги ждут!

Калик невозмутимо выпустил струю сизого дыма в лицо обвинителю. От вспышки волнения не осталось и следа. Казалось, что минуту назад на его месте был другой человек.

— Что ты мне предъявить хочешь?

Эта непоколебимая уверенность начисто перечеркнула тот минутный успех, который Морда уже посчитал своей победой. Но он не собирался давать задний ход.

— В путевой хате нулевого смотрящий встречает, разбирается, место определяет. А чтобы пидор над честным мужиком изгалялся — такого отродясь не бывает! Меченый тоже мужика гнул, в обязаловку поставил! Говорит, ты ему разрешил...

— Савка, штырь! — не глядя бросил Калик. И повернулся к арестантам: — Кого тут без меня обидели?

— Дык, вот он я... — нехотя отозвался Драный.

— Так все и было, как Морда сказал?

— Дык точно так...

Савка отыскал и принес смотрящему заточенный гвоздь.

— Кто пидору волю дал? Кто тебя в обязаловку ставил?

— Дык вот энтот, — Драный указал на лежащего без чувств Меченого. Чувствовал нулевик себя неуютно и явно не знал, чем для него обернется все происходящее.

Не выпуская папиросы изо рта, Калик нагнулся к Меченому, вставил гвоздь ему в ухо и резко ударил ладонью по шляпке. «Сотка» легко провалилась в ушную раковину. Раздался утробный стон, могучее тело выгнулось в агонии, из хрипящего рта вылилась струйка крови. Через несколько секунд все было кончено.

Калик выдернул окровавленный гвоздь и протянул Драному.

— А пидора сам кончи.

Тот попятился, отчаянно мотая головой. Он хотел что-то сказать, но горло перехватил спазм.

— Да не... Не! — наконец выдавил из себя Драный.

Калик кивнул:

— Твое право. И знай — ты никому ничего не должен. Понял?

Теперь Драный так же отчаянно кивал.

— Ты прав, Морда, это беспредел! — Калик отдал гвоздь Савке, и тот немедленно бросил его в парашу. — Я заснул и не знал, что творит эта сука! За беспредел и спросили с него, как с гада! — Смотрящий пнул ногой мертвое тело и обвел взглядом стоящих вокруг арестантов. Все отводили глаза. И даже Морда не знал, что сказать.

— Еще предъявы к смотрящему есть?

— Нет! Все ништяк! Порядок в хате! Это Меченый, сука, тут баламутил!

Громче всех кричали одаренные папиросами и заново рожденный Драный. Арестанты получили наглядный урок суровой и быстрой справедливости.

— Харэ, — Калик затянулся последний раз и сунул окурок Савке. — Тогда скиньте эту падаль башкой вниз с третьей шконки. Будто он сам себе шею свернул. И зовите ментов...

Убедившись, что его приказ начали выполнять, смотрящий неторопливо пошел к своему месту.

* * *

Эта ночь оказалась еще хуже предыдущей. К обычной камерной вони добавились запахи крови и смерти. Громко стонал в бреду Верка, то и дело доносились чьи-то вскрики: в ночных кошмарах выплывали из подсознания неотпущенные грехи. Морда перебрался на освободившуюся шконку лысого рядом с Расписным, и они спали по очереди. Ясно было, что Калик не оставит попытку бунта без последствий. В душном спертом воздухе витало тревожное ожидание новых убийств.

Волк переворачивался со спины на бок, потом на живот, на другой бок... Сон не приходил. Даже сквозь плотно сжатые веки и заткнутые пальцами уши проникала липкая, вонючая, противоестественная реальность тюрьмы. Она влезала в мозг, просачивалась в душу, пропитывала плоть и свинцово наполняла кости. Волк пытался противиться, но ничего не получалось: тюрьма медленно, но верно лепила из него какое-то другое существо. Надо было за что-то зацепиться, однако вокруг не было ничего светлого и хорошего. Зашелестели страницы памяти, но и там мелькали прыжки, атаки, выстрелы, взрывы и смерть.

Но между безжалостным огнем автоматических пулеметов «Дождь» и жестоким избиением сержанта Чувака вдруг мелькнуло сдобное женское тело — Волк остановил кадр. Короткая стрижка густых черных волос, зеленые глаза, точеный носик и четко очерченный рот, длинная шея, чуть отвисающая грудь, мягкий живот с глубоким пупком, развитые бедра, густые волосы на лобке, тяжелые ляжки и изящные икры... Будто солнце залило затхлый вонючий мирок, тюрьма перестала мять душу и тело, владевшее напряжение отчаяния стало постепенно ослабевать. Когда он вырвется отсюда и вернется в нормальную жизнь, Софья должна быть рядом с ним. Хотя как может прапорщик забрать жену у генерала, он совершенно не представлял.

«Чо вертишься, как мыло под жопой? — отчетливо услышал он тонкий, нечеловеческий голос. — Кемарить надо! Мы ведь тебе тут санаторий устроили: ни вшей, ни клопов — дрыхни и радуйся! Шухер начнется — разбудим!»

Это говорил кот с левого плеча. Татуировки не могут разговаривать. И избавить от кровососущих паразитов тоже не могут. Значит, у него едет крыша. Но ведь вши и клопы ему действительно не досаждают!

— А чего ты с клопами-то делаешь? — тихо спросил Волк.

— Что?! — вскинулся Морда, сунув руку под мятую ватную подушку, где таился осколок стекла.

«Не ори, побудишь корешей! — раздраженно сказал кот. — Мы им, падлам, облавы ментовские устраиваем. Я когтями ловлю и щелкаю, как семечки... А русалка выковыривает из всех щелей. Да и чертяка дает просраться!»

— Слышь, Расписной, ты чего базарил? — не успокаивался Морда.

— Спать хочу. Моя очередь...

— А... Ну давай.

Кот замолчал. Волк попытался заснуть. Чтобы вырваться из липкого вонючего кошмара камеры, нужен был какой-то приятный расслабляющий образ, символ нормального, человеческого мира. Он напрягся, и в памяти появилась раскачивающаяся под столом изящная женская ступня, всплыл терпкий запах пыли и обувной кожи... Волк погрузился в спокойный, без кошмаров, освежающий сон.

Глава 3

БОЛЬШАЯ ПОЛИТИКА

Яркое солнце отражалось в окнах двухэтажного дома на восемь спален, расположенного в престижном пригороде в двадцати милях от Вашингтона. Свежий ветерок шевелил изумрудную траву газона, подметал и без того безупречно чистые дорожки, морщил голубую гладь пятидесятифутового бассейна, раздувал угли в круглом титановом барбекю и пузырем надувал легкую белую рубаху, которую Майкл Сокольски узлом завязал на животе — на русский манер. В русском стиле был и этот прием — не в ресторане или баре, как принято у американцев, а у себя дома, причем сам Майкл называл его не привычным словом party, а экзотическим и непереводимым gosti.

Гостей было трое: подтянутый моложавый сенатор Спайс, тучный краснолицый Генри Коллинз из группы советников Белого дома и Роберт Дилон — быстрый и верткий владелец крупного издательства. Спайс выглядел наиболее официально — в легком белом костюме и кремовой, с песочными пуговицами шведке. Коллинз надел просторные хлопчатобумажные штаны и свободную шелковую блузу, на Дилоне были джинсы и пестрая гавайская рубаха, расстегнутая до пояса и открывающая крепкий, обильно заросший волосами торс.

На самом деле Дилон работал в русском отделе ЦРУ, и присутствующие были прекрасно осведомлены об этом, поскольку все они специализировались на России. А главным экспертом по столь специфической и сложной стране являлся, безусловно, сам Майкл Сокольски, проработавший в посольстве в Москве около пятнадцати лет.

— О'кей, угли уже хороши, и я сказал Джиму, чтобы он ставил стейки, — оживленно сообщил хозяин, возвращаясь к сервированному на четверых столу и смешивая себе аперитив — темный «баккарди» с лимонным соком.

— Кстати, как называются эти русские стейки на стальных шпажках? — спросил Спайс, потягивая через соломинку джин с тоником.

— Шашлык, — улыбнулся Майкл. — А шпажки — шампурами. Мне доводилось видеть такие, на которые можно нанизать сразу двух человек. Конечно, не столь могучих, как Генри.

— Ты хочешь сказать — не таких толстых, — пробурчал Коллинз. Из-за высокого давления он пил только яблочный сок.

— Большаков тоже толстый, но мой шеф к нему расположился с первого взгляда.

Толстяк, о котором зашла речь, был советским послом, а своим шефом Генри Коллинз называл президента США. Это было приглашение к разговору, ради которого они и собрались.

Майкл попробовал свой коктейль и удовлетворенно кивнул:

— Он расположился к новой политике Москвы и лично к Грибачеву. Тот действительно внушает симпатию.

Спайс добавил себе еще джина.

— После тех, кто был раньше, у него и правда человеческое лицо, — задумчиво сказал он. — Но этого еще недостаточно, чтобы бросаться друг другу в объятия. Во всяком случае, отмена эмбарго на торговлю с русскими явно преждевременна.

— Это все понимают. Тем не менее мы готовимся к встрече на высшем уровне, — сказал Коллинз. — А если она произойдет, потепление отношений неизбежно.

Казалось, что Дилона эти разговоры не интересуют. Он сосредоточенно солил и перчил томатный сок, потом по стенке стакана стал вливать в него водку. Сокольски заинтересованно следил за этим процессом. Разговор заглох.

— Это правда, что русские добавляют сюда сырое яйцо? — спросил Дилон, подняв стакан к глазам и рассматривая, как граница между водкой и соком приобретает все более четкие очертания.

Сокольски кивнул:

— Не все яйцо — только желток. Но далеко не всегда. Я бы даже сказал — крайне редко. В основном обходятся без него.

— Тогда можно считать, что я все сделал правильно, — чуть заметно улыбнулся Дилон. — Терпеть не могу сырых яиц!

Он залпом выпил «Кровавую Мэри» и промокнул губы салфеткой.

— И если завтра я скажу, что обожаю сырые яйца, — мне никто не поверит. Так не бывает. И не бывает, чтобы страна, которая десятилетиями считалась империей зла, в один момент превратилась в оазис добра, справедливости и соблюдения прав человека. Поэтому и конгресс, и президент, и общественность должны знать, как на самом деле обстоят там дела. А самый компетентный и заслуживающий доверия свидетель — наш друг Майкл!

Перегнувшись через стол, Дилон похлопал Сокольски по плечу.

— Это не какой-то журналистишка или экзальтированный турист! Майкл полтора десятка лет работал атташе в нашем посольстве, он специалист по национально-освободительным движениям, хорошо знает диссидентов, а сейчас формирует нашу политику по отношению к России в госдепе! Его правдивая книга, которую с удовольствием выпустит мое издательство, откроет многим глаза на истинное положение дел...

— Я берусь положить эту книгу на стол шефу и подарить ее наиболее влиятельным политикам, вхожим в Белый дом, — сказал Коллинз.

— А я прорекламирую ее на Капитолийском холме, — подхватил идею Спайс.

— Отлично! — кивнул Дилон и облизнулся, будто все еще смаковал вкус коктейля. — Телевизионные передачи, несколько пресс-конференций, статья-другая во влиятельных газетах... Наглядная правда способна перевесить доброе выражение лица Грибачева!

— Мой шеф очень внимателен к общественному мнению, — вставил Коллинз.

— Самое главное — безупречные факты. Один пример с борцами за немецкую автономию чего стоит! Правда, Майкл?

Сокольски, чуть помешкав, кивнул:

— Ваш близкий знакомый, можно сказать, друг, как там его?..

— Фогель. Иоганн Фогель.

— Он добивался восстановления немецкой области, а

оказался за решеткой! На пятнадцать лет. У них меньше дают за убийство! Не правда ли, Майкл?

— Правда.

Сокольски утратил первоначальный энтузиазм, и это бросилось всем в глаза.

— Не будьте столь чувствительны, Майкл! — успокоил его Спайс. — Вы ведь не виноваты в таком печальном исходе!

В воздухе повеяло ароматом поджариваемого на углях мяса.

— Пойду погляжу, как там Джим справляется с делом, — Сокольски поднялся из-за стола. — Без контроля он может пересушить стейки.

* * *

Завтрак начинался как всегда: баландер по счету ставил на откинутый подоконник «кормушки» миски с разваренными макаронами, дежурный шнырь принимал их и передавал в подставленные руки сокамерников, повторяя счет:

— ...пятнадцать, шестнадцать, семнадцать... Не лезь, перекинешь! Семнадцать... Тьфу... Восемнадцать, девятнадцать...

Внезапно звяканье алюминия и счет прервались, в жадно распахнутый рот камеры просунулась голова в несвежем белом колпаке с многозначительно вытаращенными глазами.

— Сейчас для смотрящего! — Голова тут же исчезла.

Смотрящий никогда не ест общую жратву, но никто не стал переспрашивать и задавать вопросов, просто следующую миску шнырь немедленно отнес на первый стол.

За ним теперь сидели всего пять человек: Калик, Катала, Зубач, Морда и Расписной. Они держались настороженно и почти не разговаривали друг с другом. Когда перед Каликом поставили миску с макаронами, он сразу же отлепил от донышка клочок бумаги и осмотрелся. По правилам, полученную малевку смотрящий не должен читать один. Чтобы не мог утаить сведения про самого себя. Сейчас в записке речь, скорей всего, шла о Расписном, но соблюдать формальности все равно было необходимо.

— Катала, Зубач, Морда, идите сюда!

Сердце у Волка заколотилось, несмотря на жару, по спине прошел холодок.

На глазах у свидетелей Калик развернул записку и принялся читать:

— «Про Расписного слыхали, в «Белом лебеде» был в авторитете. Лично никто не знает. Надо присмотреться, проверить, спросить по другим домам...»

Калик закашлялся.

— Это не все, там еще есть, — сказал Морда и потянулся к смятой мокрой бумажке.

Смотрящий презрительно скривился и отвел руку:

— Не гони волну! Ты что, самый грамотный тут? Я и без тебя все вижу!

Прокашлявшись, он как ни в чем не бывало продолжил чтение:

— «Калику надо идти на Владимир, Пинтос ждет. Краевой».

Волк расслабился и перевел дух. Смотрящий наоборот — заметно помрачнел.

* * *

— Ну, в хате ты прибрался... Только почему у тебя народ дохнет пачками?

Подполковник осмотрел все углы камеры, прошелся вдоль строя арестантов, придирчиво осматривая каждого, и остановился перед Каликом.

— Первый жмурик действительно от сердца загнулся. А Теребилов?

— С третьей шконки слетел... — проговорил Калик. И неохотно добавил: — Гражданин начальник...

— Ты кому фуфло гонишь! — Дуболом подался вперед, впившись пронзительным взглядом в жестокие глаза вора. — Как авторитет на третьей шконке оказался?! Хера ему там делать?!

Сегодня начальника сопровождали трое, но все трое отвлеклись: прапорщики шмонали койки, капитан наблюдал за ними. Подполковника никто не страховал, он стоял вполоборота, спиной к двери. Из строя вышел Хорек и, держа руку сзади, на цыпочках стал подкрадываться к Дуболому.

— Так это только у вас погоны навсегда даются. А у нас он сегодня авторитет, а завтра упорол косяк — и полез на третью шконку...

Калик скосил глаза. Хорек улыбнулся ему и бросился вперед. Остро заточенный черенок ложки нацелился подполковнику под лопатку. Интуитивно почуяв опасность, он стал поворачиваться, но избежать удара уже не успевал. И тут Калик шагнул вперед, сделал быстрое движение, будто ловил муху. Тусклый металл пробил ладонь, брызнула кровь, судорожно сжавшиеся пальцы обхватили кулак Хорька. От неожиданности тот выпустил свое оружие и бессмысленно уставился на смотрящего. Здоровой рукой Калик ударил его в переносицу. Хорек упал на колени, зажимая разбитый нос. В следующую секунду на него обрушились могучие кулаки Дуболома.

— Ах ты, сука! На хозяина руку поднял! Да я тебя по стене размажу!

На помощь начальнику бросились прапорщики и капитан. Под градом ударов бельмондо корчился и стонал. Тяжелые сапоги с хрустом вминали грудную клетку, смачно влипали в бока, с треском били по рукам и ногам. Наконец Хорек замолчал и перестал шевелиться.

— Хватит с него! — тяжело дыша, сказал подполковник. — Он хоть и псих, но этот урок навсегда запомнит! Пошли!

Дверь с лязгом захлопнулась.

— Мудила! — морщась, сказал Калик, перевязывая ладонь настоящим стерильным бинтом. — У нас два жмурика подряд, а он взялся хозяина мочить! Всю хату под раскрутку подставить!

Шкет облил полумертвого Хорька водой. Неожиданно для всех тот открыл глаза.

— Как же так, Калик, ты же мне сам сказал Дуболома завалить, — простонал он, еле шевеля расплющенными губами. — Сам ведь сказал! А сам не дал... Как же так?!

— Я тебе разве так сказал делать? Надо выбрать момент и делать тихо, с умом... А ты всем людям хотел вилы поставить!

— Как же так, Калик... Ты же сам сказал!

Глаза Хорька закатились.

— Слышь, Калик, а чего ты руку-то подставил? — внезапно поинтересовался Морда. — Захотел перед Дуболомом выслужиться, оттолкнул бы Хорька — и все дела! Себе-то кровянку зачем пускать?

«Да он, сука, на этап идти не хочет! — раздался тонкий голос кота. — Видно, знает, что во Владимире ему правилка будет!»

Кроме Расписного, никто этого не слышал. Но в следующую секунду Расписной слово в слово повторил эту же фразу.

— Что?! — вскинулся Калик. И было видно, что кот с Расписным попали в точку.

— Да я тебя без соли схаваю! А ну, пацаны!

Никто не двинулся с места. Даже Зубач сделал вид, что ничего не слышит.

— Кто ему верит? — спросил Морда. — Я с Расписным и Хорьком согласен: Калик ссучился. А ты, Леший, что скажешь?

— Сам Хорька научил, а потом вломил хозяину. Конечно, сука!

— Голубь?

— Сука!

— Катала?

Брови-домики опали, хитрые глаза картежника полуприкрылись, и он надолго задумался. Но бесконечно думать нельзя, надо что-то говорить. И отвечать за свое слово, если оно пойдет вразрез с мнением большинства.

— Согласен.

— Зубач?

— И я согласен.

— Каштан?

— За такой косяк на жало сажают!

— Утконос?

— Люди все видали и слыхали. Сука он!

Ни одного голоса в защиту теперь уже бывшего смотрящего никто не подал. Калик менялся на глазах: каменные черты лица расслабились и поплыли, как воск свечи, от грозного вида ничего не осталось, он даже ростом меньше стал.

— Шкет?

— Продал он Хорька, что тут скажешь. Значит, сука!

— Савка?

— Сука и есть!

Все понимали, к чему идет дело. И Калик понимал. И Расписной, наконец, понял. Но его кровавая развязка не устраивала: еще один труп списать не удастся, начнется следствие — так можно затормозиться здесь до зимы.

— Что с ним делать будем? — спросил для проформы Морда.

— На нож!

— Задавить гада!

— В параше утопить!

— Я вот что думаю, бродяги, — степенно начал Расписной с теми рассудительными интонациями, которые так ценятся в арестантском мире. — Если мы с него спросим, как с гада, это будет справедливо. Но неправильно...

— Как так?! — возмутился Леший.

— Да очень просто. Его Пинтос на правилку ждет во Владимире. Утром Краевой маляву пригнал. Так, Морда? Так, Катала?

— Так.

— Так.

Морда и Катала кивнули.

— Пинтос вор, законник, нам свое мнение против его решения выставлять негоже. Поэтому я предлагаю: мы гада сейчас загоним под шконку, и пусть идет к Пинтосу на разбор. А смотрящим надо выбрать Морду. Я так думаю.

— А чего, правильно! — с готовностью крикнул Катала.

— Точняк!

— Молоток, Расписной, дело говорит!

Решение приняли единогласно. Зубач, Голубь и Каштан сбили Калика с ног и пинками загнали под шконку. Всемогущий пахан в один миг превратился в презираемого всеми изгоя.

— Ну и все! — подвел итог Морда, занимая место смотрящего. — А во Владимире пусть с него Пинтос спросит как хочет...

Но Калик не стал дожидаться встречи с Пинтосом. В ту же ночь он привязал скрученный в три слоя бинт к отведенной ему третьей шконке и удавился.

Пришедшего утром начальника эта смерть не очень удивила.

— А ведь верно он давеча сказал: сегодня авторитет, а завтра полез на третью шконку, — задумчиво проговорил Дуболом, рассматривая безвольно висящее тело. И повернувшись к внушительной свите, которая теперь не отходила ни на шаг, добавил: — Сразу видно: клопы загрызли... Надо санобработку делать! Тогда у них дохнуть перестанут!

Два здоровенных прапорщика многозначительно переглянулись, третий зловеще усмехнулся.

— И запомните — у меня живут по моим порядкам! Или вообще не живут! — на прощанье бросил подполковник.

— Влетели! — сказал Катала, когда дверь захлопнулась. — Вот чума!

— Да, Калик нам и напослед подосрал, — мрачно кивнул Леший.

Настроение у всех было подавленное.

— Вы чего? — спросил Расписной. — Ну пусть делают санобработку, от клопов-то житья нет!

— Тю... — Леший хотел присвистнуть, но вспомнил, что в камере этого делать нельзя, и, растерянно пожевав губами, перевел взгляд на нового смотрящего. Тот рассматривал Расписного со странным выражением.

— Я не врубаюсь... Ты что, пассажир с экватора[1]? Придут десять мордоворотов с палками и разделают всю хату в пух и перья! Ты откуда, в натуре?

В воздухе повисло напряжение. Невидимая стена вмиг отгородила его от всех остальных. Потапыч предупреждал, что все мелочи зэковской жизни за несколько месяцев изучить нельзя, проколы неизбежны, и тогда надежда только на собственную изворотливость и находчивость.

Волк рассмеялся:

— У нас это по-другому называлось — «банный день». Один раз меня так по кумполу смазали, два дня имени не помнил...

— А я после обработки неделю пластом валялся...

— Мне руку сломали...

Опасное напряжение разрядилось, каждый вспоминал свой опыт «санобработок», и внимание переключилось с

---

[1] Пассажир с экватора — простак, ничего не знающий о тюремной жизни.

Расписного на очередного рассказчика. Только Зубач не отводил пристального недоверчивого взгляда.

Однако Дуболом почему-то не выполнил своего обещания. «Санобработки» не последовало ни в этот день, ни в последующие. А в конце недели, наконец, сформировали этап на Владимир.

* * *

Семьдесят шестую камеру спас от тяжелых резиновых палок лейтенант Медведев. Он страховал Вольфа, выполняя роль ангела-хранителя, но делал это конспиративно, что существенно затрудняло дело.

— Сколько у вас заключенных с татуировками антисоветского характера? — занудливо выспрашивал он у подполковника Смирнова.

Начальник только кряхтел и задумчиво морщил лоб. Ничего хорошего активность комитетчика лично ему не сулила. Если неудачно попасть под очередную кампанию, можно лишиться должности и партийного билета, как будто не какой-то трижды судимый дебил Петя Задуйветер, а он, подполковник внутренней службы Смирнов, выколол у себя на лбу крамольные слова «Раб КПСС».

— Мы это дело пресекаем в корне, с кожей такую гадость срезаем! — не очень уверенно сказал Смирнов, отводя взгляд.

— А кто допускает антипартийные высказывания? Кто пишет жалобы в ООН? Кто рассказывает анекдоты про руководство страны?

— Нет таких, — уже решительнее ответил подполковник, усердно изображая зрелого и деловитого руководителя исправительной системы, которому совершенно напрасно вверенный контингент дал обидное прозвище Дуболом. — Если попадались, мы их в психушку оформляли...

— Вот-вот, — неодобрительно пробурчал Медведев. — А потом ихние «голоса» про все это на весь мир рассказывают...

Подполковник Смирнов терялся в догадках. Лейтенант из Конторы объявился с неделю назад и проявил большой интерес к обитателям следственного изолятора. Кто из какого города, кто где служил, работал. Он перелопатил картотеку, что-то выписывал, что-то помечал в небольшом блокноте. Порекомендовал перетасовать несколько камер, и эти рекомендации были тут же выполнены.

И Смирнов, и его заместители, и оперчасть находились в напряжении. Интерес к изолятору у «органов» появился явно неспроста. Может, действительно попали во вражескую передачу? Или это камуфляж, а на самом деле копают под сотрудников, а еще хуже — под руководство? Или готовят какую-то комбинацию с диссидентами? Или здесь что-то другое, недоступное неискушенному в государственных делах разуму начальника СИЗО?

— Ладно. А как с националистами? Составьте-ка мне справочку на тех, у кого с пятым пунктом не в порядке!

Медведев приходил каждый день и требовал все новые справки, листал личные дела десятков осужденных, расспрашивал о каждом из них.

— Вот этот татарин, он правда мулла? И что, молится? А других вовлекает?

— А эти двое евреев в одной камере... Они зачем вместе, чтоб сионистскую пропаганду легче вести?

— А немец вообще шпион, да у него еще свастика выколота! Мутит воду?

Смирнов вертелся, как карась на сковородке:

— Никакой он не мулла, мошенник, под видом муллы деньги на мечеть собрал и на ипподроме проиграл...

— Евреи в пропаганде не замечены, но на всякий случай рассадим по разным хатам...

— Не знаю, какой он шпион — с ног до головы расписан, типичная босота... Но хата у них наглая, сегодня я их под палки поставлю!

Комитетчик насторожился:

— Вот этого не надо! От вас и так вонь наружу выходит, причем далеко улетает, за бугор! Никаких эксцессов! Лучше разгоняйте всех по зонам побыстрей! Чего они у вас киснут столько времени?

— Да этапы собираем... Чтоб вагонзаки порожняком не гонять... Но раз такое дело — разгоним...

— А этот латыш про отделение от Союза не заговаривает? А эти узбеки...

Когда настырный комитетчик вдруг перестал приходить

в Бутырку, подполковник Смирнов испытал большое облегчение.

А лейтенант Медведев столь же неожиданно появился в кабинете начальника Владимирской тюрьмы и вновь принялся задавать те же вопросы, рыться в картотеке и перетасовывать камеры. Поскольку во Владимирском централе содержалось немало политических, то руководство это не удивило.

* * *

— Внимание, вы поступаете в распоряжение конвоя! Требования конвоиров выполнять немедленно и беспрекословно!

Сорванный голос приземистого старлея перекрывал свирепый лай двух рвущихся с поводков низкорослых черных овчарок, гудки маневрового тепловоза и шум компрессора на грузовом дворе.

— При этапировании резких движений не делать! При пересечении охраняемого периметра оружие применяется без предупреждения!

Яркие прожектора освещали застывших на корточках зэков, отбрасывающих длинные тени автоматчиков, блестящие рельсы и зловещий то ли грузовой, то ли пассажирский вагон с глухими окнами и темным зевом распахнутой двери. Вольф глубоко вдыхал пахнущий битумом и нагретый железом воздух, будто хотел надышаться впрок. Другие арестанты не пользовались такой возможностью — почти все курили и привычно глотали едкий табачный дым.

Этап был сборный — около пятидесяти человек из Бутырки, Матросской Тишины, Краснопресненской пересылки, четвертого СИЗО... Угрюмые мужики в одинаковых серых робах с явным раздражением слушали начальника конвоя. Натянутая вокруг веревка с красными лоскутами выводила из равновесия, потому что не шла в сравнение с толстыми стенами, бесконечными решетками, высокими заборами, ржавыми рядами колючей проволоки.

Свобода была вокруг, совсем рядом, она дразнила, будоражила, провоцировала, как раздевшаяся на пьяной вечеринке и бесстыдно танцующая баба. Если резко рвануть в глубину станции, затеряться в непроглядной тьме между товарных составов, перемахнуть через забор и раствориться в многомиллионном городе... Но злобные, натасканные на людей псы и тренированные стрелять навскидку автоматчики почти не оставляли надежды на успех. Обманчивая надежда сменялась жесточайшим разочарованием.

— При нападении на конвой оружие применяется без предупреждения! Посадка по команде, бегом по одному, руки держать на виду!

— Ори, ори, паскуда! — зло процедил сидящий справа от Расписного Катала. — Я одному мусору засадил жало под шкуру, тебе бы тоже загнал в кайф...

— Я их, сучар, еще порежу... — облизнулся Хорек. Он на редкость быстро оправился от побоев, только подолгу гулко кашлял, придерживая руками отбитые внутренности.

— Меньше базланьте, — одернул их Зубач. Морда остался в тюрьме, и он явно претендовал на лидерство. — Можешь делать — делай, а метлой мести не хер!

— Точняк, — поддержал его Драный, четко определивший, куда дует ветер.

Начальник конвоя взял у помощника первую папку с личным делом.

— Боков!

— Иван Николаевич, — донеслось из серой массы зэков. — Пятьдесят шестого года, село Колки Одинцовского района, статья сто сорок четвертая часть вторая, срок четыре года.

— Пошел!

Долговязая фигура побежала по веревочному коридору, псы зашлись в лае, у темного проема конвоиры приняли арестанта и привычно забросили его в нутро вагонзака.

— Галкин! Пошел!

— Камнев!

— Зоткин!

— Шнитман! Пошел!

Маленький округлый человечек с объемистым мешком в руках неловко затрусил по проходу.

— Быстрей! Андрей, пошевели его!

Сержант отпустил поводок, черный комок ненависти молнией метнулся вперед, клацнули челюсти, раздался крик, поводок вновь натянулся, оттаскивая хрипящего пса на место.

Приволакивая ногу, человечек побежал быстрее и, с трудом вскарабкавшись по ступенькам, скрылся в вагоне.

— Вольф! Пошел!

Погрузка закончилась довольно быстро. Хотя этап был небольшим, набили как обычно — по пятнадцать человек в зарешеченное купе. Привычная тюремная вонь, теснота, исцарапанные неприличными надписями стенки... Знающая свое место перхоть привычно лезла наверх, Расписной, как подобает бывалому бродяге, уселся на нижнюю полку. Так же уверенно устроились внизу Катала и двое незнакомых, синих от наколок босяков. Ко всеобщему удивлению, здесь же расположился и полный, похожий на еще не подрумяненного в печи Колобка Шнитман. Устроившись у решетчатой двери, он закатал штанину и деловито осмотрел укушенную ногу.

— Вот гады, что делают, — людей собаками травят! — ни к кому конкретно не обращаясь, сказал Колобок, промакивая несвежим платком слабо кровоточащую царапину. — Хорошо, что я успел отдернуться, а то бы до кости прокусила!

— Глохни, чмо базарное! — цыкнул босяк. — Какого хера ты тут расселся? Наверх давай!

— К нам лезь, Сидор Поликарпыч[1]! — раздался сверху голос Драного. — Посмотрим, что у тебя в сидоре!

Но, к еще большему удивлению зэков, Колобок не сдвинулся с места и даже позы не изменил, пока не обмотал платок повыше щиколотки. Потом внимательно посмотрел на босяка и негромко спросил:

— Вы, извините, кто будете?

Босяк чуть не потерял дар речи. Шнитману было под пятьдесят. Круглая голова, торчащие уши, близоруко прищуренные глаза, тонкие, полукружьями брови, висячий, с горбинкой нос, пухлые и бледные, будто из сырого теста щеки. На его физиономии было крупными буквами написано, что он первоход, пассажир с экватора, фуцан, лох. Но лохи так себя не ведут!

— Я?! Я Саня Самолет! А ты кто?!

— А я Яков Семенович Шнитман из Москвы...

---

[1] Сидор Поликарпыч — неопытный, но богатый заключенный.

— Семенович?! В рот тебе ноги! И дальше что? Дальше что, я тебя спрашиваю?!

— Да ничего. Вот познакомились. А дальше — поедем куда повезут.

— Я тебе щас башку отобью! Лезь наверх, сказали!

Колобок помотал головой:

— Мне здесь положено. С людьми.

Самолет заводился все больше и больше. Испитое лицо покраснело:

— С катушек съехал, мудила хренов?! Ты что гонишь!

— Я повторяю то, что мне люди сказали.

— Какие люди?!

— Сеня Перепел, например. Он сказал, что меня по понятиям примут, как человека.

Самолет осекся. Но только на мгновение.

— Про Перепела все слыхали. Только он с тобой не то что говорить не станет — на одном гектаре срать не сядет! Знаешь, что за пустой базар бывает? Язык отрезают!

— Знаю. Только мои слова проверить легко.

— Когда проверим, тогда и видно будет. А сейчас — канай наверх. Ну!

Самолет вытянул длинную лапу с растопыренными пальцами, чтобы сделать «смазь», но Расписной перехватил его запястье.

— Остынь, брателла! Раз он на Перепела сослался, нельзя его чморить. Пока не проверим — нельзя!

Босяк зло ощерился и вырвал руку:

— А ты чего за фуцана подписку кидаешь? Ты кто такой?

— Я Расписной. Не согласен со мной — у людей спроси. А если хочешь разобраться — давай, хоть сейчас.

— Во Владимир придем, все ясно и станет, — поддержал Расписного Катала.

— Пусть внизу сидит, не жалко, место есть, — согласился второй босяк.

— Ну лады, — после небольшой паузы согласился Самолет. — Только разбор я конкретный проведу!

Резкий стук ключа о тамбурную решетку прервал разговор.

— Хватит базарить, отбой! — крикнул дежурный конвоир.

Вагон набирал скорость.

Глава 4

ПО ЗАКОНАМ ТЮРЬМЫ

Владимирский централ славится строгостью порядков на всю Россию. Это не обычный следственный изолятор, не пересылка, которые хотя в народе и зовутся тюрьмами, но на самом деле ими не являются, а служат для временного содержания следственно-заключенных и идущих по этапу транзитников.

Это настоящая тюрьма, «крытка», здесь мотают срок те, кто приговорен именно к тюремному заключению и обречен весь срок гнить в четырех стенах без вывода на работу. Особо опасные рецидивисты, переведенные из колоний злостные нарушители порядка, наиболее известные и намозолившие глаза режиму диссиденты.

Во всем Союзе тюрем — раз, два, и обчелся: ташкентская, новочеркасская, степнянская, всего тринадцать, чертова дюжина, и это недоброе число символично совпадает с их недоброй славой. Но Владимирский централ даст фору двенадцати остальным.

Это почувствовалось еще в вокзале[1]. Два здоровенных прапорщика встречали каждого выпрыгивающего из автозака хлестким «профилактическим» ударом резиновой палки. Расписному удалось повернуться, и удар пришелся вскользь. Потом начался шмон.

— Боков, Галкин, Старкин, Вольф, Шнитман — к стене! Руки в стену, ноги расставить! Шире! Дальше от стены! Стоять!

Разбитый на пятерки этап подвергся жесточайшему прессингу и тщательнейшему обыску. Немолодые, с невыразительными лицами обысчики в замурзанных белых халатах и резиновых перчатках на правой руке заглянули и залезли во все естественные отверстия человеческих тел, досконально осмотрели и перетряхнули всю одежду, прощупали каждый шов.

На пол со звоном посыпались надежно спрятанные булавки, иголки, бритвенные лезвия, заточенные ложки и су-

---

[1] Вокзал — просторный зал, где осуществляется приемка и оформление поступивших в тюрьму арестантов.

пинаторы, беззвучно падали туго скатанные в крохотные шарики деньги, косячки «дури», микроскопические квадратики «малевок». Волк подумал, что сейчас лишится своего амулета, но грубые пальцы не прощупали сквозь толстую ткань арестантской куртки нежный клочок ваты со следами губной помады.

— А это у тебя что? Торпеда? Ну-ка давай ее сюда...

Пожилой обысчик, словно опытный рыболов, натянул веревочку, торчащую между прыщавых ягодиц Галкина, подергал то в одну, то в другую сторону, определяя нужный угол, и резким рывком выдернул на свет божий полиэтиленовый цилиндр с палец толщиной.

— Гля, Петро, якой вумный, — буднично сказал он соседу. — Заховал в жопу и усе — нихто не найдет...

— Они все... Не знают куда пришли, — не отрываясь от своего дела, пробурчал тот.

— Давай, начальник, оформляй карцер! — тонким голосом потребовал Галкин. Лицо его пошло красными пятнами.

— Да уж не боись... Кондей от тебе не уйдет, — пообещал пожилой.

Галкин нервно кусал губы, со лба крупными каплями катился пот. Потеря «торпеды», скорей всего с общаковыми бабками, — дело не шутейное. Оформят акт — все списывается на волчар-вертухаев, подловивших честного арестанта. А вот если менты заныкают и втихую раздербанят общак между собой, тогда Галкину труба дело. Надо гонять малявы по камерам, искать свидетелей, а не найдет — запросто может оказаться в петушином кутке! Так что карцер ему — в радость и избавление.

— Ну ты, пошел сюда! Все остальные на коридор!

Шкафообразный прапор затолкал нарушителя режима в низкий дверной проем, его сотоварищи погнали остальных по длинному коридору, ведущему в режимный корпус.

* * *

— Я не понимаю, что плохого в идее сионизма? Евреи хотят собраться вместе и одной семьей жить в своем государстве. Кому от этого плохо? Почему их надо преследовать?

Лицо Шнитмана выражало крайнюю степень негодования, как у примерного семьянина, которому в присутствии жены предложила свои услуги уличная проститутка.

— Разве я работал не так, как другие? Любой директор оставляет себе дефицитный товар, нет, не себе — уважаемым людям. Любой директор должен находить общий язык с проверяющими — и с ОБХСС, и торгинспекцией, и санитарными врачами... Надо строить человеческие отношения: подарки, угощения, в ресторан сводить, к отпуску путевку достать... А где на все на это взять деньги? У меня оклад сто сорок рублей, хотя я был директором сразу двух магазинов!

— Как так? — удивился Расписной.

После того как он заступился за Якова Семеновича в вагоне, тот проникся к нему симпатией и доверием. Вначале Волк думал, что расхититель социалистического имущества и изменник родине кормит его салом и колбасой в надежде на дальнейшее покровительство. Но оказалось, что этот фуцан и лох, этот первоход с голимыми статьями и так пользуется в тюремном мире невидимой поддержкой. В хате ему выделили место хотя и не самое козырное, но достаточно хорошее, рядом с углом людей.

Саня Самолет из соседней камеры орал на решке[1] и рассылал малявы, требуя разбора с фуфлометом, но хотя он и был известным блатным, никто его не слушал и никаких разборов не затевал. А через пару дней Самолета до полусмерти избили в прогулочном дворике, и он вообще заткнулся. В тюремном Зазеркалье понятливость помогает сберечь здоровье и выжить, поэтому все правильно оценили происшедшее и к Якову Семеновичу стали относиться внимательно и уважительно, как на воле продавцы относились к своему директору.

— Вот так! — Яков Семенович молодецки улыбнулся. — Один магазин нормальный, на двенадцать торговых мест, а второй — филиал, маленький — всего три продавца. Его никто не проверял, а весь дефицит через него и уходил! Но это тоже непросто, не само по себе, все надо организовать, начальству лапу помазать, ну как обычно... Продавцы мне, я — в торг, из торга в управление и дальше по цепочке. Если бы я не собрался уезжать в Израиль, так бы все и шло, как по

---

[1] Кричал через решетку, обращаясь ко всей тюрьме.

маслу. А тут сразу ревизия, и налетели все, кто мог... Так что я восемь лет строгого не за хищения и взятки получил, а за сионизм!

Вольф ничего не ответил. Это походило на правду. Но какое отношение к сионизму имеет известный «законник» Сеня Перепел, оказывающий в тюрёмном Зазеркалье могучую поддержку осужденному Шнитману?

— Так ты, выходит, политический? — усмехнулся местный пахан — медлительный кривобокий грабитель Микула. Он не был авторитетом, и его поставили смотреть за хатой потому, что никого с более серьезной статьей здесь не оказалось. Недавно в корпусе началась покраска, камеры перетасовали и в сто восемнадцатую набили всякую шелупень. Грева, естественно, поступало меньше, зато жизнь шла тихо и спокойно. Сейчас Микула лечил ногу — жег бумагу и сыпал горячий пепел на безобразную красную сыпь между пальцами. Зэк, похожий на скелет, растирал черные хлопья по больному месту, второй — с тупым грушеобразным лицом — подставлял вместо сгоревших новые клочки бумаги. Третий из пристяжи — то ли бурят, то ли калмык — аккуратно скатывал в трубочку расстеленную на столе газету. У окна Резаный и Хорек резались в карты, Драный и Зубач стояли рядом, наблюдая за игрой.

— Выходит, так! — с достоинством ответил Шнитман. — Они меня нарочно политиком сделали. Только просчитались! Через пару лет всех политических выпускать начнут, да еще с извинениями...

— Ишь ты! — Микула отряхнул черные руки, отер ладони о сатиновые трусы.

— Да-да! Еще на должности хорошие начнут ставить...

— Вот чудеса! — искренне удивился Микула. — Я часы с фраера снял, получил шестерик и чалюсь, как положено. А ты всю жизнь пиздил у трудового народа да политиком стал, теперь должностей ждешь... Может, тебя председателем горисполкома сделают?

— Может, — Яков Семенович громко зевнул и почесал живот. — Только скорей всего — начальником торга. Мне это привычней.

— А если не туда все повернется, вдруг в другую сторону

покатит? — недобро прищурился Микула. — Тогда приставят к стене да лоб зеленкой намажут...

— Типун тебе на язык! — замахал руками толстяк.

Пристяжь рассмеялась.

— Оп-ля, снова карта моя! — раздался радостный выкрик: Резаный опять выиграл. Это был здоровенный детина с наглой рожей, он заехал в хату только вчера, но сразу же стал затевать игры и уже в пух и прах обыграл троих. Все трое были предельно обозлены и между собой шептались, что новичок шулерничает. Но сделать предъяву в открытую никто не отважился.

— Как катаешь, гад?! — Хорек замахнулся, но Резаный оказался быстрее и сильным ударом сбил его с лавки.

— Все чисто. Давай расплачивайся!

— Хрен тебе! Думаешь, я не видел, как ты передернул?

Хорек оскалился, вытирая разбитые губы, сквозь серые зубы протиснулся нечистый язык, глаза лихорадочно блестели.

— Меня за лоха держишь? Только я с тобой не по-лоховски расплачусь! Брюхо вспорю и кишки на шею намотаю!

— Глохни, гниль, башку сверну!

Хорек бросился вперед и вцепился противнику в горло, свалив его на пол. Они покатились между шконок.

— Растяните их! — крикнул Микула и вздохнул. — На кой мне эти рамсы? Только зарулил к людям, а уже все перебаламутил. И вообще скользкий... Вчера полдня терли базар — много непоняток вылезло. Слышь, Катала, накажи его! Пусть заглохнет. А потом я его пробью по хатам, что-нибудь точняк подтвердится!

Несколько человек быстро разняли дерущихся. Хорек успел расцарапать противнику лицо и укусил за руку.

— Гля, он психованный! — новичок показал всем прокушенную кисть.

— Ладно, заживет, — небрежно сказал Катала. — Давай с тобой картишки раскинем. Я никогда не базарю: выиграл, проиграл — без разницы.

— Давай раскинем, — неохотно ответил Резаный. — Только без интереса.

— Почему так? У меня и табак есть, и бабки, и хавка!

— Не, на интерес не буду. Я видел, как ты колоду держал.

— Да ладно. Не бзди!

— Сказал — нет! Без интереса — давай.

Катала задумался. Брови на лице картежника выгнулись домиками, выдывая напряженную работу изощренного ума.

— А хочешь, давай поспорим, что ты со мной на интерес сыграешь?

Резаный насторожился:

— Это как? Заставишь, что ли?

Катала усмехнулся:

— Да ты что! Ты же в путевой хате, тут беспределу не бывать... Кто тебя заставит? Сам сыграешь.

— Сказал же: я играть не буду!

— Вот и выиграешь спор! К тому же я против одного твоего рубля десять своих ставлю.

— Против одного моего десять своих? Так, что ли? Если я сотню поставлю, ты тысячу, что ли?

— Точно! Тысячу!

Резаный колебался. В тюрьме деньги имеют другую цену, чем на воле. И тысяча рублей — это целое состояние.

— Харэ. Только без подлянок. Давай смотрящих за спором, перетрем условия!

Смотрящими вызвались быть Зубач и Скелет.

— Значит, так, — Резаный загнул палец. — Первое: я на интерес с ним играть не сяду. Второе: ни он, ни кто-то другой меня заставлять не может.

Он загнул еще один палец.

— Третье: я ставлю сто рублей, а он тысячу. Так?

Катала кивнул:

— Так. Два уточнения. Ты добровольно сядешь со мной играть на интерес еще до ужина.

— Хрен. Вообще не сяду.

— До ужина...

Зубач и Скелет внимательно слушали.

— Расчет сразу, — сделал второе уточнение Катала.

Резаный оживился.

— Значит, после ужина ты мне отдаешь бабки!

— Отдаст тот, кто проиграет, — опять уточнил Катала. — Сразу, как проиграет, так и отдаст. Согласен спорить?

Новичок подумал.

— Смотрящим все ясно?

— Конечно, брателла, — сказал Зубач. — Ясней некуда.

Вольф не понимал, как Катала собирается надуть новичка, но не сомневался, что своей цели картежник добьется.

— Ладно, спорим!

Резаный и Катала пожали друг другу руки, Скелет разбил рукопожатие.

— Спор заключен, — объявил он.

Катала хищно улыбнулся:

— Давай расплачивайся!

— Чего?! — возмутился новичок. — Я что, сел с тобой играть?

Катала кивнул:

— Да. Только что. Спор на интерес — это и есть интересная игра. Ты проиграл. Давай стольник.

— Что за херня! Мы спорили, что я в карты не сяду!

— Разве? Про карты разговора не было. Давай у смотрящих спросим!

— Это точно, про карты речи не было, — подтвердил Зубач. Скелет согласно кивнул.

— Был базар про игру на интерес, — буднично объяснил Катала. — Ты в нее сыграл. Мы договорились, что расчет сразу. Где мой стольник?

Лицо Резаного вспотело, он затравленно огляделся.

— Это лоховская. Я платить не буду!

Микула придвинулся ближе:

— Ты имеешь право на разбор. Пиши малевку старшим, как раз сейчас и погоним.

— Точно, у меня все готово. — Калмык, сверкая раскосыми глазами, протянул пахану скатанную в узкую трубку газету, туго, виток к витку, обмотанную по всей длине резинкой от трусов.

— Давай сюда!

Микула привязал тонкую нейлоновую нитку из распущенного носка к сломанной спичке, а спичку вогнал в изготовленную из жеваного хлебного мякиша «пулю», вставил ее в трубку и передал калмыку. Расписной смотрел с интересом, встретив его взгляд, Микула пояснил:

— Менты здесь все время «дороги» рвут... Приходится «стрелять»... Пока попадешь так, чтоб прилипла, задолбишься совсем! Да и легкие надо иметь охеренные... Вон у него хорошо выходит.

— Шестая, принимай «коня»! — оглушительно заорал калмык в наглухо заплетенное проволочной сеткой окно. — Шестая, «коня»!

— Я так скажу, Володя, — доверительно обратился Шнитман к Расписному. — Уже то хорошо, что зона-то политическая в лесу!

— А чего хорошего? — мрачно отозвался Вольф, наблюдая, как калмык осторожно просовывает свою духовую трубку сквозь неровное отверстие в сетке. Кто знает, что написал смотрящий в очередной малевке, да что пришлют в ответной...

— Воздух там хороший, свежий, лесной! Это очень для здоровья полезно...

— А-а-а...

В пересыльной камере Владимирской тюрьмы содержалось всего пятнадцать человек, и в отличие от Бутырки здесь можно было дышать, но свежести в этой спертой вонючей атмосфере явно недоставало.

Калмык сделал долгий вдох и, прижавшись губами к трубке, резко выдохнул. Резаный настороженно наблюдал со своей шконки. По лицу было видно, что он не ждет от ответа ничего хорошего.

С третьей попытки калмыку удалось прилепить хлебную пулю к решетке шестой камеры, а еще через несколько минут привязанная к нитке записка, трепыхаясь, как насаживаемая на булавку бабочка, протиснулась в щель и исчезла. Новая «дорога» просуществовала до вечера, и по ней успел вернуться ответ.

— Давай сюда, братва! — махнул все еще черноватой ладонью Микула.

Расписной, Катала и Зубач были приняты в сто восемнадцатой хате как авторитетные арестанты, их сразу включили в блаткомитет. Они неторопливо подошли, потеснили Грушу со Скелетом и стали за спиной смотрящего. Калмыку места не хватило, и он сопел в стороне, не видя малявы и не контролируя ее содержания. Настоящий опытный бродяга так бы себя не вел. Значит, он просто тупой «бык».

Микула развернул маленькую, сильно измятую бумажку с косо оборванным краем, тщательно разгладил и принялся вслух читать корявые карандашные строчки.

«Любой спор на интерес и есть игра на интерес».

Потом перевернул малевку и прочел текст с другой стороны листка:

«Эту рыбу никто из честных бродяг не знает. На «четверке» он точняк не был. Пинтос про него не слыхал. Смотрите сами и решайте по нашим законам...»

Микула медленно свернул записку, подумал.

— Ну, Груша, чего делать будем? — спросил он, обернувшись к одному из своих подручных. Чувствовалось, что смотрящий не особенно разбирается в таких делах.

— Ну, эта... Давай малевку по хатам прогоним... Как решат...

— Скелет?

— Давай... Спросим...

— Чего вы фуфло гоните! — возмутился Зубач. — Кого еще спрашивать? Нам самим надо разборняк чинить. Расписной, тащи его сюда!

Зубач явно перехватывал инициативу, и ясно было как божий день, что он хочет схавать Микулу и стать на его место.

Вольф подошел к шконке спящего новичка и уже хотел нагнуться, чтобы похлопать по одутловатой харе.

«Притворяется, гнида, — предупредил кот. — Поберегись, у него мойка[1] в клешне».

Этого Расписной не ожидал. После тщательного шмона на приеме ему казалось, что ничего запретного пронести с собой в камеру невозможно. Но веки здоровяка действительно напряжены и чуть подрагивают, у спящих они расслаблены. И руки сжаты в пудовые кулаки...

Не приближаясь вплотную, Вольф уперся ногой в бок лежащему и резким толчком с усилием сбросил стокилограммовую тушу на бетонный пол. Раздался глухой удар, вскрик и тут же рев бешенства.

— Паскуда, на Резаного тянешь! Распишу, как обезьяну!

С неожиданной ловкостью новичок вскочил и бросился на Расписного, целя зажатой между пальцами бритвой ему в лицо. Автоматическим движением тот поймал толстое запястье, левой несильно ударил в челюсть и, отжав откинувшуюся голову плечом, взял локтевой сгиб противника на излом.

---

[1] Мойка — бритва.

— Бросай, сука! Ну!

Сустав противоестественно выгнулся, связки затрещали.

— Пусти... Сломаешь...

Бритва неслышно звякнула о бетон, Скелет поспешно схватил ее и отскочил в сторону.

— Вот так. Пошел!

Деваться было некуда. Чтобы ослабить боль, Резаный привстал на носки и послушно семенил туда, где его ждал готовый к разбору блаткомитет. Но похоже было, что настроение у первого стола переменилось.

— Гля, — забыв про запрет, присвистнул Груша, и ему никто не сделал замечания. Застыл, неестественно вытаращив глаза, Скелет.

С явной оторопью смотрели Катала и Микула. Смотрели не на Резаного, а на Расписного, будто он являлся виновником предстоящей разборки. А Зубач криво улыбался нехорошей, *понимающей* улыбкой.

Волк понял, что «упорол косяк»[1]. И тут же сообразил — какой.

— Гля, братва, где это он таким финтам научился?! — обвиняющим тоном задал вопрос Груша. Он обращался к камере, и ее ответ мог вмиг бесповоротно определить дальнейшую судьбу Расписного. Если этот ответ не опередить...

— У ментов, где же еще! — сквозь зубы процедил Расписной, выпустил Резаного из захвата и толкнул вперед, прямо к Микуле. — Мы с пацанами в Аксайской КПЗ три месяца тренировались. Клевый приемчик, он мне не раз помог.

— Чему ты еще у ментов выучился? — медленно спросил Зубач, не переставая улыбаться.

— А вот гляди! — Не поворачивая головы, Расписной растопыренной ладонью наугад ударил Грушу. Раздался громкий хлопок, Груша пошатнулся и резко присел, двумя руками схватившись за ухо.

— За что?! — крикнул он. — Ты мне перепонку пробил! За что?

— Не знаешь?! — Ударом ноги Расписной опрокинул Грушу на спину. — А отвечать за базар надо?!

---

[1] Упорол косяк — совершил ошибку, нарушение установленных правил.

— Да что я сказал?

— Вот что! И вот! И вот! — Расписной остервенело бил лежащего ногами, лицо его превратилось в страшную оскаленную маску. Груша дергался всем телом и утробно стонал. Но это был урок не столько Груше, сколько всем остальным.

— Что еще тебе показать? — спросил Расписной, наступив Груше на горло и пристально глядя Зубачу в глаза. — Показать, как шеи ломают?

— Ты не борзей! — Зубач наконец согнал с лица улыбку. — В дому по людским законам живут! Ты чего беспредел творишь?

— А по закону честного фраера[1] ментом называть можно? Да за это на пику сажают! Щас я ему башку сверну, и любая сходка скажет, что я прав!

Груша пытался протестовать, но из перекошенного рта вырывался лишь сдавленный хрип.

— Тебя еще за честного фраера никто не признал! — пробурчал Зубач и отвел взгляд. — И ментом тут никого не называли. Отпусти его, потом разбор проведем. Сейчас речь об этой рыбе!

Он повернулся к Резаному. Остальные арестанты, молча наблюдавшие за развитием событий, с готовностью переключились на предполагаемую жертву. Расписной убрал ногу, Груша надсадно закашлялся, жадно хватая воздух, и быстро отполз в сторону.

— Давай для начала рассчитайся за спор, — сказал Микула потерявшему свою наглость Резаному.

— Где мой стольник? — Катала протянул руку, требовательно шевеля пальцами.

— Я... Я завтра отдам, — новичок смотрел в сторону и бледнел на глазах.

— А, так ты фуфломет! — презрительно протянул Катала и безнадежно махнул рукой. — А мы с тобой, как с честнягой...

— Со спором все ясно, — подвел итог Микула. — А что ты вчера мне сказал?

Новичок молчал.

— Ты мне сказал, что на «четверке» зону топтал. А оказалось — это фуфло!

---

[1] Честный фраер — высокий ранг в преступной иерархии.

Резаный громко сглотнул.

— Ты мне сказал, что Пинтос тебя знает, — продолжал Микула. — И это фуфло! Что ты теперь скажешь? Как перед людьми объяснишься?

— Ну чего особенного... На «четверке», на «шестерке»... Какая разница, они почти рядом... — неубедительно пробубнил Резаный. — А Пинтос просто забыл. Я же не по его уровню прохожу. Парились неделю вместе на пересылке, думал, он помнит...

— Честный бродяга зоны не путает, ему скрывать нечего! — вмешался Зубач.

— Погоди! — оборвал его Микула и снова обратился к Резаному.

— Ты мне еще много фуфла прогнал! Что за гоп-стоп[1] чалился обе ходки... И на плече тигр выколот! А откуда тогда наколка бакланская? Она постарее, вон выцвела уже...

— С пьяни накололи... Еще по воле — молодой был, дурной...

— Да? А над губой что за шрамик?

— Где? А-а-а... — Резаный потрогал лицо. — Махался со зверями, гвоздем ткнули...

— А может, ты что-то выводил? — снова заулыбался своей изобличающей улыбкой Зубач. — Может, там у тебя точка была вафлерская?

— Ах ты сука!

Резаный стремительно бросился вперед, но калмык упал ему под ноги и пудовый кулак не дотянулся до улыбки Зубача. Туша здоровяка второй раз грохнулась на пол, и тут же на него со всех сторон обрушился град ударов. Зубач, Микула и Катала с остервенением впечатывали каблуки в прогибающиеся ребра. Резаный попытался подняться, но Скелет запрыгнул сверху и принялся подпрыгивать, будто танцевал чечетку. Калмык, сбросив грубый ботинок, молотил по неровно остриженному затылку, словно заколачивал гвозди тяжелым молотком.

Еще несколько человек толпились вокруг, явно желая принять участие в расправе, но не могли подступиться к жертве.

— Пустите меня! Дайте я! — Еще не оправившийся от

---

[1] Гоп-стоп — грабеж, разбой.

побоев Груша оттащил калмыка и несколько раз изо всех сил лупанул Резаного по голове, так что тот влип лицом в пол. По грязному бетону потекли струйки крови. Крупное тело безвольно обмякло.

Расписной стоял в стороне и безучастно наблюдал, как избитого новичка приводили в чувство. Нашатыря в камере не было, поэтому его вначале облили тепловатой водой из-под крана, а потом Скелет принялся со всего маху бить по окровавленным щекам и крутить уши так, что они хрустели.

Наконец Резаный пришел в себя и застонал. Нос был расплющен, все лицо покрыто кровью.

— Давай, сука, колись — кто ты в натуре есть?! — Скелет поднес бритву к приоткрывшимся глазам, и веки тут же снова накрепко сомкнулись, как будто тонкая кожа могла защитить от тусклой замызганной стали.

— Чистый... я, — с трудом выдохнул Резаный. — А фуфло прогнал для понтов, для авторитета... За хулиганку чалился, а хотел за блатного проканать... Потому «четверку» назвал и кликуху новую придумал... Но ни с ментами, ни с петухами никогда не кентовался... Корешей не закладывал, у параши не спал... Проверьте по «шестерке», там подтвердят. Чистый я...

— И какая твоя погремуха? — спросил Микула.

— Верблюд... Но за это не режут...

Зубач ухмыльнулся и вытянул вперед палец.

— Еще как режут! Ты «ершом»[1] выставился. За это многих кончили!

Микула поморщился и хлопнул его по руке.

— Слушай, Зубач, с тобой хорошо говно хавать — ты все наперед забегаешь! Кто за хатой смотрит?!

— Гля, он в натуре обнаглел! — поддержал смотрящего Скелет, поигрывая бритвой.

Зубач огляделся. Катала смотрел в сторону, от Расписного поддержки ожидать тоже не приходилось. Зато сзади мрачно нависал хмурый Груша, а сбоку примерялся к его ногам калмык.

— Ша, братва, все ништяк, — примирительным тоном

---

[1] «Ерш» — человек, присвоивший не принадлежащие ему регалии уголовной иерархии.

сказал Зубач. — Я только свое слово сказал: надо с него спросить как с гада!

Микула выдержал паузу, оглядывая соперника с ног до головы.

— А я так думаю: Верблюд свое уже получил. Баклан — он и есть баклан. Пусть сворачивается и идет в «шерсть»[1]. Только...

Смотрящий протянул руку Скелету:

— Дай мойку!

Тот послушно положил на испачканную пеплом ладонь половинку лезвия.

— Держи! — Микула бросил бритву на грудь Верблюду. — Чтобы через час у тебя фуфловых регалок не было!

Избитый хулиган тупо уставился на щербатый обломок металла.

— Да вы на своего посмотрите, — дрожащая рука указала на Расписного. — Ему, небь, половину шкуры срезать надо!

— Привяжи метлу![2] — Расписной замахнулся. — Еще хочешь?

Верблюд втянул голову в плечи и замолчал.

— Ровно час! — повторил Микула.

Кряхтя и охая, Верблюд поднялся, взял бритву и доковылял до своей шконки. Закурив сигарету, он беспомощно осмотрелся по сторонам.

— Помочь? — подскочил к нему юркий и обычно незаметный Хорек.

Он получил девять лет за то, что изрубил топором соседа, но хвастал, что за ним много трупов. Это был отвратительный тип — неврастеник и психопат. Вытянутая хищная мордочка, бледная, в крупных порах кожа, сквозь редкую щетину белесых волос просвечивает сальная кожа головы. Постоянный оскал открывал узкие длинные зубы. С ним никто не кентовался, но и никто не связывался.

— За это будешь в обязаловке. Следующую дачку[3] мне отдашь! Замазали?[4]

---

[1] «Шерсть»— презираемая категория осужденных, занимающая место между мужиками и опущенными.

[2] Привяжи метлу — придержи язык.

[3] Дачка — передача.

[4] Замазали — договорились.

Верблюд нехотя кивнул:

— Только чтоб не больно...

— Ага, сладко будет! Будто хурму хаваешь...

Хорек сноровисто расстелил полотенце, набросал сверху смятых газет, на них положил левую руку Верблюда.

— Челюсть, возьми, чтоб не дергался...

Мрачный цыган с выдвинутой вперед нижней челюстью намертво зажал конечность «ерша».

— Ну, держись! — Хорек осклабился и принялся срезать с безымянного пальца Верблюда воровской перстень — квадрат с разлапистым крестом.

Лезвие было изрядно затуплено, дело шло медленно. Верблюд в голос кричал, кровь бежала струей, впитывалась в газеты, брызгала на полотенце и простыню, красные пятна покрыли и лицо Хорька. Это его, похоже, распаляло: высунув язык, он остервенело кромсал палец «ерша».

— А! А-а! А-а-а-а! — истошно заорал Верблюд.

— Хватит! — сквозь зубы сказал Челюсть. — Уже все!

Хорек неохотно оторвался от кровавого дела.

— Еще бы надо подчистить... Давай охнарик!

Вынув изо рта Верблюда сигарету, он прижег рану. Верблюд задергался, крик перешел в вой, тошнотворно завоняло паленым мясом. Замотав распухший и покрасневший палец носовым платком, «ерш» обессиленно откинулся на тощую подушку.

Но долго разлеживаться было нельзя, потому что с левого плеча нагло скалил зубы не по рангу наколотый тигр. По площади он многократно превосходил перстень.

С трудом поднявшись, Верблюд пошатываясь подошел к углу людей.

— Слышь, Микула, я уже не могу... Разреши не резать... Я его поверху зарисую...

Смотрящий подумал.

— Как, братва? Разрешим?

Скелет пожал плечами. Калмык согласно кивнул:

— Пусть заколет, чтоб видно не было. Какая разница...

Но Зубач решительно воспротивился:

— Ни хера! Как решили! Ответ должен быть...

— Пусть по полной раскручивается, сука! — поддержал его Груша.

— Резать! — крикнул Хорек.

Микула развел руками:

— Раз братва не разрешает — режь!

Верблюд опустился на колени и зарыдал:

— Я уже не могу! Разреши до завтра... Ну хоть до вечера...

Зубач в упор смотрел на Микулу и улыбался. Смотрящему не гоже обсуждать свои решения, а тем более отменять их. Так можно потерять авторитет.

— У тебя полчаса осталось! — заорал Микула. — Иначе башку отрежем!

— Режьте, что хотите делайте, не могу... — безвольно выл Верблюд.

— Слышьте, чо он квакнул? — ухмыльнулся Скелет. — За базар отвечаешь? А если мы хотим тебе очко на английский флаг порвать?

Неожиданно Челюсть схватил Верблюда за предплечье и осколком стекла трижды крест-накрест полоснул по тигриной морде.

— И все дела! — презрительно процедил он.

— Ой, точняк? — Верблюд не успел даже вскрикнуть и теперь, не веря в столь быстрое избавление, изгибал шею, пытаясь рассмотреть изрезанное плечо.

— Убери харю!

Челюсть молниеносно нанес еще три пореза.

— Вот теперь точняк!

Кровь залила остатки запрещенной татуировки. Когда раны заживут, от нее останутся только шрамы. Инцидент был исчерпан.

Глава 5
СНОВА БОЛЬШАЯ ПОЛИТИКА

Вызов в ЦК КПСС и для председателя КГБ все равно что приглашение на Страшный суд. Особенно если вызывает не инструктор, не завсектором, не заведующий отделом и даже не один из всемогущих секретарей, а сам Генеральный. При таком раскладе нет неприкасаемых, тут не спасают ни самые высокие должности, ни тяжелые, шитые золотом погоны — ибо здесь можно их в одночасье лишиться, превратившись из главы могущественного ведомства и многозвездного генерала в обычного инфарктника-пенсионера. Впору вспомнить все грехи, определить причину вызова и молиться, чтобы пронесло.

Генерал армии Рябинченко прознал, что вызов связан с операцией «Старый друг». Внимательно изучив всю документацию, с папкой во влажной ладони и сопровождающими — начальником Главного управления контрразведки генерал-майором Вострецовым и непосредственным исполнителем подполковником Петруновым — он прибыл на Старую площадь.

Подполковник остался в огромной, как футбольное поле, приемной — ему и сюда-то был путь заказан: не его уровень. Если бы не желание начальников иметь под рукой козла отпущения для немедленной компенсации пережитых унижений, он бы вообще не попал в это здание.

Рябинченко и Вострецов на негнущихся ногах прошли в отделанный дубовыми панелями кабинет Генсека. Грибачев расположился во главе длинного стола для совещаний, по правую руку неестественно ровно восседал похожий на мумию секретарь по идеологии Сумов, по левую мостились на краешках стульев заведующий международным отделом ЦК Малин и министр иностранных дел Громов. Все были в строгих костюмах и затянутых под горло галстуках, как будто за окном не ярилось испепеляющее все живое солнце. Впрочем, в кабинете бесшумно работал кондиционер и температура не поднималась выше восемнадцати градусов.

Генеральный секретарь просматривал вырезки из американских газет с пришпиленными к ним текстами переводов и все больше мрачнел. Просмотрев, он отдавал одну Сумову, а следующую Малину и Громову. Малин скорбно кривился, у Громова на лице и так застыло постоянное выражение зубной боли, а мумии дальше мрачнеть просто некуда. Так что веселой назвать эту компанию никто бы не смог.

— Товарищ Генеральный секретарь, генерал армии Рябинченко по вашему приказанию прибыл! — старательно, как солдат-первогодок, доложил председатель.

Грибачев на миг поднял голову.

— Вы читаете американские газеты?

Рябинченко языков не знал, следовательно, даже если бы захотел, не мог читать ни американских, ни английских, ни китайских, ни каких-либо еще газет. Поэтому он на мгновение задумался, но тонким чутьем аппаратчика понял, что сейчас находчивость важней, чем правда.

— Так точно, товарищ Генеральный секретарь! Но не в сплошную — аналитический отдел готовит обзоры... Могли что-то и упустить...

Грибачев строго сверкнул стеклами очков:

— А вы в курсе дела, что бывший атташе американского посольства, некто Сокольски, ведет линию на подрыв доверия к нашей стране? Он дискредитирует новую политику СССР в глазах всего международного сообщества! Под угрозой находится моя встреча с президентом США, пакет важных соглашений и договоров, которые долго и старательно готовили товарищи Малин и Громов, может оказаться в мусорной корзине!

Министр и заведующий отделом осуждающе уставились на председателя и одновременно кивнули, подтверждая правильность слов Генсека. Мумия Сумова не шелохнулась, но вид главного идеолога страны выражал крайнюю степень недовольства.

— Так точно, товарищ Генеральный секретарь, мы принимаем меры! — Рябинченко поспешно выставил перед собой папку, словно щит, спасающий от трех испепеляющих взглядов. — Вот здесь все документы по специальной операции, которую мы проводим против этого провокатора Сокольски! Генерал Вострецов непосредственно руководит ею... Мы можем доложить... И ответить на вопросы...

Рябинченко сделал жест, как бы выдвигая Вострецова на первый план. Тот обреченно склонил голову, разглядывая узорчатый, зеркально блестящий паркет.

— Вы с генералом мне это уже докладывали, — поморщился Грибачев. — И приводили бойца, настоящего героя, который согласился испортить себе кожу ради выполнения задания Родины. Это образцовый парень, такими надо гордиться! Но ведь он исполнитель. И добьется успеха только тогда, когда им умело руководят. А вы руководители. И где же результаты вашей работы?

— Результаты будут в ближайшее время, товарищ Генеральный секретарь! — с максимальной убежденностью, на которую был способен, отчеканил Рябинченко.

— Так точно, в ближайшее время! — эхом повторил Вострецов.

— Э-э-э...

Скрипучий звук, напоминающий скрежет заржавевших дверных петель, издала мумия Сумова. Грибачев снял очки, лицо его выразило внимание и заинтересованность.

— Да-да, Михаил Андреевич, вы хотите что-то сказать?

Секретарь по идеологии не изменил выражения лица и не повернул головы.

— Партия доверила вам защиту народа от происков внутренних и внешних врагов, — бесцветный скрипучий голос был настолько тихим, что разобрать слова удавалось с трудом. — Если вы не справляетесь с этой задачей, партия откажет вам в доверии. Это все, идите.

То ли от замогильного голоса, то ли от реальности угрозы по спине Рябинченко пробежали мурашки.

— Идите! — кивнул Грибачев, вновь надевая очки.

Рябинченко повернулся через правое плечо, а генерал Вострецов пятился до самой двери.

Когда они оказались в приемной, к председателю вернулась обычная властность и уверенность в себе.

— Полтора месяца! — не глядя на Вострецова, процедил он. — Не будет результата — положишь партбилет и пойдешь на улицу! Свободен!

Когда за Рябинченко закрылась дверь, Вострецов повернулся к ожидающему указаний Петрунову.

— Месяц сроку! — рявкнул генерал. — Провалишь операцию — пеняй на себя!

— Есть! — ответил подполковник.

* * *

— Слышь, Яков Семенович, а откуда ты Перепела-то знаешь? — поинтересовался Расписной.

Шнитман ненадолго задумался, потом махнул рукой.

— А-а-а! Какие тут государственные тайны! Тем более что тебе, Володенька, я полностью доверяю...

В тускло освещенной камере заканчивался очередной день. Зубач дулся с Драным в карты, Хорек, Груша и Скелет с интересом наблюдали за ними. Игра шла на отжимания, Драный раз за разом проигрывал и обреченно упирался в пол дрожащими руками.

— Раз! Два! Три! — азартно орали несколько глоток. — Давай, давай, только не перднн! Нет, ты грудью доставай! Не филонь, зараза!

Груша, пыхтя, сосредоточенно шлифовал о пол сантиметровый кусок зубной щетки. Накануне Челюсть разрекламировал «спутники»[1] и пообещал безболезненно вставить их каждому желающему. Желающим оказался Груша, теперь он тщательно готовил заготовку для будущего предмета мужской гордости.

— Вот так пойдет? — Груша протянул своему наставнику похожий на фасолину кусок пластмассы.

— Если у тебя конец, как локоть, — пойдет... А то поменьше сделай, чтоб кожу не натягивала. Лучше «виноградную гроздь» замастырим — штуки две всадим или три, как у меня. За тобой бабы табуном бегать будут!

— Не, три много, — засомневался Груша. О том, что в ближайшие пять лет он вообще не увидит ни одной бабы, будущий герой-любовник, очевидно, не думал.

— Так вот, Володя, — продолжил Шнитман. — У нас от блатных вечно проблемы были. Знаешь, как злые люди говорят: торгаши деньгами напиханы! То квартиру у кого обворуют, то магазин... Куда пожаловаться? В милицию нельзя — внимание к себе зачем привлекать? Сразу вопросы: на какие деньги все это золото, хрустали, магнитофоны... А я подумал, подумал: у воров-то тоже начальство есть! А Сеня от меня через улицу жил, я про него слыхивал, он про меня. Ну и пошел к нему... Маслица взял, колбаски хорошей, конфет, пару бутылочек коньяку... Поговорили по-людски и договорились так: я ему продукты подкидываю, деньжат, а он и меня, и мои магазины охраняет...

---

[1] «Спутники» («шарики») — круглые или овальные предметы, обычно из пластмассы, реже — из дерева или стали, вживляемые в крайнюю плоть.

— Как так? — притворно удивился Вольф. — Западло это. Вор воровать должен, а не с рук кормиться!

— Может, и западло, — кивнул Яков Семенович. — Только с тех пор проблем у нас не стало. Больше того: еду в Ялту на отдых, деньги при себе везу немалые, а в коридоре два корешка Сениных курят да за порядком приглядывают. А рожи у них, я тебе скажу, еще те! Пьяные, хулиганы, шантрапа всякая — мимо моего купе пулей пролетали! И деньги в сохранности, и за себя я спокоен. Ну, за это, конечно, отдельно доплачивал...

Шнитман печально улыбнулся.

— Знаешь, Володя, у меня много солидных знакомых было — и из торга, и из жилконторы, даже из ОБХСС, начальник телефонной станции в гости ходил... Но когда я подружился с Сеней, мне стало гораздо спокойней жить! Потому что он мог то, чего не могли другие... Для него запретов не было!

— Прям-таки! — усмехнулся Вольф. — И ментов он не боялся?

— Боялся, — согласился Шнитман. — Как не бояться, если их сила! Вскоре присел Сеня на четыре года. Дурак бы про него забыл, а я — нет. Мамашку нашел и стал каждый месяц ей по сотне переводить! И дружба промеж нами окончательно укрепилась! Ведь на воле Сеня или в тюрьме — не важно, он отовсюду помочь может...

— Гля, ты чего! — возмущенно завопил Драный. — Я себе жилы рвал, а он фуфло гонит!

Внимание обитателей хаты переключилось на картежников.

С притворной сосредоточенностью Зубач отжимался от стены и четко считал:

— Двадцать один, двадцать два, двадцать три... Все!

Он отряхнул руки и обернулся к Драному.

— Ты чего орешь, гнида? Чем недоволен?!

— Дык, как чем? От пола надо отжиматься! От пола!

— А ну глохни! — Зубач угрожающе вытаращил наглые глаза. — Мы договаривались — от пола или от стены? Договаривались? Говори!

— Договаривались — на отжимания! А отжимаются от пола! Как я — вон, гляди, до сих пор руки дрожат!

— Раз не договаривались — волну не гони! — наступал Зубач. — Кто хочет — от пола отжимается, кто хочет — от потолка, кто хочет — от стены! Ты от пола захотел, я от стены. Так чего ты волну гонишь?! Чего хипишишься? Знаешь, что за гнилой наезд бывает?

— Верно, — вмешался Катала. — Раз не договаривались, значит, каждый отжимается как хочет!

— Слыхал? Или на правилку хочешь? — Зубач толкнул Драного в грудь. Тот спрятал руки за спину и попятился.

— Ладно, заглох, — он понуро пошел к своему месту.

— Слышь, Драный, давай я и тебе «шарик» под шкуру запущу! — крикнул ему вслед Челюсть. — Почти за ништяк! Две пачки чая, и все дела!

— Мне вставляй, — Груша держал на ладони гладко отшлифованную пластмассовую фасолину. — Только чтоб все ништяк... Надо моечку острую найти...

— Острую нельзя — плохо зарастать будет. У меня есть чем... Давай, принимай наркоз!

Груша извлек спрятанный в матраце неполный флакончик «Шипра». Накануне он специально выменял его у калмыка за почти новые ботинки. Взболтав ядовито-зеленую жидкость, он вытряхнул ее в алюминиевую кружку. Перебивая привычную вонь, по камере распространился резкий запах одеколона.

— Я б тоже вмазал! — мечтательно сказал Скелет.

Закрыв глаза, Груша медленно выцедил содержимое кружки. Было заметно, что удовольствия он не получает. По подбородку потекли быстрые маслянистые капли.

— Бр-р-р! — Грушу передернуло, он громко отрыгнул.

— Оставь немного для дезинфекции, — Челюсть, как готовящийся к операции хирург, разложил на краешке стола «шарик», половину супинатора, толстую книгу афоризмов, лоскут от носового платка, две таблетки стрептоцида и две ложки.

Протерев «шарик» и заостренный конец супинатора остатками одеколона, он в пудру растолок ложками таблетки.

— Ну как, словил кайф?

— Вроде...

Одеколон действует быстро, вызванное им отравление напоминает наркотическое опьянение. Вид у Груши был такой, будто он выпил бутылку водки.

— Давай, выкладывай свою корягу...

Груша спустил штаны и примостился к столу, уложив на край свою мужскую принадлежность. Словно в ожидании боли она была сморщенной и почему-то коричневого цвета.

— А ну-ка давай сюда...

Челюсть оттянул крайнюю плоть, прижал ее супинатором и ударил сверху книгой. Брызнула кровь, Груша застонал. Не отвлекаясь, цыган стал засовывать в рану обработанный кусок пластмассы. Груша застонал громче.

— Да все уже, все...

Челюсть засыпал рану стрептоцидом и ловко обмотал раненый орган лоскутом тонкой ткани.

— Вначале распухнет, потом пройдет. А за неделю совсем заживет.

— И не очень-то больно, — приободрился Груша.

— Видишь! Я же говорил: давай «гроздь» всажу.

— Нет, мне и одной хватит.

Челюсть повернулся к Верблюду:

— Давай тогда тебе!

— Нет уж. Пусть вначале палец и плечо заживут...

— А по-моему, лучше сразу и болт порезать, — засмеялся цыган. — Вот и станешь настоящим Резаным!

Вокруг собрались сокамерники, они улыбались. Челюсти нравилось быть в центре внимания.

— Мне «гроздь» в ростовской «десятке» вживили, — начал он. — Тогда мода такая пошла, все загоняли... Колька Саратовский — здоровый бычина, три шарика от подшипника всадил, стальные, по сантиметру каждый... У него и так болтяра в стакан не лез, а тут вообще: торчат как шипы от кастета, по лбу дашь — любой с копыт слетит! А к нему как раз баба приехала на длительную свиданку, он ее так продрал, что она аж за вахту выскочила! Орет, матерится, кулаком грозит...

Цыган зашелся в хохоте, выкатив глаза с переплетенными красными прожилками.

— После этого всех в медчасть погнали да вырезать заставили! Только я не стал. Пайка мне от министра положена, ее никто не отберет — ложил я на них с прибором! На свиданки ко мне бабы не ездили, ну бросят в шизняк — всего-то делов! И точно: попрессовали, попрессовали — и отвязались. Так я с ней и хожу...

— Ну и чего? — недоброжелательно протянул Микула. Ему явно не нравилось, что цыган вызвал интерес у всей «хаты». — Жить стало слаще? Или тебе доплачивают за эту твою гроздь? Или, может, сроки половинят?

— Половинить-то не половинят, — рассказчик перешел на приглушенный доверительный тон. — Только раз они мне и в этом деле помогли! — Цыган многозначительно подмигнул, и круг заинтригованных слушателей стал плотнее.

— Было дело в Саратове — сожительница ментам заяву кинула: будто я ее дочь развращаю! Те рады, меня — раз! — и на раскрутку... Я говорю: вы что, она же целка! А те — ноль внимания: Любка, змея, придумала, будто я Таньке глину месил! Так что дуплят меня с утра до вечера, пакет на голову надевают, по ушам хлопают... Колись, сука, и все дела!

Челюсть вошел в азарт: говорил на разные голоса, гримасничал и размахивал руками.

— Тогда я говорю: давайте сюда медицинского эксперта! Пусть экспертизу делает! Если бы я двенадцатилетней девчонке в дупло засунул, она бы лопнула! И вынимаю им свой болт! У тех раз — и челюсти отвисли!

— И что? — со странной полуулыбкой спросил Зубач. Ему явно не было смешно, и он принужденно кривил губу, обнажая желтые щербатые зубы. — Сделали экспертизу?

— Да сделали! — нехотя сказал цыган и остервенело почесал волосатую грудь. — Пришел лепила очкастый, померил линейкой и написал: три инородных тела размером восемь на пять миллиметров. Я ему: как так, они поболе будут! А он свое — у тебя там еще кожа, ее я не считаю! Я психанул, говорю: дай мне бритвочку, я их сейчас на спор вырежу и померим в натуре, без всякой кожи...

— Вырезал? Померил? — продолжал скалиться Зубач.

Вопросы он задавал не просто так: такие вопросы и таким тоном просто так не задают. Ему что-то не нравилось — то ли в цыгане, то ли в его рассказе. И он цеплялся к рассказчику, или, выражаясь языком «хаты», тянул на него.

— Не дали, гады: нарочно меньший размер посчитали...

Челюсть продолжал чесаться. Конец рассказа получался скомканным.

— Заели меня эти вши совсем...

— Ну а потом чего, потом-то? — не отставал Зубач. — Чего ж ты на самом-то главном сминжевался?

— За Таньку закрыли дело. Кражи да грабеж повесили, воткнули пятерик, вот и пошел разматывать.

— Фуфлом от твоего базара тянет! — перестав улыбаться, сказал Зубач. Широкий в плечах, он имел большой опыт всевозможных разборок и сейчас явно собирался им воспользоваться.

— Че ты гонишь?! — Челюсть шагнул вперед и оказался с Зубачом лицом к лицу.

Внушительностью телосложения он уступал Зубачу, но познавший суть физических противоборств Вольф отметил, что у цыгана широкие запястья и крепкая спина — верные признаки хорошего бойца. Многое еще зависело от куража, злости и специальных умений.

В камере наступила звенящая тишина, стало слышно, как журчит вода в толчке.

— Зуб даю, ты и вправду дитю глину месил! А потом, чтоб с поганой статьи соскочить, чужие висяки на себя взял!

Контролируя руки противника, Зубач поднял сжатые кулаки. Но резкого удара головой он не ожидал. Бугристый лоб цыгана с силой врезался ему в лицо, расплющив нос. Хлынула кровь, Зубач потерял ориентировку, шагнул назад и закачался. Ладони он прижал к запрокинутому лицу. Всем стало ясно, что он проиграл, но Челюсть не собирался останавливаться на полпути и мгновенно ударил ногой в пах, в живот, потом сцепленными кулаками как молотом саданул по спине. Когда обессиленное тело рухнуло на пол, Челюсть принялся нещадно месить его ботинками сорок пятого размера.

— Хорош, кончай мясню в хате! — вмешался Микула. — Нам жмурики не нужны!

Цыган еще несколько раз пнул поверженного противника и отошел.

— Сучня! Откуда он взялся? Почему метлу не привязывает? Меня везде знают, а он кто такой? — возмущался Челюсть, и выходило у него довольно искренне. — Ладно, на зоне разберемся. Я против беспредела. Пусть все будет путем, по закону. За базар отвечать надо.

— Точняк, — поддержал цыгана Вольф. — Кто на честного бродягу чернуху гонит, тому язык отрезают!

— И отрежем! — пообещал Челюсть. — Сука буду — соберу сходняк, пусть люди решают! Честного блатного парафинить — это тебе не Драного облажать!

Зубач поднялся на колени, на ощупь стянул с ближайшей шконки серую простыню и, скомкав, прижал к залитому кровью лицу.

— Разберемся, брателла, разберемся! — глухо раздался из-под ткани его голос. — Я знаю, куда маляву загнать!

— Вяжи гнилой базар! — оборвал его Микула. — Сам напоролся, сам и виноват.

Смотрящего поддержал Катала.

— Он в цвет базарит, Зубач. Я бы за тебя мазу тянул, но не могу. Сейчас ты не прав. Такие слова за рваный рупь бросать нельзя. Мы же не бакланы у бановского шалмана[1]. Мы правильные босяки в своем дому. Здесь все по справедливости быть должно.

— Еще увидите, что это за рыба! — Зубач встал и, пошатываясь, направился к умывальнику.

Напряжение спало, камера возвращалась к обыденной жизни.

— А что, Володя, не перекусить ли нам? — как ни в чем не бывало спросил Яков Семенович.

* * *

После ужина, когда хата с унылой обреченностью готовилась ко сну, неожиданно хлопнула «кормушка» и в открывшемся небольшом прямоугольнике появилась круглая

---

[1] Не хулиганы у вокзальной пивной.

плутовская физиономия рыжего сержанта, который обычно приносил малявы и грев с воли.

— Васильев, Вольф, без вещей на выход! — нарочито огрубленным голосом скомандовал он.

— Куда это? — встрепенулся от тревожного предчувствия Волк.

— Щас те отчитаюсь по полной программе! — оскалился коридорный. — Живо шевелись ногами!

Микула молча направился к двери. И эта готовность смотрящего беспрекословно подчиняться продажному шнурку, которого он не раз гонял за водкой, насторожила Волка еще больше.

В коридоре было светлей, чем в камере, да и воздух здесь гораздо свежей. Микула, привычно заложив руки за спину, шел первым, за ним в такой же позе шагал Вольф. Рыжий, машинально позвякивая ключами, держался в двух метрах сзади, время от времени выдавая короткие команды. Они шли мимо бесконечной череды пронумерованных дверей. «Тормоза» — так они называются на блатном жаргоне. Потому что каждая дверь тормозится специальным устройством — цепью или ограничителем в полу, чтобы ее нельзя было распахнуть настежь, и в узкую щель протискивались по одному. Потапыч все предусмотреть не мог, Вольф этого слова не знал и чуть не прокололся.

— Налево! Прямо! К стене!

Дорогу то и дело преграждали решетчатые перегородки, и арестанты, уткнувшись носами в окрашенные тусклой краской обшарпанные панели, ждали, пока сержант отопрет лязгающие замки.

— На лестницу! Вверх! Направо!

Что-то было не так. Вызывать заключенных из камер поздним вечером имели право только начальник и его зам по оперработе. Между тем рыжий сержант вел не в административный корпус, а в противоположную сторону, где находился особо режимный блок. Причем Микула явно знал маршрут, потому что несколько раз начинал менять направление за секунду до команды.

— Куда ведешь-то, начальник? — как можно безразличней спросил Вольф, не рассчитывая получить ответ.

— В Индию, — глумливо отозвался сержант. — Тама трубу прорвало, убраться треба.

— Ты чего, умом подвинулся? Для таких дел шныри есть! — возмутился Вольф. Микула почему-то молчал.

«Да туфта все это! — раздался тонкий голос кота. — Дуплить будут или разборка, а может, в карцер бросят...»

У Волка вспотела спина. Пока не поздно, надо глушить рыжего предателя и Микулу. Два удара, и они вытянутся на бетонном полу. Можно забрать у дубака ключи и пройти к центральному посту. А что дальше? Останется только один выход: раскрываться и выходить из операции. Генерал Вострецов снимет за это шкуру, сдерет погоны и выбросит из Системы, как паршивого, нашкодившего щенка... И это еще не самый худший вариант. Ведь не факт, что вообще удастся выбраться из этих тусклых, пропитанных вонью коридоров. Зэк, напавший на сотрудника тюрьмы и несущий чушь про спецзадание КГБ, вполне может быть забит до смерти дежурной сменой. Или до полусмерти, но слух об идиотских требованиях вызвать начальника и сообщить нечто лейтенанту Медведеву обязательно дойдет до арестантов, и они ему охотно поверят. И снимут шкуру не в переносном, а в самом прямом, ужасающе-кровавом и натуралистичном смысле.

— К стене! — в очередной раз скомандовал сержант и на этот раз принялся отпирать замок камеры. Вольф вдруг вспомнил, что «Индией» называют места обитания авторитетных блатных и отрицалова[1]. Значит, его привели на **концевой разбор**, высший тюремный суд, который и определит окончательно его судьбу.

Планом операции это не предусматривалось. О возможных неожиданностях Александр Иванович Петрунов, обаятельно улыбаясь, сказал: «Если что — отбрешешься в рамках легенды». И подбодрил: дескать, Медведев всегда на страже, прикроет! Тогда все виделось по-другому — не в тыл врага ведь прыгать, не в Африке переворот устраивать, тут все рядом, под контролем... Ан вот как обернулось — ни Петруно-

---

[1] Отрицалово — часть осужденных, противодействующих администрации и насаждающих «законы» и правила преступного мира.

ва, ни Медведева, ни контроля, а ему надо «отбрехиваться», и от убедительности этой «брехни» зависит жизнь, оборвать которую можно с равной легкостью не только автоматной очередью в Борсхане, но и заточенной ложкой или гвоздем в вонючей «Индии»...

Противно заскрипели несмазанные петли, открывая проем в очередной круг тюремного ада.

— Заходьте обое! — приказал сержант.

В этом круге было так же душно и зловонно, как и в остальных, только почему-то светлее. Вольф машинально поднял глаза и определил, в чем дело: обычно утопленные в потолке лампочки закрывались железными листами с дырочками, чтобы зэки не могли подключиться к электричеству. Ржавые друшлаги почти не пропускали света, и в камерах вечно царил влажный густой сумрак, словно в чудовищных аквариумах, набитых вялыми, полумертвыми рыбами. Здесь никаких железок не было, и свет обычной шестидесятиваттки казался почти вольным солнцем.

Хлопнула за спиной дверь, с особым смыслом лязгнул замок. Вольф опустил голову и осмотрелся. Он уже достаточно помыкался по застенкам, но в «Индии» все было подругому. Достаточно просторно, шконки одноярусные, на них в свободных позах развалились хмурые, видавшие виды арестанты. Сразу видно, что здесь нет «шерсти», петухов и шнырей — только авторитеты, хозяева тюремного мира. Не больше десяти человек. А точнее — девять. Никто не суетится, не занимается обычными для камеры делами — жизнь вроде остановилась. Все внимательно рассматривают вошедших. Чувствуется, что их ждали.

За столом, наклонившись вперед и упираясь ладонями в широко расставленные колени, сидел голый по пояс, густо истатуированный человек неопределенного возраста с морщинистым волевым лицом. У него была вытянутая, как дыня, наголо обритая голова. Микула, не задерживаясь на пороге, быстро подошел к столу и поздоровался с ним за руку, потом, повинуясь разрешающему жесту, сел на скамейку рядом. Он был здесь своим, и ждали явно не его. Внимание «Индии» сконцентрировалось на Расписном.

— Привет всем честным бродягам! — поздоровался

Вольф. И неторопливо подошел к столу. — Пинтосу отдельный привет и уважение, — Вольф протянул бритому руку.

Тот замешкался, но на рукопожатие ответил. Это был хороший знак — значит, Расписной не отторгнут от других людей и судьба его окончательно не предрешена.

— На мне разве написано, что я Пинтос? — спросил смотрящий тюрьмы, гипнотизируя Вольфа тяжелым безжалостным взглядом.

— Конечно. Да еще крупными буквами!

Не дожидаясь приглашения, Вольф оседлал лавку напротив и сноровисто сдвинулся вдоль стола, облокотившись на стену. Так удобней сидеть, к тому же всех видно и никто не подойдет сзади.

— Того, кто привык рулить, сразу видно, — пояснил он.

— Шустрый парень, — с неопределенной интонацией произнес Пинтос. — А что ты на потолке увидел?

— Лампочки без защиты, вот что. Можно бросить провод и током заделать мента. А потом забрать ключи и сделать ноги[1].

— Шустрый, и все знаешь. А зачем ты здесь — знаешь?

— Конечно, — Расписной потянулся и пожал плечами. — Решили порядок в доме наводить. Вот во мне нужда и открылась.

— Чего?! При чем **ты** к порядку в крытой?![2]

— Да при том! В Бутырке я с Каликом по закону разобрался, люди одобрили. И здесь Микулу не раз поправлял. Не иначе вы меня решили вместо него смотрящим поставить.

— Ты чо гонишь?! — Возмущенный Микула вскочил на ноги. — Когда ты меня поправлял? Ты чо, галушки накушался?[3] Я вор!

Расписной ухмыльнулся и подмигнул окружающим. Нахальство и дерзость здесь в цене. Арестанты были явно сбиты с толку. А он подробнее оценил обстановку, исправляя ошибки первого впечатления. Авторитетов было не больше

---

[1] Сделать ноги — совершить побег.

[2] Крытая — тюрьма.

[3] Галушка — галоперидол, сильный нейролептик, применяемый в тюрьмах и психбольницах для успокоения буйных пациентов.

шести. Трое — явные «торпеды», ожидающие сигнала. У всех троих руки за спиной.

— Вор... — Расписной презрительно скривился. — Да я б тебя за гальем не послал, не то что садку давить![1] У нас в Тиходонске такие воры только мотылей моют![2]

— Что?!

Простить такие слова — значит, потерять лицо. Микула, выставив кулаки, бросился на обидчика. Не вставая, Расписной поднял навстречу ногу и резко разогнул коленный сустав. Удар пришелся в грудь. Микула опрокинулся на спину, гулко стукнувшись затылком, и остался лежать, раскинув крестом руки.

— Я ж говорил — какой из него смотрящий! — Расписной со смехом указал пальцем на поверженного противника. Какими бы ни были первоначальные планы «Индии», ему явно удалось перехватить инициативу и набрать очки. Но назвать это победой еще было нельзя.

— Махаться в хате западло! — мрачно сказал Пинтос. Он явно был выбит из колеи.

— С зачинщика первый спрос, — парировал Расписной.

— Ладно... Только хватит пургу гнать, тебя не за тем позвали. Непоняток много выплывает, разбор требуется!

Три человека встали со шконок и полукругом окружили стол. В руках у них были ножи. Настоящие ножи! Вольф глазам своим не поверил. В особорежимной тюрьме, где обыски проводятся по нескольку раз в день, — нож в руках зэка все равно, что пушка или танк у преступников на воле.

— Слышь, Пинтос, сейчас в хате будет три трупа, — тихим, но от того не менее ужасным голосом сказал Расписной. — Пусть спрячут перья и вернутся на место!

Наступила мертвая тишина. Наглядная расправа с Микулой и не оставляющая сомнений в ее исполнении угроза сделали свое дело. Пинтос нехотя махнул рукой, ножи исчезли, «торпеды» вернулись на свои места. У них был вид побитых собак, но это ничего не значило — с тем большим

---

[1] Галье — вывешенное сушиться белье. Садку давить — воровать при посадке в общественный транспорт.

[2] Мотылей мыть — обворовывать пьяных.

остервенением каждый вцепится Расписному в глотку при первом удобном случае.

— Духаристый, значит, — констатировал смотрящий. — Ну, да это мы слышали. В своей Туркмении ты нашумел... Только там ты вертухаев мочил, а тут своего брата заделать норовишь. Да приемчиками хитрыми, ментовскими руки крутишь... Объясни честным арестантам, как это получается?

Расписной усмехнулся:

— Че тебе такую гнилую предъяву Микула подсунул? Нашли, кого смотрящим ставить. Вот и лежит — спекся весь!

— Не о нем щас базар, — без выражения ответил Пинтос. — О тебе. Давай за себя отчитайся.

— Ты на стопорки[1] с какой волыной ходил? — наклонился вперед Расписной, глядя смотрящему прямо в глаза.

— А хуля ты опер? — прищурился в ответ Пинтос.

— Скажи, с какой? Сейчас ты сам за меня отчитаешься!

— С разными. И «наган» был, и «макар»...

— Вот видишь! — торжествующе улыбнулся Расписной. — С «макарами» все менты гуляют. Когда они нас вяжут, то «макаром» в рожу тычут да по башке колотят! Но тебе с «макаром» на дело идти не западло? А почему мне западло ментовским приемом клешню какому-нибудь бесу своротить?

Он осмотрелся. Несколько арестантов едва заметно улыбались.

— Слыхали мы, что у тебя метла чисто метет, — после некоторой паузы произнес Пинтос. — Слыхали. Только слова, даже гладкие, заместо дел не канают. А у тебя кругом — одни слова. Никто из честных бродяг тебя не знает. Дел твоих, обратно, не знают. Про приколы твои в «Белом лебеде» слыхали — глухо так, издаля... И опять слова, слухи этапные. Может, было, может, нет, может, ты, а может, кто другой...

— Знают меня все, кто надо, — спокойно возразил Расписной. — Спросите корешей, с которыми я по малолетке бегал, — Зуба, Кента, Скворца, Филька спросите. Косому Кериму малевку тусаните, Сивому... В Средней Азии меня

---

[1] Стопорка — разбой.

многие знают. А если бы тебя, Пинтос, в пески загнали, то может, точняк, такие бы непонятки и вылезли. Кто там про тебя слыхал?

Смотрящий помолчал, со скрипом почесал потную шею.

— Это верно. Пески далеко... Этапы долго идут. Но не через месяц, так через три тюрьма все узнает.

Пинтос испытующе смотрел на Расписного и, наверное, уловил отразившееся у него на лице облегчение. Губы смотрящего искривились в злорадной улыбке:

— Только нам столько ждать не надо. Мы сейчас все узнаем. Коляша!

В дальнем углу хаты обозначилось какое-то шевеление, и к столу бесшумно двинулась тощая согбенная фигура. Расписной мог поклясться, что среди пересчитанных обитателей камеры этого человечка не было. Либо он вылез из-под шконки, либо материализовался ниоткуда. А может, в силу убогости, серости и незаметности растворялся в убогом тюремном мирке, сливаясь с серым шконочным одеялом, как хамелеон сливается с любым предметом, на котором находится.

— Метла метет чисто, — повторил Пинтос. — Только Коляша тридцатник размотал и был кольщиком[1] на всех зонах. Он сейчас твои картинки почитает. Как там у тебя концы с концами сходятся!

— Регалки не врут, — дребезжащим голосом произнес Коляша. — Туфтовые сразу видать...

На вид ему было не меньше ста лет. Дрожащая голова, сутулая спина, опущенные плечи, неуверенная походка, длинная пожелтевшая исподняя рубаха и такие же кальсоны с болтающимися тесемками. Добавить белые, до плеч, волосы, бороду по пояс да вложить в руки свечку — вылитый отшельник, отбывающий добровольную многолетнюю схиму и прикоснувшийся к тайнам бытия.

Но ни бороды, ни длинных волос у Коляши не было: сморщенное личико смертельно больной обезьянки, вытянутый череп, туго обтянутый желтой, с пигментными пятнами кожей, неожиданно внимательный взгляд слезящихся

---

[1] Кольщик — татуировщик.

глаз. И какая-то особая опытность многолетнего арестанта, вся жизнь которого прошла в зверином зарешеченном мире.

— Давай поглядим, голубок, — уверенным тоном врача приказал Коляша. — Кто тебе картинки-то набивал?

Он приблизил лицо к самой коже Расписного, как будто нюхая татуировки. На миг у Вольфа мелькнула дикая мысль, что Коляша может заговорить с кем-либо из наколотых тюремных персонажей — с котом, русалкой или орлом и расспросить: как и при каких обстоятельствах они появились на его теле.

— Разные люди. Вот этот перстенек я сам наколол. А этот — кент мой, Филек.

— Э-э-э, голубок... Храм ты сам себе не набьешь. Для такого дела в каждой зоне кольщики имеются. Я всех знаю. Кто как тушь разводит, как колет, чем, да как рисунок ложит...

Голос у Коляши уже не дребезжал. Да и весь облик его изменился — он будто окреп и даже стал выше ростом. Наверное, его выводы отправили под ножи и заточки не одного зэка, и оттого старый арестант чувствовал значимость момента и свою силу.

— У нас на малолетке кололи все, кому не лень, — возразил Расписной. — Да и потом, на взросляке много спецов было. К тому ж они там меняются всю дорогу. Один откинулся, другой зарулил. А храм действительно старый кольщик заделал. Хохол, погоняло Степняк...

Степняк был единственным реальным кольщиком, включенным в легенду. Про него подробно рассказал Потапыч.

— Лысый, спина у него ломаная. Как погода меняется — криком кричит... Из Харькова сам.

— Есть, есть такой...— Коляша продолжал нюхать татуировки. — А чем он колет? Чем красит? На чем краску разводит? Есть у него трафаретки, да какие?

— Мне бритвой наколол, «Спутником». Корефану одному муху на болт посадил тремя иголками. Краску из сажи делает — с сахаром и пеплом перемешивает, на ссаках разводит. Только я себе настоящую тушь достал. В основном от руки колет, но если картинка большая, то вначале на доске рисунок заделает, набьет иголок по контуру — и штампанет, краской намажет, а потом уже остальное докалывает...

Вольф понятия не имел, как в действительности колет неизвестный ему Степняк, поэтому просто выложил все известные ему приемы зэковского татуирования. Судя по реакции камеры, попадал он «в цвет». Только Коляша недовольно морщился, будто нюхал парашу.

— У тебя и впрямь «Спутником» наколото, — пробурчал старый кольщик. — Только Степняк иголками работает, да не тремя, а двумя! Картинку он на газете рисует, а потом сквозь нее колет, вот так-то, голубок!

— Как он работает — за то речи нет, — пожав плечами, сказал Вольф. — Я обсказываю, как он **мне** колол. Можем у других бродяг спросить, небось не я один такой.

На шконках зашевелились.

— Мне Степняк знак качества на коряге колол как раз тремя иголками, — сказал один из арестантов. — И без всякой газеты.

— Во, слыхали? — Вольф улыбнулся и поднял палец.

— Ты погодь радоваться... Чего у тебя на перстеньке три лучика-то перечеркнуты? — занудливо спросил Коляша.

— Да того, что я срок сломал. Сделал ноги из зоны, три года не досидел.

— Э-э-э, голубок... Так давным-давно считали... Еще при Сталине. А потом сломанный срок отмечать перестали. Вот ведь какая закавыка!

Это было похоже на правду. Потапыч жил прошлым, все времена перемешались в его голове, и такую ошибку он вполне мог допустить.

— Подумаешь, закавыка! — хмыкнул Вольф. — Я когда на волю вырвался, никого не спрашивал — взял от радости и перечеркнул три года. Так что, теперь ты их к моему сроку добавишь? Давай у общества спросим!

Он обвел рукой вокруг, незаметно осматриваясь. Обстановка была спокойной, хотя он знал: один жест Пинтоса, и все вмиг изменится.

— Я тебе не прокурор, чтобы срок добавлять. А общество и так все видит и свое слово скажет. Пока ты ответ держи, — сказал Коляша и ткнул пальцем прямо в храм на могучей груди Вольфа.

— Говоришь, Степняк тебе сразу все три купола наколол?

Ничего такого Расписной не говорил, в вопросе явно крылся подвох.

— Про купола у нас с тобой базара не было. Но колол сразу. Третья ходка — три купола.

Коляша причмокнул губами и кивнул:

— Это и ежу понятно. Трехкуполный храм — регалка авторитетная. Только бывает, храм и по частям набивают. Кажный купол по новой ходке дорисовывают.

— И что с того?

— Да то, что не в цвет у тебя выходит! — корявый палец ткнул в звезду вокруг правого соска. — Вот здесь куполок-то у тебя перекрывается! Значит, звезду уже опосля набивали! А так не бывает, потому как храм главней звезды!

На шконках зашумели. Пинтос прищурился. Очухавшийся и с трудом сидящий на полу Микула оживился:

— Я Верблюда заставил туфтовые парчушки с кожей срезать!

— Погодь! — остановил его Пинтос. — Тут другое. Тут не о мелочовке базар идет — об авторитетских регалках. Дело серьезное! Что скажешь, Расписной?

И снова в камере наступила звенящая тишина. От ответа Вольфа зависела его судьба. А что отвечать? Потапыч действительно начал с наиболее трудной фигуры и забыл про последовательность нанесения иерархических знаков. Теперь совершенно очевидно, что Потапыч допустил серьезную ошибку или, если придерживаться блатного жаргона, «упорол косяк». Отвечать за этот косяк предстояло Вольфу.

— Пургу ваш Коляша метет! — возмущенно выкрикнул он. — Звезды мне еще по второй ходке набили! А храм по третьей! Кто там кого перекрывает?! У него уже зенки не видят ни хера! Пусть все честные бродяги сами позырят!

Лучшая защита — это нападение. «Если что — при буром! — говорил Потапыч. — Там это проходит...» К тому же определить на глаз, какая из татуировочных линий нанесена первой, а какая второй, дело малореальное. Тут и экспертиза вряд ли поможет: в отличие от бумаги или картона человеческая кожа постоянно шелушится и обновляется...

— Нет, ты сам глянь, Пинтос! Да кто хочет — подходите!

Пинтос нехотя наклонился, поводил рукой по татуированной коже, крякнул.

— Тут и впрямь не разберешь, — недовольно пробурчал он. — Только я кольщиком тридцать лет не был, а Коляша был. Потому общество ему и верит.

— А чему тут верить? — продолжал переть буром Вольф. — Что меня менты раскрасили и наседкой в хату запустили? А чего высиживать-то в пересылках? Да и у кого из вас за душой такие громкие дела, чтобы мне шкуру портили?

Тишина из напряженной стала растерянной.

— И потом, разве я к вам пришел? Нет, вы меня сюда вызвали! Разве я что-то выпытывал? Нет, все только меня расспрашивают! Вот пусть Микула скажет — кому я хоть один вопрос задал? А?!

— Нос в чужую жопу он не совал, это верно, — нехотя подтвердил Микула.

— Вот так! Кто мне конкретную предъяву сделает? — Вольф резко развернулся. Три «торпеды» снова взяли его в полукольцо, теперь руки они держали за спиной, выжидающе глядя на смотрящего. Дело близилось к развязке.

* * *

В филармонии было жарко. Никому не известные гастролеры кривлялись под «фанеру» на пропыленной эстраде. Страдающие избыточным весом провинциальные красавицы, изящно кривя губки, дули себе в декольте, некоторые обмахивались веерами. Резко пахло потом, лосьонами и духами.

Лейтенант Медведев зевнул — третий раз за сегодняшний вечер и в очередной раз покосился на чеканный профиль сидящего слева полковника Старцева. Начальник Владимирской тюрьмы лично опекал настырного комитетчика и организовывал ему культурную программу: то приглашал в гости, то парил в баньке, то водил в кино. Это аксиома для любого руководителя: проверяющего надо держать поближе к себе и всячески ублажать. Компанию дополняли дородная блондинка — супруга полковника и похожая на нее, только рыжая, младшая сестра, которая еще не успела выйти замуж. Последнее обстоятельство ненавязчиво, но несколько раз довели до тоскующего в командировке лейтенанта.

Медведев на сестру не реагировал и от спиртного отказывался, чем пробуждал в Старцеве самые худшие подозрения. Обычно проверяющие ведут себя не так... Вполуха слушая репризы конферансье и делая вид, что не замечает зевков столичного гостя, полковник в очередной раз ломал голову: чем вызван столь пристальный и замаскированный интерес КГБ к Владимирской тюрьме? С чего это вдруг офицер центрального аппарата сидит здесь уже неделю, задает какие-то странные, не связанные между собой вопросы, читает карточки заключенных, без видимых причин и какой-либо системы перебрасывает их из камеры в камеру? Зачем он часами ходит по длинным вонючим коридорам режимного корпуса и подолгу наблюдает в смотровые глазки за камерной жизнью? Почему в свободный вечер, отказавшись от соточки коньяка в буфете, напряженно ерзает в мягком кресле?

Медведев посмотрел на часы. В тюрьме прошел отбой, все должны спать... Но почему он испытывает беспокойство? Как-то раз, во время обыска в квартире разоблаченного американского агента, у него уже появлялось такое чувство. А через несколько минут, усыпив бдительность оперативной группы, шпион отравился замаскированной таблеткой цианида...

Лейтенант изменил положение, вытянул ноги, вновь глянул на циферблат. Время остановилось. Он прислушался к своим ощущениям. Беспокойство было связано с прикрываемым объектом. Человеком, фамилию которого он ни разу не назвал Старцеву. Которого опекал на расстоянии, как ангел-хранитель. Сейчас ему угрожала опасность. Мистика какая-то!

— Ну что, лейтенант, может, бросим эту скукотищу? — в свою очередь изобразив зевок, повернулся Старцев к Медведеву. — Пойдем погуляем, пивка попьем...

— Пойдем, — кивнул тот. — Только... Только давайте заедем в учреждение. Сегодня могут быть провокации, надо проверить контингент!

Старцев недоумевающе пожал плечами, но спорить не стал.

— Что ж, раз надо, давай проверим!

* * *

— Кто мне конкретно предъяву делает? Кто за базар отвечать будет?! — повторил Вольф.

Коляша привычно съежился. Смотрящий молчал, глядя в сторону. «Торпеды» стояли по-прежнему неподвижно, держась на безопасной дистанции.

— Что молчите?! Хватит сопли размазывать! Пинтос, скажи свое слово! Хочешь начать мясню — давай, мне один хер! Только каждый баран будет висеть за свою ногу!

Вольф угрожающе навис над Пинтосом. Ему казалось, что победа близка. Смотрящий устало прикрыл глаза.

«Берегись кольщика! — тоненько заорал кот. — У него швайка, тебе в брюхо метит!»

Раз! Вольф подставил руку. Еще секунда, и было бы поздно. Костлявый серый кулак с заточенным, как шило, штырем стремительно приближался к его животу. Жесткий блок остановил предательский удар. От грубо сточенного острия до распятой на кресте женщины оставалось не больше сантиметра.

«Ни фуя себе!» — выругалась она. Вольф впервые услышал ее голос — грубый, пропитый и циничный. Хотя Потапыч и предупреждал, что эта картинка — блатное глумление над религиозными символами, только сейчас Вольф в полной мере ощутил глубину такого глумления.

Он сжал огромную ладонь, раздался стон, серый кулачок хрустнул, заточка покатилась по полу.

— Вот ты, значит, какой спец! — угрожающе сказал Вольф. — По мокрякам работаешь! Значит, все, что про регалки порол, — фуфло!

Это было чистой правдой. Убийцы не пользовались авторитетом в арестантской среде и не могли выступать судьями в спорах. Неудачный выпад заточкой перечеркнул все, что сказал Коляша. Хотя, если бы удар достиг цели, сделанный им вывод стал бы окончательным и непоколебимым.

— А теперь я тебе спрос учиню! — Вольф сгреб тщедушное тело кольщика в охапку и взметнул над головой, намереваясь грохнуть о пол или швырнуть об стену.

Но в это время послышался звон ключей, лязгнул замок и резко распахнулась дверь. На пороге стоял рыжий сержант, он был заметно испуган и нервно обшарил камеру взглядом. Увидев невредимого Вольфа, он перевел дух.

— Хозяин прибыл! — выпалил он, обращаясь к Пинтосу. — Учебную тревогу объявил!

Потом рыжий, приосанившись, крикнул Микуле и Вольфу:

— Живо на место! Шляются, понимаешь, где хочут! Щас по камерам будут строить, а вас нету!

Вольф уронил бесформенный серый куль, отряхнул руки и молча пошел к двери. Микула двинулся за ним.

— Разбор не закончили, — сказал им вслед Пинтос. — Еще увидимся.

Но увидеться не пришлось. Через день Вольф ушел этапом на синеозерскую пересыльную тюрьму. И возле самого Синеозерска у автозака отвалилось колесо.

Глава 6
В ПОБЕГЕ

Рядовой Иванов служил в парашютно-десантном полку и в письмах на гражданку расписывал друзьям горячие рукопашные схватки, опасные ночные прыжки и прочую романтику, свойственную элитным войскам. На самом деле непосредственного отношения к десантуре он не имел, ибо тянул тяжелую лямку во вспомогательном подразделении — батальоне аэродромного обслуживания. Это означало ежедневную пахоту до седьмого пота: уборку летного поля, копку земли, бетонирование, погрузку-разгрузку... Единственным воинским делом была охрана аэродрома, при этом приближаться к самолетам ближе чем на три метра часовым запрещалось.

Командовал полком полковник Зуйков — здоровенный мужик с грубым обветренным лицом и зычным командным голосом. Но для Иванова главным командиром был ефрейтор Гроздь — маленький, кривоногий, с белесыми глазками и круглым веснушчатым лицом. Ефрейтору, а не полковнику стирал он портянки, ефрейтору отдавал присланные родителями деньги, ефрейтору носил водку из расположенной в восьми километрах деревни. Возможно, если бы все эти услуги он оказывал Зуйкову, толку от них было гораздо больше. Потому что вместо благодарности Гроздь ругал Иванова матом, по сто раз заставлял подходить к телеграфному столбу с докладом и бил в грудянку так, что прогибались и трещали ребра.

Ефрейтор считал, что это правильно и справедливо, ибо сам он по первому году нахлебался дерьма вдоволь, а теперь олицетворял собой старший призыв и, следовательно, имел право кормить дерьмом салабона, а тот должен был беспрекословно жрать этот полезный для приобретения армейской закалки, хотя и неаппетитный продукт. Форма их общения была житейской и обыденной, в официальных документах она называлась «передачей боевого опыта» и «стойким несением тягот воинской службы». Возможности бунта, а тем более вооруженного, ефрейтор Гроздь не предвидел. И как оказалось, совершенно напрасно.

Заступив в очередной караул, Иванов быстро снарядил автомат и, вместо того чтобы отправиться на пост, пошел к казарме, возле которой курил ефрейтор с несколькими старослужащими. Не говоря худого слова, что можно было расценить как соблюдение воинской дисциплины, ибо устав запрещает оскорбление одного военнослужащего другим, он с расстояния в восемь метров выпустил половину магазина в ненавистного мучителя.

Известная истина о вреде курения в очередной раз нашла свое подтверждение. Злые короткие очереди перерезали Гроздя пополам, несколько пуль попали в сержанта Клевцова, несколько ударили в рядового Петрова. Курильщики бросились врассыпную. Иванов несколько раз выстрелил вслед, но неприцельно, поэтому последовавшие промахи не могли снизить общую высокую оценку его огневой подготовки.

Поигрывая автоматом, Иванов неторопливо двинулся по чисто выметенным дорожкам военного городка, которые символизировали образцовый порядок и безупречную дисциплину в полку. Прогулявшись до клуба, он столкнулся с бежавшим на выстрелы дежурным по части капитаном Асташенко. Капитан вначале начал орать, но под стволом автомата быстро успокоился, послушно снял кобуру с пистолетом и так же послушно принялся выполнять строевые упражнения: движение шагом с разворотами, подход с докладом к дереву и отжимания в упоре лежа.

Чтобы стимулировать рвение капитана, Иванов поощрял его словами, почерпнутыми из лексикона покойного ефрейтора Гроздя, и одновременно передергивал затворную раму. Лязг затвора и треск вылетающих патронов, добавляясь к доходчивым словам и выражениям, придавали капитану энергии. Сполна испытав справедливость крылатого выражения «винтовка рождает власть», рядовой Иванов насладился унижением капитана и, не дожидаясь дальнейшего развития событий, покинул часть.

Покинул он ее проторенным путем всех «самоходов» — через дыру в заборе, но в отличие от своих предшественников оставляя за спиной одного убитого, двух раненых и опозоренного офицера, а потому не собираясь возвращаться. Некоторое время он машинально шел по утоптанной лесной тропинке, потом свернул в чащу. Дезертир Иванов шел по дороге, которая не имела конца.

* * *

Беглецы продирались сквозь начинающий просыпаться серый лес. Впереди двигался Утконос в форме сержанта внутренней службы, рядом — переодетый лейтенантом Скелет. За ними рубил монтировкой ветки Хорек, следом плелся Груша, потом двигались Волк, Челюсть и Катала в ефрейторской форме. Замыкал колонну Зубач, который делал вид, что контролирует ситуацию и следит за всеми. На самом деле он надеялся, что удачно выбрал самое безопасное место.

В действительности это было не так. Волк знал, что если они попадут в засаду, у идущих в середине больше шансов уцелеть. Когда на маршруте работает группа специальной разведки, походный порядок постоянно меняется, и тот, кто еще недавно шел в середине, выдвигается вперед, потом уходит назад, потом снова оказывается в середине. Риск, таким образом, распределяется поровну. Сейчас делить риск ни с кем он не собирался.

Отношения среди беглецов были напряженные. Груша нет-нет да бросал на Вольфа украдкой злые взгляды, а Челюсть и Зубач не скрывали взаимной ненависти.

— Разбегаться надо, — украдкой шепнул Челюсть Волку.

Но Зубач был против этого.

— Доберемся до железки и разбежимся, — говорил он. — Тогда уже точно никто никого не сдаст!

Почему он так считал, Волк сказать не мог, но подозревал, что старшак решил избавиться от лишних свидетелей. Выйдя к станции, он вполне мог перестрелять тех, кого посчитает нужным.

Но судьба распорядилась иначе. Беглые зэки наткнулись на беглого солдата.

Рядовой Иванов уже начал приходить в себя, и весь ужас содеянного пробрал его до самых костей. Когда ослабляется действие анестезии, то появляется мучительная боль от удаленного уже зуба. У него не было будущего, оставалось только достойно встретить свой трагический конец. Вспомнились многочисленные байки о судьбе ушедших с оружием и проливших кровь дезертиров: якобы по их следам пускают самых отъявленных негодяев из заключенных военной тюрьмы, которые рвут беглецов на части, тем самым снижая собственные сроки. Раньше он мало верил подобным рассказам: во-первых, потому, что никогда не слышал о специальных военных тюрьмах, а во-вторых, оттого, что суды Линча вряд ли могли предусматриваться приказами министра обороны. Но сейчас он находился в таком состоянии, что готов был поверить во что угодно.

Услышав шум и треск веток, дезертир спрятался за дерево, приготовил автомат и изготовился для стрельбы с колена, то есть грамотно и умело выбрал огневую позицию. Вообще все, что делал сегодня рядовой Иванов, с точки зрения тактической и огневой подготовки заслуживало самой высокой оценки. Если бы, конечно, он действовал на учениях или в реальном бою. Поворота оружия против людей, носящих одинаковую с ним форму, уставы, естественно, не предусматривали. Так же, как не предусматривали ту армейскую действительность, в которой подобный поворот мог произойти.

Шум усиливался, как будто через заросли продирались опаздывающие на последний поезд дембеля. Вскоре Иванов смог различить силуэты идущих людей, а чуть позже в пробивающихся сквозь листву косых солнечных лучах — и их лица. Он сразу понял, что слухи про ловцов дезертиров появились не на голом месте. Расхристанные, с угрюмыми звероподобными рожами, некоторые в криво сидящей порванной форме, преследователи не могли быть никем, кроме как пущенными по следу убийцами из неведомой военной тюрьмы. Выждав, пока дистанция сократится до уровня эффективного поражения, он прицелился в идущего впереди лейтенанта в разорванном мундире. Мушка была ровной и подперла снизу небритый подбородок. Если упираться плечом в дерево, то при стрельбе сохранишь устойчивость позиции — поразив первую цель, можно быстро перевести правильный прицел на вторую, а потом и на третью. Палец плавно нажал на спусковой крючок. Мирную тишину леса разорвал грозный рев автомата.

При первых же выстрелах Вольф мгновенно залег, остро ощущая запах прелой листвы, сгоревшего пороха и крови. Он видел, как опрокинулись под ударами мощных акаэмовских пуль Скелет и Утконос. По-заячьи закричал и скорчился на земле Хорек. Груша шарахнулся в сторону и неловко упал на бок. Сзади, громко матерясь, повалились в траву остальные.

Огонь прекратился так же внезапно, как и начался. Странно! В засаде должны сидеть не меньше двух автоматчиков, перекрестный огонь обрушивается на голову и хвост колонны, уцелевших кинжальными очередями прижимают к земле и забрасывают гранатами...

Сзади раздались пистолетные выстрелы — это опомнились Зубач и Катала.

Бах! Бах! Бах!

Бах! Бах!

Пуля свистнула прямо над Вольфом.

— Вы чего?! Смотрите, куда шмаляете! — зло заорал он.

Впереди затрещали ветки, донесся топот. Стрелявший убегал?! Это уже не лезло ни в какие ворота! Вольф не мог понять, что происходит.

— А, паскуда!

Зубач и Катала вскочили на ноги и принялись беспорядочно молотить вслед. Пули летели хаотично, крошили листву на разных уровнях, тут и там срезали ветки. Так ни в кого нельзя попасть, можно лишь сбросить напряжение нервов. Наконец наступила тишина. Только шелестели деревья да утробно стонал Хорек.

Вольф встал на ноги и отряхнулся. Поднялись Челюсть и Груша. Последний лихорадочно ощупывал себя и икал. Зубач настороженно огляделся, сплюнул.

— Чего там с этими?

По позам лежащих Волк видел, что Утконос и Скелет мертвы. Катала подошел к ним, перевернул каждого на спину, поморщился.

— Двое готовы. Скелету в шею, а Утконосу всю башку разнесло.

— А Хорек?

— Вроде дышит.

Зубач подошел, наклонился над раненым, потом приставил ему к голове пистолет, загородился растопыренной ладонью.

— Дышит... И что толку?

Глухо ударил выстрел. Зубач вытер испачканную ладонь о траву.

— Погнали дальше!

— Куда «дальше»? — возразил Волк. — Под пули?

Зубач опасливо огляделся:

— А хуля делать? Здесь стоять, что ли?

— Надо вначале этих найти, — Челюсть неопределенно кивнул на шелестящий кустарник. — Да разобраться с ними.

— Какой ты борзый! Иди, разбирайся! — Зубач сплюнул.

— Пушку! — Челюсть протянул здоровую руку.

— Чего?!

— Пушку давай, если сам бздишь! Не пустым же я пойду!

— Гля, Катала, чего придумал! Пушку ему!

Катала не ответил. Опыта нахождения под огнем у него было явно немного.

— Пустым против автомата негоже, — поддержал цыгана Вольф. — Скажи, Груша!

И хотя Груша тоже промолчал, Челюсть шагнул вперед и попытался завладеть пистолетом. Зубач отпрыгнул.

— Глохни, сука, а то я тебя заделаю! Не хер ни с кем разбираться! Сваливаем!

* * *

Беглецы прошли уже не меньше десяти километров. Несколько раз они видели группы солдат, которые неумело прочесывали лес, производя шума не меньше, чем беглые зэки. По беретам и тельняшкам было видно, что это не конвойные войска, а десантники. Зубач и остальные не обратили внимания на такую «мелочь», а Вольф расценил это как тревожный признак.

Через некоторое время он ощутил растворенные в чистом лесном воздухе молекулы знакомых запахов: оружейной смазки, ваксы, керосина, битума, нагретого дюраля. Неподалеку находилась воинская часть. Действительно, вскоре за ржавой колючей проволокой показалось летное поле, на котором стояли выкрашенные защитной краской самолеты. У Волка учащенно забилось сердце. Впервые за несколько месяцев он приблизился к знакомому и понятному миру.

— Гля, аэродром! — Груша тяжело повалился на жесткую траву, жадно хватая ртом воздух. Лицо его было покрыто потом.

— Чего завалился? Рвем когти, пока не засекли! — зло прошипел Зубач. Он был мрачен и подозрителен.

— Погоди, отдохнуть надо, — Катала сел рядом с Грушей. — Наоборот, здесь искать не будут...

Послышался нарастающий гул авиационных двигателей, на ВПП тяжело плюхнулся пузатый «Ан-24» и, пробежав по бетонке, остановился в сотне метров от ограждения. Едва замерли лопасти пропеллеров, к самолету подкатил грузовик, набитый какими-то ящиками и мешками. Несколько десантников сноровисто перегрузили их в самолет, потом, забрав пилотов, грузовик уехал. Транспортник остался на полосе с открытым люком, вопреки инструкции его никто не охранял. Вольф понял, что пилоты отправились пообедать и вскоре «Ан» опять взлетит в небо.

— Слышьте, это... — хрипло сказал Зубач и облизал пересохшие губы. — Давай в него залезем...

— В кого? — переспросил Катала.

— Да в самолет же! Нас вокруг ищут, а мы улетим к черту на кулички!

— А там что? — угрюмо поинтересовался Челюсть.

— Там разберемся...

— А давайте, — оживился Груша. — Все лучше, чем без жратвы по лесу бегать... У меня уже ноги отваливаются!

— Я подписываюсь, — кивнул Катала.

— Не знаю, — пожал плечами Челюсть. — Зачем самим в волчью пасть лезть? Хер его знает, куда попадешь... Забьют сапогами — и все дела!

— Ты как, Расписной? — Зубач в упор посмотрел на Вольфа.

Тот напряженно думал. В привычном мире легче принять правильное решение, да и хорошо бы убраться из района, где их скорее всего убьют при задержании. Но ни Зубач, ни все остальные не знают, какую судьбу сулит им конструкция транспортника. Только при одном условии можно соглашаться на эту авантюру...

— Я как все, — смиренно отозвался Расписной.

Ржавая колючая проволока ограждения провисла, Вольф вогнал под нее толстый раздвоенный сук и уперся ногами. Нижний ряд с трудом удалось поднять сантиметров на тридцать. Вжимаясь в землю, пятеро беглецов пролезли под колючками, при этом Груша разорвал одежду и расцарапал спину, Челюсть разбередил сломанную руку, Зубач сорвал клок кожи с затылка. Только Расписной и Катала преодолели препятствие без потерь. Потом все ползком и на четвереньках подобрались к самолету и нырнули в проем люка. В полумраке фюзеляжа пахло железом и керосином, закрепленный растяжками груз занимал почти весь проход — только справа оставалась узкая щель.

— Давайте туда!

Зажимая кровоточащий затылок, Зубач пролез первым, за ним последовал Катала, потом Челюсть... Вольф задержался и осмотрелся. Под стальной лавкой напротив люка угадывались очертания двух резервных парашютов. Это и было необходимым условием. Теперь можно присоединяться к остальным.

За штабелем ящиков и мешков оставалось достаточно пространства, беглецы уселись прямо на пол. Зубач клочком грязной тряпки останавливал кровь, Челюсть, кривясь от боли, мостил поудобнее сломанную руку, Груша испуганно озирался: окружающая обстановка явно угнетала его. Только Катала пребывал в своем обычном состоянии. А Вольф испытывал душевный подъем и прилив сил — наконец-то он находился в привычной, знакомой до мелочей обстановке и полностью контролировал ситуацию.

Через полчаса снаружи послышался шум автомобиля, веселые голоса, слова прощания. Экипаж поднялся на борт, захлопнулся люк, потом гулко лязгнула задраиваемая дверь кабины пилотов. Взревели двигатели, самолет тронулся с места, неспешно покатился, остановился, развернулся, снова покатился, набирая скорость... Каждый звук, каждое движение были понятны Вольфу: рулежка, маневрирование, разбег... И вот, наконец, взлет!

— Й-я-я! — оскалился Зубач и ударом левой руки по локтевому сгибу правой согнул ее под прямым углом. — Вот вам, менты поганые! Взяли? Выкусите!

— Молодец, Зубач, здорово придумал! — приободрился Груша.

— Да, по небу я еще от ментов не отрывался! — хмыкнул Катала. И неожиданно во весь голос заорал популярную зэковскую песню:

> По тундре, по железной дороге,
> Там, где мчится курьерский «Воркута — Ленинград»,
> Мы бежали с тобою, опасаясь погони,
> Опасаясь тревоги и криков солдат...

Надсаженный голос с трудом пробивался сквозь рев двигателей, дребезжание обшивки и гул воздушных завихрений за тонким дюралевым листом фюзеляжа.

— Теперь нас хрен достанут!

— Руки коротки!

— Ох и погуляем теперь!

Повышенная шумность не насторожила преступников и не испортила им настроения. Они просто не знали, что она означает. Как не знали и об устройстве самолетов транспортной авиации. Эти машины не предназначены для перевозки людей, поэтому герметичной в них является только кабина пилотов. В грузовом отсеке давление и температура равны давлению и температуре за бортом.

— Кайф! Еще бы водки!

— Потерпи, Груша, скоро нажремся от души!

> Дело было весною, зеленеющим маем,
> Когда тундра проснулась, развернулась ковром...

— Эй, Расписной, чего такой смурной?

— Устал. Спать хочу.

Прикрыв глаза, Вольф напряженно размышлял.

Рабочий потолок «Ан-24» — восемь тысяч метров. Значит, минус пятьдесят по Цельсию и почти полное отсутствие кислорода. Верная смерть. Причем недостаток воздуха ощущается уже на трех тысячах, значит, на этом рубеже и надо прыгать. Скорость набора высоты — сто пятьдесят метров в минуту. Через двадцать минут, не позже... За это время самолет пролетит около двухсот километров. Вполне достаточно, чтобы выйти из круга усиленных поисков. Итак, задача...

Наметив план действий, Вольф незаметно взял себя за запястье и принялся считать пульс. Обычно у него стабильно восемьдесят ударов в минуту. С учетом перенесенных нагрузок и волнения можно ожидать повышения до девяносто — ста. Пусть будет сто, для ровного счета. Двадцать минут — это две тысячи ударов. Значит, через две тысячи ударов надо начинать действовать.

Несколько раз он сбивался, но определил время правильно, потому что почти сразу ощутил первые признаки нехватки кислорода. К тому же стало заметно холодней. Не торопясь, Вольф поднялся, прошелся взад-вперед, будто разминая ноги. Зубач и Груша дремали, Челюсть тоже находился в полузабытьи. Катала бодрствовал, хотя отчаянно зевал: организм пытался компенсировать недостаток кислорода.

— Пойду отолью, — сказал Вольф, протискиваясь между грузом и холодной стенкой фюзеляжа. Когда он сунул руку под железную лавку, сердце учащенно колотилось. Пилоты могли забрать парашюты в кабину, а может, в парашютных сумках лежит какое-то барахло: запасные комбинезоны, инструменты или сухие пайки... Пальцы нащупали брезентовую ткань, через секунду он убедился, что все в порядке: это настоящие парашюты.

Когда Вольф расправлял лямки подвесной системы, какое-то движение за спиной заставило обернуться. Зубач целился ему в голову и понимающе улыбался.

— Я всегда знал, что ты мусор! — перекрывая шум, прокричал Зубач. Он хотел сказать что-то еще, но не успел: двумя руками Вольф мощно швырнул парашют ему в лицо. Пятнадцатикилограммовый мешок опрокинул уголовника на спину, Волк прыгнул следом и нанес удар, которым боец специальной разведки нейтрализует вражеского часового. Удар получился: Зубач не успел ни вскрикнуть, ни выстрелить. Пистолет выпал из мертвой руки, и Вольф сунул его в карман. Потом быстро надел парашют, расконтрил и распахнул люк. Плотный поток холодного воздуха с воем ворвался внутрь. Наклонившись, Вольф подцепил тело Зубача под мышки и рывком выбросил за борт. Потом прыгнул следом.

После нечеловеческой тесноты камер автозака, звериной скученности столыпинских вагонов, дикой перенаселенности «хат» раскинувшееся кругом бескрайнее голубое пространство пьянило, как бесценное шампанское. Раскинув руки и ноги, он несся к разбитой на ровные квадраты полей земле, и чистые холодные струи смывали с души и тела тюремную грязь и вонь. Он парил, как птица, и наслаждался полетом, а завсегдатаи зарешеченного пространства, чувствующие себя в пропитанном миазмами и страхом парашном мирке, как рыбы в воде, не умели летать, поэтому чуть ниже беспомощно кувыркалась тряпичная фигура Зубача, а трое других преступников обречены на скорую и неминуемую смерть от удушья.

Вольф вытянул кольцо, купол наполнился и остановил падение, тряпичная фигура стремительно унеслась к земле. Он поискал глазами «Ан-24». Самолет продолжал набирать высоту, неожиданно от него отделилась черная точка. Парашютист? Нет, какой-то мешок камнем прочертил светлую синеву неба и врезался в землю. Вольфу было все равно, где садиться, и он натянул стропы, сокращая дистанцию. Через несколько минут напружиненные ноги коснулись пашни, сгруппировавшись, он упал набок и сноровисто погасил купол. Потом, по щиколотку увязая в мягком черноземе, направился к мешку. Загадка разрешилась через сто метров: в неестественной позе распростерся на пахоте Катала. Он неправильно надел парашют и разбился в лепешку.

Вольф сплюнул. Это тебе не карты передергивать! И не спасших тебя людей убивать!

Вдали тарахтел трактор. Когда Вольф подошел, тракторист вытаращил глаза:

— Шпион, что ли?

Вольф оторопел. Что, у него статья на лбу написана?

— Почему вдруг?

— А кто еще? С неба или шпионы, или космонавты спускаются. Только космонавтов тут отродясь не бывало.

— Где ближайший телефон?

Тракторист расплылся в улыбке.

— Значит, ты наш шпион, а не ихний! Вон там деревня, из правления позвонишь... Слышь, а то кто попадали?

Вольф вздохнул:

— То — ихние.

* * *

В деревне Вольф переполошил всех собак. Грязный, небритый, в мятой зэковской робе, он устало брел по пустынной улице вдоль неровного ряда черных покосившихся домишек, напоминающих зубы в челюсти колхозника-пенсионера. За ним клубилась пыль и катился многоголосый остервенелый лай беспородных шавок разных мастей и размеров. Не будет ничего удивительного, если из-за какой-то занавески жахнет дуплетом старенькая двустволка, заряженная вместо дроби порубленными гвоздями. В этих краях издавна за голову беглеца давали чай, сахар, сигареты и немного денег...

Но когда он подошел к правлению и увидел сторожа, опасения развеялись. У того был еще более запущенный вид, и встретил он незнакомца вполне радушно.

— Здравствуй, мил-человек. Закурить не дашь?

— Откуда? Неделю в лесу блукал, еле выбрался. Телефон срочно нужен!

Сторож задумался:

— Телефон? Надо у начальства спросить... Только ни председателя, ни бухгалтера, ни агронома — никого нету.

Вольф взглянул на тонкую шею мужика, легкомысленно заброшенную за спину берданку и тяжело вздохнул.

— Вот что, товарищ, речь идет о деле государственной важности. Тут бюрократию разводить ни к чему. Твой председатель в курсе дела. Открывай, быстро!

То ли казенные обороты сделали свое дело, то ли сыграл роль грозный вид Вольфа, но сторож зазвенел ключами, отпер амбарный замок и пропустил незваного гостя в неказистую комнатенку с древней обшарпанной мебелью.

— Как называется деревня?

— Дворы, — шмыгнул носом сторож. — Обыкновенно называется. Дворы.

— Постой на улице!

Допотопный черный телефон тихо гудел надтреснутым зуммером. Раздолбанный диск крутился со звуком трещотки, впервые в своей долгой жизни набирая номер не сельхозуправления, не агрохимии и даже не райисполкома, а Оперативного управления КГБ СССР.

— Дежурный слушает, — четко доложила трубка.

У Вольфа перехватило горло. Он не знал, где находится, не знал, какое сегодня число, не знал даже, который сейчас час. Затерянный в неизвестности и безвременье, лишенный легендой собственной личности, размазанный по шконкам, автозакам, этапам и пересылкам, он вдруг почувствовал, что обретает привычную форму.

— Дежурный слушает! — трубка стала строже.

— Это Вольф. Передайте Петрунову, я нахожусь в двухстах километрах от Синеозерска. Деревня Дворы. Правление колхоза.

Сдавленный голос колебал мембрану, преобразуясь в электрические сигналы, которые со скоростью света пробежали тысячи километров по проводам и телефонным кабелям, искря и теряя миллиамперы на контактах сотен реле коммуникационных узлов, ворвались в оптико-волоконную систему правительственной сети, прошли через усилители, вновь превратились в звуковые волны, влетели в волосатое ухо и легли на слуховую перепонку майора в мундире с васильковыми петлицами.

— Что?! Вольф?!

— Деревня Дворы. Правление. Информация для Петрунова, — как заведенный повторил беглец.

— Ждите у телефона! Никуда не отходите, вас все ищут! Ждите у телефона! — Майор наклонился к пульту и принялся нажимать кнопки и щелкать рычажками.

Вольф положил трубку и несколько минут неподвижно сидел, облокотившись на покрытый чернильными пятнами стол. Сейчас он верил в чудо и ждал, что Александр Иванович Петрунов внезапно материализуется прямо из воздуха. Но потом чувство реальности возобладало. Вряд ли кто-нибудь быстро доберется до этих богом забытых мест...

Внезапно прорвалось ощущение дикого голода. Картошка, сало, стакан самогона... Где же сторож? Он, похоже, добрый малый...

— Эй, друг!

Вольф вышел на крыльцо и замер: сторож целился из своей берданки прямо ему в живот. За ним стояли несколько мужиков с топорами и вилами.

— Подними руки! — скомандовал кто-то справа. Это оказался милиционер в потертой лейтенантской форме. Прижимаясь к стене, он наводил на беглеца пистолет.

— Теперь спускайся с крыльца и лягай на землю! — приказал лейтенант.

— Брось, командир, сейчас тебе позвонят и все объяснят, — попробовал отговориться Вольф, хотя и понимал, насколько это малореально.

— Наземь, убью!

Пришлось выполнить команду. Ему связали руки и ноги. Веревка была толстой и теоретически для таких дел не подходила, но мужики компенсировали это старанием — Вольф не мог даже шевельнуться.

— Вот так-то лучше, — сказал лейтенант. — Объяснит он мне, клоун! Там два трупа в поле и парашюты! Что ты объяснишь? Давай, Митрич, запрягай — в район повезем...

— Поесть дайте...

— Там тебя накормят...

— Слышь, Петрович, везти не на чем — у Зорьки подковы поотлетали, — виновато сказал Митрич.

— Как так? А чего же с ним делать?!

— Чего, чего... Давай в погреб посадим. А ты звони в район, пусть там думают!

— Щас, обыскать его надо...

Милиционер ощупал Вольфа и с торжествующим криком вытащил из кармана оружие Зубача.

— Гляди, что у него есть! Значит, это ты из тюрьмы убежал да наших ребят побил!

Носок сапога вонзился в бок, в ребра, в бедро... Расправа дело азартное — несколько мужиков подбежали и принялись топтать распростертого на земле беглеца.

— У, бандюга, сучья кровь! Это небось он сарай у Тимофея спалил!

— Он, точно, больше некому!

Тяжелые удары градом сыпались со всех сторон. Вольф не мог ни увернуться, ни защититься. Черенок вил ткнул в лицо, из лопнувшей губы потекла кровь. Внезапно пришла мысль, что здесь, в неизвестной деревеньке Дворы, нормальные работящие мужики могут забить его насмерть, как забивают пойманного в овчарне волка. И то, что он офицер, орденоносец, сотрудник КГБ, выполняющий задание государственной важности, никакой роли не сыграет: бессмертные супермены встречаются только в кино...

Внезапно сквозь застилающую сознание пелену прорвался озабоченный крик сторожа:

— Петрович, иди быстро, тут тебя к телефону требуют!

Удары сыпались еще целую вечность. Вольф перестал ощущать боль, только глухие толчки, болезненно отдающиеся внутри.

— Разойдись! Назад все! Не бить! — истошно заорал с крыльца Петрович. Град прекратился.

— Вы что, офонарели? Люди вы или звери?! Развязывай его, быстро!

Подбежав, лейтенант лихорадочно принялся ощупывать Вольфа, растирать затекшие руки и ноги.

— Как же это так... Откуда я мог знать... Держись, братишка... Эй, дайте под голову что-нибудь!

— Што такое, Петрович? Што стряслось?

— Да то! Это важный человек! Из самой Москвы звонили, приказали охранять и заботиться! А вы его чуть насмерть не замолотили!

— Подожди, ты же сам...

— Что я? Что я?! Я для порядка, несильно...

Перебранку перекрыл нарастающий гул — вначале показалось, что подъезжает машина, но гул был слишком сильным, будто газовала целая колонна грузовиков. Подул сильный ветер.

— Ничего себе! Вертолет из Москвы! Давай по домам от греха!

Преодолевая боль во всем теле, Вольф приподнялся.

— Оклемался? Ну и слава богу! Давай, я тебе помогу, — суетился лейтенант.

Мужики со всех ног разбегались в разные стороны, только сторож топтался поблизости, но ружье на всякий случай прислонил к крыльцу.

Метрах в сорока на выгоне садился выкрашенный в защитный цвет «Ми-6» с красной звездой на фюзеляже. Вот шасси коснулось земли, рев двигателей смолк. Ставшие видимыми лопасти медленно тормозили свой бег. Сразу же распахнулся люк, несколько человек выпрыгнули наружу и побежали к правлению. Первым мчался подполковник Петрунов.

* * *

— Здорово совпало! — обаятельно улыбался Александр Иванович. — Мы с Романом целый день челночим над лесом, тебя высматриваем, а тут радиограмма: «Дворы!» Коля говорит: «Да это рядом!»

— Километров шестьдесят, не больше! — улыбнулся местный опер, разливая водку. Он организовал отдых по высшему разряду: горячая баня, холодная «Столичная», жареная дичь, соленые грибочки...

— Как по заказу получилось! — Лейтенант Медведев, широко улыбаясь, подложил Вольфу в тарелку грудку куропатки.

Все трое, распаренные и благодушные, сидели на веранде, лениво отмахиваясь от комаров. Вольф с наслаждением вдыхал чистый лесной воздух и ощущал непривычное чувство сытости. Водка его не брала, хотя боль в теле заглушилась, сознание оставалось ясным.

— Минут за пятнадцать и долетели! — закончил Петрунов.

— Если бы за десять, мне бы меньше досталось, — пошутил Вольф, поднимая рюмку. — Вон как разукрасили!

— Ничего, это даже к лучшему! — выскочило у Александра Ивановича. Спохватившись, он несколько стушевался, лучезарная улыбка потускнела.

— Что ж тут хорошего, если меня отмудохали до потери пульса? — раздраженно спросил Вольф.

— Не обижайся. Главное, кости целы, все цело. А для легенды действительно лучше...

При Коле о делах не говорили: конспирация не терпит лишних ушей, чьи бы они ни были — даже для соратников не делается исключений.

— Давайте за Владимира! — предложил Медведев. — Четыре месяца уже, даже мне тяжко...

— Четыре месяца? — Вольф почесал в затылке. — Мне кажется — целая вечность...

Коля деликатно потупился и встал:

— Пойду посмотрю, как там ночлег готовят...

— Да сиди, без тебя справятся, — для проформы сказал Петрунов, а когда коллега ушел, нетерпеливо повернулся к Вольфу:

— Ну, как ты?

— Еле дотянул. Еле-еле...

Петрунов насторожился и перестал улыбаться.

— Как «дотянул»? Операция только начинается! Там знаешь, что наверху творится? Целая буря! Рябинченко Вострецова отжарил, тот — меня! Дал срок, потом, сказал, шкуру снимет!

— Не по-настоящему ведь! — угрюмо сказал Вольф. Слова подполковника не произвели на него ни малейшего впечатления.

— Что?

— Шкуру он не снимет. И не зарежет. И в петушатник не загонит.

— Что ты говоришь? — Петрунов вытаращил глаза.

— Под шконкой не прогонит. Не удавит ночью. Гвоздь в ухо не забьет...

— О чем ты, Володя? Тебе плохо?

— Нет, все нормально. Сейчас мне хорошо. Много пространства, чистый воздух. И вокруг нет десятков ядовитых змей, которые ползают по телу и могут укусить в любой момент...

Вольф налил сам себе и выпил, потом налил еще раз.

— Вы знаете, Александр Иванович, здесь даже бьют подругому. Посмотри: вчетвером старались — а я отделался синяками и ушибами. А там **посадили** бы на копчик и в момент сделали инвалидом на всю жизнь.

— Я ничего не понимаю, Владимир. К чему ты все это говоришь?

— К тому, что Вострецов ничего не может. И Рябинченко тоже ничего. Ну, понизят в звании. Уволят из органов. Исключат из партии. И все! Чего их бояться?

Петрунов и Медведев переглянулись. Было ясно, что коллега повредился рассудком.

— Роман, пойди посмотри, где Савин, — распорядился подполковник. И когда они остались вдвоем, мягко обратился к Вольфу:

— Тебе надо отдохнуть. Ты многое пережил, у тебя стресс. Это понятно. Выпей, расслабься, отдохни. У нас еще есть время. До завтра.

— Нет, Александр Иванович, нет! —Вольф отчаянно затряс головой. — В тюрьме я собрал волю в кулак, переродился, приспособился к скотским условиям и был готов идти до конца. Если бы не этот побег... Но сейчас все изменилось, я снова стал человеком, почувствовал вкус нормальной жизни и уже не могу возвращаться в зверинец. Извините. Не могу, и все!

— Но ты ведь знаешь, **что** стоит на карте! Речь идет о престиже страны на международной арене! Ведь ты железный парень и патриот!

— Пожалуйста, дайте мне штурмовую группу, взвод или роту — я выполню любое задание!

— Задание у тебя уже есть. И только ты можешь довести его до конца. Без тебя все дело лопнет.

— Но я не могу! Не могу физически!

— Брось, Володя! Ты можешь все. Все! Ты по-настоящему железный парень! Мы знакомы много лет, я всегда ценил и уважал тебя. Я надеюсь на тебя. Это я рекомендовал тебя генералу. И Вострецов надеется на тебя. И Рябинченко тоже.

— Пусть надеются. Кто такой Рябинченко? Я его только на фотографии видел. Да и Вострецов... Что он мне — отец родной?! Почему они должны держать меня в хлеву? Пусть сами попробуют понюхать камеру!

Это были опасные слова. За такие слова ставили на учет диссидентов и профилактировали на полную катушку: кого в психушку, кого в ссылку, кого в тюрьму... Но Вольф и так сидел в тюрьме.

Петрунов тяжело вздохнул. Но у него был многолетний стаж оперативной работы, а это кое-что да значило.

— Дело не в них, дело в тебе! Ты ведь взялся за это задание! Ты дал слово! Тебе доверились! Ты ведь не можешь дать задний ход? Бросить все на полдороге, как никчемный трус!

Наступила тяжелая пауза. Вольф большими глотками пил водку прямо из горлышка. Этого он не делал никогда в жизни. Подполковник понял, что наступил перелом. Пустая бутылка полетела в сторону.

— Да, за слово отвечать надо. А то недолго фуфлометом оказаться. Западло это!

Находящийся в побеге осужденный Вольф поднял на подполковника глаза. От этого взгляда Александр Иванович поежился.

— Только если бы вы сразу бросили меня в вертолет и выкинули в зоне, было бы легче. А после всего этого, — Вольф обвел рукой богатый стол. — Получается настоящее живодерство. Вот так шкуру и снимают!

На следующий день подполковник Петрунов доложил по ВЧ-связи генералу Вострецову, что прапорщик Вольф приступил к продолжению задания.

— Вы объяснили, какое ответственное дело мы ему доверили?

— Так точно! — отчеканил Петрунов.

— Напомнили о долге офицера и коммуниста?

— Точно так!

— Сказали, кто держит дело на контроле?

— Сказал, товарищ генерал!

— Времени у него немного, мы и так опаздываем. Он об этом знает?

— Знает, товарищ генерал.

Вострецов удовлетворенно кашлянул:

— Что ж, хорошо. Тогда будем ждать результата.

— Результат будет, товарищ генерал. Вольф очень ответственный и самоотверженный человек.

— По-моему, вы его перехваливаете. Впрочем, увидим.

Глава 7

ОПЕРАЦИЯ «СТАРЫЙ ДРУГ»

ИТК-18 находилась в густом лесу, но голубой, насыщенный озоном и хвоей воздух по какой-то мистической закономерности не пересекал границы охраняемого периметра, и на территории воняло ржавым железом, кухонными отходами, собачьей шерстью и зэками. Здесь содержались осужденные за государственные преступления диссиденты, антисоветчики, религиозники, а также доживающие свой век отрыжки войны: каратели, полицаи, пособники фашистов, разоблаченные уже в наши дни и потому избежавшие виселицы.

Несмотря на то что административно-надзорный состав носил форму МВД, она служила только прикрытием: колония находилась в ведении Комитета государственной безопасности СССР, и все работающие здесь являлись его штатными сотрудниками. Прикрытие было сродни секрету Полишинеля: и сами осужденные, и их друзья на воле, и иностранные журналисты, и западные радиоголоса знали истинное положение дел.

Вольфа привезли спецавтозаком и сразу положили в лазарет: многочисленные ссадины, ушибы, гематомы на лице и по всему телу давали к этому все основания. Он один лежал в чистой палате — много света и воздуха, вежливый персонал, нормальное питание, — по сравнению со следственными изоляторами это был настоящий санаторий.

«Буржуйская хата, даже вшей нет!» — прокомментировал обстановку кот.

«Ну их всех в очко, — зло клацнул клювом орел. — Вши мне не в лом. Лучше вши, чем под такую раздачу попасть...»

«Отдуплили по полной, чуть второй глаз не вышибли», — процедил пират.

«Паскуды, по рогам ни за что навешали. Хорошо, гитару не сломали», — поддержал товарищей черт.

«Это все наш непутевый, — квакающим голосом произнесла русалка. — Куда его хер занес? Так и насмерть затопчут!»

«Потому что на рожон прет, — рыкнул тигр. — Нарвется на перья, ему шкуру попортят и от нас клочья полетят».

После побоев татуированный мир наполнился звуками. Все обитатели обрели голос: шипела обвивающая кинжал змея, ржал конь под рыцарем, звонко пел колокол, туго гудел такелаж парусника, звенели цепи, ржаво скрипела колючая проволока, тяжело звякали рыцарские доспехи.

«Надо помогать хозяину, подсказывать, — сварливым голосом сказал кот. — Его шкура — это и наши шкуры!»

«Заткнись, котяра, с гнилыми советами! Я ни к кому в шестерки не нанимался!» — огрызнулся черт и принялся извлекать из гитары дребезжащие звуки, мало похожие на музыку.

«Тебе лишь бы водку жрать!» — обиделся кот.

В перебранку ввязался пират, потом русалка и женщина с креста. Противные голоса, мат, взаимные упреки и оскорбления наполнили комнату.

— Заткнитесь все! — рявкнул Вольф. — А то возьму бритву и срежу к чертовой матери!

Наступила тишина. Вольф не мог понять: замолчали картинки или успокоился его собственный мозг.

От руководства колонии Вольф не шифровался и на пятый день замнач по режиму и оперработе майор Климов вызвал его под предлогом обычной для вновь прибывших контрольно-установочной беседы.

Низенький, коренастый, с начинающими редеть рыжими волосами, майор принял его радушно: обнял, угостил чаем с бутербродами и ввел в курс дела.

— Этот Фогель — крепкий орешек! Идейный враг с явно выраженными национал-сепаратистскими идеями. Он здесь у них вроде как старший, хотя этого не афиширует. Старается держаться середнячком, маскируется. Конспиратор!

Климов с аппетитом ел бутерброды и прихлебывал горячий чай. На лбу у него выступили капельки пота, лицо порозовело.

— Тебя здесь ждут, как героя. Шнитман рассказал про твои подвиги, да и я запустил через своих людей кое-что... Будешь в авторитете! Хотя особо не расслабляйся — они умней, хитрей и изощренней обычных уголовников. У каждого третьего высшее образование, выписывают все журналы — литературные, философские, политические... Персоналу с ними очень трудно: знаешь, какие вопросы задают? Хрен ответишь!

— Я в угадайку играть не собираюсь. Сколько убийств за год?

Климов отвел глаза.

— Убийств не было... Несчастные случаи, самоубийства — да. Одного током шибануло, один из окна выпал, один повесился... Недавно баптисту руку циркуляркой отхватило... А что за этим стоит — кто знает!

Вольф вздохнул:

— Ясно... Что ж, давайте оговорим способы связи и кое-какие практические вопросы. Да пора идти работать.

Майор вытер вспотевший лоб небезупречным платком.

— Не спеши. Полежи в лазарете, отдохни, откормись...

— Не получится. Время подпирает... И потом — что мне вылеживать? Надо дело сделать и возвращаться.

— Ну смотри, — Климов кивнул. — Тебе видней.

* * *

— Здравствуй, Вольдемар! — дядя Иоганн мало изменился. Морщинистое лицо умной обезьянки, желчная улыбка, пронзительный взгляд застывших в напряженном прищуре глаз.

Он обнял старого знакомого, трижды прижался выбритой щекой, отстранившись, внимательно посмотрел — будто рентгеном просветил.

— Да, разделали тебя основательно. Впрочем, я и без этого тебя бы не узнал. Ни за что не узнал! Когда мы виделись, ты был мальчишкой — лет тринадцать-четырнадцать! Как отец?

— Давно не встречались.

— А мама? Она готовила замечательный форшмак, а какой айсбайн! Настоящая немецкая кухня...

— С мамой тоже давно не встречался.

— Да-да, понятно... Я всегда говорил Генриху, что остаться в стороне от политической борьбы своего народа не удается никому. Он мне не верил, а ведь так и получилось. Пусть не с ним самим, а с его сыном. Ты оказался со мной в одной упряжке.

— Насрать мне на политическую борьбу, — зло сказал Вольдемар.

— Пусть так. Но тяга настоящего немца к родине, к собственной автономии... Она привела тебя сюда.

— Да ну! Сюда меня привел кошелек! Что с того, что я немец? Я в глаза не видал никакой немецкой родины, я в Караганде родился! На хер мне эта автономия? Если бы я был негром, но дернул этот гребаный лопатник с этой гребаной пленкой, то так же получил бы срок и приехал в эту зону!

Иоганн занимал козырное место в «авторитетном углу» — у окна и вдали от двери. Он сидел на шконке, рядом стоял угрюмый и мосластый эстонский националист Эйно Вялло. Тщательно подогнанная по фигуре черная зэковская роба и ушитая кепка сидели на Эйно, как эсэсовская форма. И ему это нравилось.

— Ты уже все забыл! — презрительно сказал эстонец. — Ведь тебя наверняка дразнили в детстве? Фашистом, Гитлером. Так?

— Ну и что! Всех дразнили, евреев меньше, что ли?

— Вот именно! Но, если ты заметил, все евреи оказались здесь именно из-за того, что не хотели выносить оскорбления.

Шнитман стоял чуть в стороне и согласно кивал, всем своим видом изображая борца за идею. В руках он держал банку тушенки. Когда Яков увидел Вольфа, то обрадовался так, будто встретил близкого родственника. И сейчас не сводил с него быстрых черных глаз.

— Я пострадал за пропаганду сионизма! А что плохого в сионизме?

Иоганн вздохнул:

— Я говорил Генриху, что его воспитание даст плохие плоды. Ты полностью перенял отцовский нигилизм. А ведь если бы кошелек украл русский карманник, его бы никогда не осудили за шпионаж. Даже если бы в нем было десять шпионских пленок! И за побег русского не разукрасили бы таким образом. Ты не задумывался об этом? А вот Эйно и Яков прекрасно все понимают...

Яков Семенович кивнул и нетерпеливо перебросил тушенку из руки в руку.

— Может, перекусим? За разговорами о желудке забыли!

Иоганн недовольно скривился, но возражать не стал.

* * *

В политической зоне оказалось легче, чем в «крытой». Нет скотской скученности, можно нормально дышать воздухом, к тому же работа отвлекала от однообразия здешней жизни. Все мордовские зоны перерабатывают лес и делают изделия из древесины. В ИТК-18 изготавливали корпусную мебель — шкафы, стеллажи, шифоньеры. По рекомендации Иоганна Вольф попал на деревообработку. Просторный светлый цех, много воздуха, приятный запах теплого дерева, завораживающе вьются тонкие стружки, и корявая доска становится гладкой, будто светящейся изнутри... Этот участок считался самым лучшим, в отличие от лакокрасочного с его ядовитой, разъедающей легкие вонью растворителей.

Вольфу нравилось работать здесь, если сосредоточиться, то время летит быстро и день проходит незаметно. Но блатной не должен вкалывать «на хозяина», поэтому приходилось отлынивать и маяться от безделья. Под разными предлогами он ходил по производственной зоне, заглядывал во все углы, часами рассматривал проволочное ограждение, интересовался люками и подземными коммуникациями. Когда приходили машины за готовой продукцией, он внимательно наблюдал, как их впускают на территорию и выпускают обратно. Несколько раз пробовал спуститься в подвал или подняться на крышу, но натыкался на массивные замки. В библиотеке он тщательно перелистал многолетнюю подписку журнала «Техника—молодежи» и перерисовал чертежи дельтаплана и воздушного шара.

Хотя он ни у кого ничего не спрашивал и ни с кем не делился наблюдениями, как-то вечером Иоганн будто невзначай завел обтекаемый разговор:

— Чего ты все вынюхиваешь? Брось людей смешить! Дело дохлое, на моей памяти еще никто не ушел. Да и раньше тоже...

— Не знаю, дядя Иоганн, что вы имеете в виду.

— Да то и имею! Думаешь, самый умный? Все мотают срок и ждут «звонка», а ты хочешь убежать?

Вольф разъяренно оскалился:

— Умный, не умный, а в зоне гнить не хочу! И не буду!

— И куда ж ты денешься? — желчно улыбнулся Иоганн.

— Куда, куда! Туда! Птицей по воздуху полечу, кротом под землей проползу, буром сквозь стену выломлюсь!

Вольф осекся и настороженно огляделся по сторонам. Отряд готовился к отбою. Антисоветчики Якушев и Васьков с одинаковыми безобразными шрамами на лбах таращились друг на друга выпученными, как у лягушек, глазами и вяло играли в карты, украинский националист Волосюк читал газету, баптист Филиппов доказывал что-то адвентисту седьмого дня Титову, шпион Кацман писал письмо, полицай Головко зашивал порванную робу. Только грузинский диссидент Парцвания и сионист Кацман оторвались от своих дел, заинтересовавшись шумом. Но, встретившись взглядом с Вольфом, поспешно опустили головы: любопытство не приветствуется в любой зоне.

— Э-э-э-э, парень, — Иоганн перестал улыбаться. — Такой настрой мне известен. Только он не на ту волю приводит. Кого током на запретке убьет, кто на пулю нарвется. А потом на кладбище, вон там, в лощине за зоной. Закапывают, как собак, — ни гроба, ни креста, ни таблички с именем. Вот тебе и вся воля!

— Ладно, разберемся! — Вольф явно не был настроен на продолжение разговора. Но Иоганн не обращал внимания на такие мелочи.

— Здесь главное — уметь ждать, — спокойно продолжал он. — Мы тут газеты читаем — и по строчкам, и между ними. Обстановка меняется! Через пару-тройку лет нас выпускать начнут! Вот посмотришь! А еще через пять годков немецкую автономию разрешат вполне официально!

Вольф недобро усмехнулся:

— А тебе, дядя Иоганн, орден дадут и сделают президентом! А Яшу Шнитмана министром торговли назначат! Кстати, ты уже сколько отсидел?

— Десять лет, два месяца.

— Так на хер тебе перемены, если хоть так, хоть этак, через два года УДО[1] светит? А мне, чего ни меняй, двенадцать зим топтаться! Все, вяжем базар!

Резко вскочив, Вольф вышел на улицу. Там прохаживались, сидели на корточках, курили, собравшись в кружок, обитатели восемнадцатой зоны.

— Слышь, кореш, дай закурить. — Откуда-то сбоку приблизился сутулый мужик с грубым, будто вылепленным из папье-маше лицом, на котором застыла гримаса вечного недовольства.

— Не курю.

— Да? А раньше вроде курил...

— А мы чего, встречались раньше-то? — враждебно спросил Волк, взглядом фотографируя собеседника. Колючие глаза, раздвоенный нос, пересохшие губы. В памяти не всплывало ничего, связанного с этим типом.

— Да вроде... Ты откуда?

— А хуля ты опер?! Давай, дергай отсюда! Быстро!

Недовольно бормоча, человек отошел. По виду он был похож на обычного блатного — вора или грабителя. Да и все остальные мало походили на мучеников совести — обыкновенные зэки, с обычными для арестантов разговорами — о

---

[1] УДО — условно-досрочное освобождение.

жратве, передачах, свиданиях, бабах. Никто не строил планов вооруженного восстания, не разрабатывал стратегии переустройства государства, не писал молоком на волю тайных писем единомышленникам. А если ссорились, то не на почве идейных разногласий, а из-за обычной бытовой чепухи.

Иногда Вольфу казалось, что здесь вообще нет политиков. Васьков, например, бросил чернильницей в инструктора райкома партии, который трахнул его жену. Отсидев пятнадцать суток, он не успокоился и вновь пошел разбираться с обидчиком, разбил витраж в вестибюле и опрокинул бюст Ленина, у которого при этом откололся гипсовый нос. Оскорбленного мужа арестовали за хулиганство, и, вместо того чтобы каяться и дожидаться приговора, скорей всего условного, Васьков вытатуировал на лбу: «Раб КПСС». Теперь он получил политическую статью и восемь лет, а надпись тюремные врачи вырезали без наркоза. Края раны грубо зашили, кожа натянулась, отчего глаза неестественно раскрылись и не закрывались даже во время сна, поэтому на ночь Васьков прикрывал лицо тряпицей. Надо сказать, что лояльности к власти у него не добавилось.

Настоящим антисоветским реликтом был Андрей Головко, который в молодости служил полицаем. Высокий угрюмый мужик, крепкий, несмотря на то, что перешагнул за шестьдесят, с безжалостными глазами, в которых отражалась кровь и огни пожаров. Сразу после войны по недолгому закону жестокой справедливости его бы вздернули на виселицу, потом, в годы, когда не остыла память о зверствах фашистских прихвостней, скорей всего, расстреляли... Но он забился в глухую деревню и просуществовал до семидесятых, пока случайно не был опознан бывшим односельчанином. К тому времени нравы смягчились, да и свидетелей не осталось, поэтому смертной казни удалось избежать. Сидел Головко уже лет пятнадцать. Угрюмый, молчаливый, он ненавидел всех вокруг. И выглядел и вел он себя, как обыкновенный бандит.

— О чем задумался? — незаметно подошел Шнитман. — Этот мужик вчера про тебя расспрашивал. Кто, да что, да откуда...

— Какой мужик?

— Да этот, который сейчас к тебе подходил. Не знаешь его?

Волк пожал плечами:

— А он-то кто такой?

Яков Семенович подмигнул:

— У него почти та же история, что у тебя. По карманам шарил, а когда арестовали, нашли несколько иностранных паспортов и валюту. Вот и загремел под фанфары...

У Вольфа в мозгу будто молния сверкнула. Хмурый! Несколько раз он покупал у него паспорта иностранцев, необходимые службе нелегальной разведки. На последней покупке Хмурый с дружком-культуристом попытались его ограбить, выбраться из передряги удалось с трудом, пришлось сломать культуристу шею... Вот она — та случайность, которую не предусмотришь!

— А... Вспомнил я эту крысу! — презрительно процедил Волк. — Своих грабит, паскуда!

В это время он лихорадочно обдумывал сложившуюся ситуацию. Хмурый знал его как вора. Больше у него не было никаких зацепок и подозрений. Разве что татуировки... Когда они встречались, кожа Расписного была чистой. И потом, могут спросить: что делал Волк в Москве и зачем ему паспорта? Значит, надо продумать эти вопросы... Ясно, что без продолжения эта история не останется.

Продолжение наступило сразу после отбоя. Вольф привычно натянул на голову одеяло, создавая свой индивидуальный ночной мир, когда кто-то тронул его за плечо. В полумраке над ним блестели вытаращенные глаза человека-лягушки. То ли Якушев, то ли Васьков — Вольф их путал.

— Тебя зовут, — человек-лягушка указал в сторону «авторитетного угла».

— Кто зовет?

— Общество. Ну, правление.

Сразу поняв, в чем дело, Вольф изобразил широкий зевок.

— Ладно, иди, я сейчас.

Это был тактический прием. Одно дело, когда тебя ведут

на разборку вроде как под конвоем, другое — когда приходишь сам, честно и добровольно. Мелочь, конечно. Но вся жизнь состоит из мелочей. Особенно в тюрьме.

Иоганн Фогель сидел посередине, по левую руку от него горбился Волосюк, по правую вытянулся, будто проглотив аршин, Эйно Вялло. Рядом на табуретках устроились антисоветчик Азаров, скопец Коныхин и Шалва Парцвания. Чуть в стороне стоял готовый делать предъяву Хмурый.

Не обращая на него внимания, Вольф поздоровался:

— Приветствую почтенное общество! Оказывается, и у вас блаткомитет есть!

— Что есть? — не понял Фогель.

— Блаткомитет, — Вольф обвел рукой собравшихся.

— Не говори таких слов, Вольдемар, — Иоганн недовольно поморщился. — Никаких блатных здесь нет. Это правление, совет. У одного из наших товарищей есть к тебе претензии.

Фогель указал на Хмурого.

— У него?! Ко мне?! — У Вольфа от возмущения даже дух перехватило. — Да какой он товарищ: это же крыса! У нас с ним дела были, так заманил, гад, на чердак, привел здоровенного жлоба, как два шкафа, отобрали у меня бабки и хотели грохнуть! Не так, что ли?! И у тебя, сука, ко мне претензии?!

Хмурый немного смутился:

— Это не я, это Висюк... Он деньги отбирал. А потом вы меня отбуцкали, ребро сломали, за малым не замочили! Так что в этом мы квиты!

Вор приободрился и пошел в атаку:

— А вот скажи, зачем ты паспорта покупал, особенно забугорные? И что у тебя за пушка была шпионская?

— Глохни, крыса! С тобой западло базарить! Не знаю, как у вас, а в путевой зоне крысу под шконкой прогоняют — и в «шерсть»!

— Не командуй здесь, Вольф, у нас тут своих командиров хватает, — степенно сказал Коныхин, поглаживая подбородок. Жест напоминал о том, что на воле он носил старообрядческую бороду. Лицо у скопца было суровым, от него исходила мощная энергетическая волна, характерная для решительных и волевых людей. — Сейчас не о нем речь. Зачем тебе паспорта? Какой такой особенный пистолет при себе носил? Ответь обществу по порядку.

— Как зачем паспорта? Вы еще спросите, зачем кошельки! У меня кент по документам работал, он такие ксивы лепил, в жизни не отличишь! А из чего их делать? На газетке рисовать? Потому настоящие бланки край нужны! Особенно если забугорный попадется... Один цеховик по такому в Италию свалил. Немереные бабки отстегнул!

— А пистолет? — с интересом спросил Парцвания. — Что за пистолет такой хитрый?

Вольф пожал плечами:

— Пушка, как пушка, на катране купил у залетного из Ростова. Может, «браунинг», может, «шпалер»!

— Не «шпалер», точно. Нет такого названия, — сказал Эйно.

— Ну не знаю я, как его зовут, не знаю! Чего вы привязались с этим пистолетом! Какие предъявы мне Хмурый сделал? Фигня одна! А я ему крысятничество предъявляю! Давай теперь с этим разберемся!

— Тут не с чем разбираться, — вмешался Азаров. Это был настоящий антисоветчик, держатель подпольной типографии. — Нас личные счеты не интересуют. А вот «наседка» — другое дело. Нам это очень даже интересно!

— Фильтруй базар! Кто здесь «наседка»?!

Правление пристально разглядывало Расписного шестью парами глаз. И по их выражению Вольф вдруг понял, что между восемнадцатой зоной и «хатой» пересыльной тюрьмы большой разницы нет. В случае провала здесь его так же задушат, или приколют заточкой, или засунут в циркулярную пилу. Тот же Коныхин, или Эйно, или Волосюк — вон какие волчьи взгляды... Да и полицай Головко подпишется на «мокрое» дело без колебаний, а может, и еще специалисты найдутся...

— Что еще у тебя есть? — спросил Фогель у Хмурого. — Ты задал вопросы и получил ответы. Мы оценим и то, и другое. Есть что добавить?

Хмурый задумался.

— Есть! Когда я его видел, сдается, такой росписи на нем не было...

Вольф заставил себя рассмеяться. Он надеялся, что получилось искренне.

— Ну, клоун! Ну, дает! Ты меня что, раздевал? Гляньте все на мои картинки! Или их за год нарисуешь?

Привычным для блатных истерическим жестом он рванул рубаху на груди. Посыпались по полу пуговицы. Шесть пар глаз изучали картинную галерею на мускулистом теле.

Но эффект оказался обратным ожидаемому.

— Подумаешь! Гэбэшники что угодно за неделю нарисуют! — зло буркнул Азаров.

— А можно и с наколками на них работать! — кивнул головой Парцвания.

— Их даже к нам засылали, один под «большую печать» попал, — со значением сказал Коныхин.

— Если даже яйца отрезают, что стоит татуировки сделать, — согласился Вялло.

Волосюк покачал головой.

— Гэбисты к себе вообще с татуировками не принимают. Мой школьный товарищ к ним поступал, а у него на ноге маленький крестик был, над коленом. Не взяли: особая примета. Он говорит: я его вытравлю. А они отвечают: тогда шрам будет — все равно особая примета. Так и не взяли. У Вольфа такая роспись, что ее десять лет колоть надо. Херня это все. Болтовня.

Наступила тишина.

— Кто еще хочет сказать? — Фогель обвел взглядом членов правления.

Желающих не нашлось. Даже Хмурый заметно поскучнел. Он чувствовал, что предъява оказалась неубедительной и теперь ожидал «оборотки».

— А ты, Вольдемар, что скажешь? — дядя Иоганн с интересом смотрел на старого знакомого.

— Одну простую вещь, — устало произнес Вольф. — Чего мне у вас высиживать? В блатных зонах на стукачах помешаны, там их действительно хватает — за щепотку чая дуют, за ложку сахара, за кусок колбасы. А о чем стучат? О всякой херне. Кто что сказал, кто заточку сделал, кто малевки на волю шлет... Ну кинут кого-то в трюм[1], кого-то в другую хату перебросят, опера себе палки в отчет поставят. Что дальше? Разве станут из-за такой шелухи специально человека готовить да татуировать с головы до пят?

— У нас зона не блатная, а политическая, — по-прежнему с интересом разглядывал его дядя Иоганн.

— И что? Все то же самое. У каждого свое дело, у каждого свой срок. Каждый химичит что-то по мелочи, я еще во всех ваших примочках не разобрался. И наверняка есть свои «утки», они об этой мелочовке постукивают. Но мне-то что у вас выпытывать? Может, вы государственный переворот готовите и у вас в армии все схвачено? Может, у вас тут радиостанция спрятана и вы с ЦРУ связь держите? Тогда понятно — серьезный стукач нужен. А если ничего этого нет? Тогда зачем?

— Гм, да... — Коныхин потер подбородок. — Действительно так.

— Пожалуй, — кивнул Парцвания.

— Он на сто процентов прав! — рассмеялся Волосюк.

— Не знаю. Оно вроде и так правильно, и этак. Как посмотреть, — медленно произнес Эйно. Он держал свою кепочку в руках и с растрепанными соломенного цвета волосами походил на крестьянина.

— Болтать все горазды, — буркнул Азаров, непонятно что имея в виду.

Снова наступила пауза. Окончательный итог должен был подвести Фогель. Но он молчал. Напряжение нарастало.

— Заговоров у нас тут нет, это верно, — иронично улыбаясь, сказал дядя Иоганн. — И рация нигде не спрятана. Поэтому то, что сказал Вольф, вполне логично.

Обстановка разрядилась. Только сейчас Волк почувствовал, как напряжены нервы и насколько окаменели мышцы. Он незаметно перевел дух и расслабился.

— Но я часто встречался с совершенно нелогичными действиями властей, — тем же тоном продолжил Иоганн. — Нередко их логика как раз и состоит в отсутствии всякой логики. Поэтому этот довод меня не убедил.

---

[1] Трюм — карцер.

Атмосфера вновь стала сгущаться. По спине Волка потекли струйки холодного пота.

— Зачем наш друг скупал паспорта? — Фогель перестал улыбаться. — Объяснить это можно по-разному. Он сам дал одно, вполне правдоподобное объяснение. Но существуют и другие. Если послушать Хмурого, его объяснение, несомненно, будет другим. Не так ли?

Хмурый оживленно закивал. Он торжествовал.

— То же касается пистолета. И у татуировок есть две правды. Похоже, они наносились много лет. Но есть непохожие похожести. Если власть сильно захочет, она может сделать все очень быстро. И очень правдоподобно. Поэтому и татуировки меня не убедили.

Эйно надел и тщательно поправил черную кепку. Теперь он вновь стал похож на эсэсовца. Парцвания сжал кулаки, почернел лицом Коныхин. Хмурый с угрожающим видом подошел ближе. Волк снова напрягся и изготовился к бою. Интересно, есть ли у них оружие? Хмурый в любом случае умрет первым, затем тот, кто окажется быстрее других. Наглядные примеры такого рода очень убедительны и мгновенно охладят пыл остальных. Но ненадолго. За время замешательства надо успеть выбежать из отряда и добежать до вахты. Вряд ли получится — слишком далеко. Лучше выброситься на запретку: по существующим инструкциям часовой пропускает убегающего и стреляет по преследователям. Это более реальный вариант.

— Да, я могу предположить, что Вольфа покрыли татуировками, чтобы он вошел к нам в доверие, — продолжал сторонник немецкой автономии. — Но много лет назад, когда Вольдемар был маленьким мальчиком, а я находился в гостях у его отца, в дом пришел милиционер и изъял самодельный пистолет. При этом он сказал, что Вольдемар дружит с преступниками, настоящими бандитами. Я не могу предположить, что это была уловка властей...

«А ведь была! — отстраненно подумал Вольф. — Иезуитская уловка, о которой, если бы не случай, мы бы никогда не узнали...»

— ...и это был первый шаг Вольдемара по пути, который

вполне логично привел его сюда. Вот в эту логику я вполне верю.

Парцвания разжал кулаки и хрустнул пальцами, Эйно снял кепку и без особого успеха пригладил редкие волосы, Хмурый будто невзначай сделал шаг назад.

— И еще, — Иоганн снова улыбнулся. — Если бы Вольф был тем, за кого его принял Хмурый, то он всячески бы пытался войти в доверие. А он не стал выдавать себя за противника режима и дал понять, что ему вообще наплевать на политическую борьбу. Поэтому я ему полностью доверяю.

Иоганн замолчал и обвел соратников внимательным взглядом.

— У кого есть другое мнение?

Наступила тишина.

— У тебя, Шалва? — требовательно спросил Фогель.

Парцвания покачал головой.

— У тебя, Виктор?

— Нет, — поколебавшись, ответил Азаров.

— Да все ты верно расписал! — восторженно улыбаясь, сказал Волосюк. — Вот голова у человека! Нам до него — как до неба!

— Убедительно, — кивнул Конnetwork.

— Согласен, — не очень убежденно произнес Вялло.

— Тогда все сомнения сняты, — подвел итог Фогель. — Обвинения Хмурого не подтвердились. Он будет наказан. А теперь спать.

* * *

На следующий день в распиловочном цехе плохо закрепленная доска, соскользнув со штабеля, сломала Хмурому ключицу, руку в двух местах и расплющила ступню. Если это было обещанное наказание, то прекрасно организованное, если совпадение — то очень удачное. Как бы то ни было, вора увезли на больничку и у Вольфа отпала необходимость следить за подходящими сзади. Впрочем, в этот же день он обзавелся новыми врагами.

После вечерней проверки Парцвания и Якушев заспорили о правах и свободах.

— Нет, ты скажи, почему нельзя «Новый мир» выписывать? — с кавказским темпераментом кричал Шалва. — Я не говорю про другие журналы, про «Америку», например. Но ведь «Новый мир» — наш, советский журнал, там ни порнографии, ничего такого. На воле его свободно выписывают, продают в киосках. Почему мне запрещено?

— Потому что там Солженицына печатали, — объяснил Якушев. — Вдруг еще что-такое тиснут. А мы здесь прочтем...

— Солженицына по команде Хрущева напечатали. Ему даже хотели Ленинскую премию дать!

— Хрущеву? — еще сильнее вытаращился Якушев.

— Да нет! — Парцвания с досадой махнул рукой. — Хрущев Солженицыну хотел Ленинскую премию дать. Так почему нельзя? Журнал «Коммунист» — можно, «Политическое самообразование» — можно, «Огонек» — можно. А «Новый мир» нельзя! Это же не иностранный журнал!

— А иностранные разрешают, — сказал Якушев. — Вон Матрасов «Корею» выписал. Читает и хохочет — смешней «Крокодила»...

Со стороны умывальной послышались звуки ударов, возня, потом раздался жалобный крик. Узнав голос Шнитмана, Волк в три прыжка оказался на месте. Бледный как мел Яков Семенович сидел на полу, прислонившись к нарам, и зажимал рукой нос, из которого лилась кровь. Другой рукой он машинально отряхивал перепачканную рубаху, так что брызги летели во все стороны. Он был близок к потере сознания, но порывался подняться и, захлебываясь, бормотал:

— Меня никто никогда не бил... Ты за это ответишь, гнида... Я тебя достану...

Андрей Головко, вытирая запачканную кровью руку, пнул его ногой в бок.

— Заткнись, жидяра, насмерть забью!

Вольф схватил полицая за шиворот и оттащил в сторону:

— Ты что, дед? О душе пора думать, а не махаловки затевать!

Тот резко повернулся.

— Заткнись и не лезь! — гаркнул он с неожиданной и непривычной властной интонацией. — Стой тихо и дыши в тряпку, пока до тебя дело не дошло! Что ты про душу-то знаешь? Мне твоя немчура не только в душу наплевала, всю жисть искалечила! Паскуды! Я пацаном был, только восемнадцать стукнуло, они меня посулами сманили! Потом сами сбегли, а меня на муки бросили! И ты такой же гад!

— Долбанулся, старый? Шнитман-то тут при чем?

— Да при том! Ты с ним — два сапога пара! Жаль, не всех жидяр я передушил! Их с малолетства надо на штык сажать или в огонь... И вас, фашистов, туда же! Моя бы воля — я б вас рядом к стенке прислонил! А ну, беги, коли жить хочешь!

Вольф протянул руку, словно желая взять разбушевавшегося Головко за пуговицу.

— Ты, сука, что думаешь, — медленно и зловеще произнес он, — я твой фуфловый базар слушать буду?

Полицай смотрел на него в упор побелевшими от ненависти глазами. Сейчас он не казался стариком. Он явно ощущал на плечах черную форму и тяжесть винтовки в руках. Много лет назад беззащитные люди, встречая этот взгляд, испытывали безысходный животный ужас. И сейчас он смаковал сладость безвозвратно ушедших времен.

— В распыл пущу, фашистское семя! В ногах валяться будешь, сапоги лизать!

— Глохни, старый козел, — без выражения сказал Вольф. И ткнул его пальцем под грудь — быстрым, коротким движением, рядом с пуговицей, за которую, казалось, только что хотел ухватиться.

Будто машина времени перенесла Головко в современность, где не было ни формы, ни винтовки, ни власти, ни силы. Лицо его посинело, он согнулся, как перочинный нож, и, судорожно хватая ртом воздух, повалился на дощатый пол. В отряде наступила тишина, только всхлипывал Шнитман и сипел задыхающийся Головко.

— Ты чего к старику привязался? Никого моложе не нашел?

Плотная толпа осужденных окружила их плотным кольцом, голос раздался откуда-то сзади, и Вольф не сразу отыскал враждебное лицо Азарова.

— Ну ты-то моложе. Давай, иди сюда!

Тот не двинулся с места, только погрозил пальцем:

— Свои порядки здесь не заводи, Расписной. Жиды и немцы у нас командовать не будут.

— Это точно, мы на русской земле, — поддержал кто-то Азарова с другой стороны. Вольф перевел взгляд. Коныхин смотрел на него в упор, на лице явно читалась угроза. Рядом с тем же выражением стоял Титов.

— Да идите вы все в жопу! Я метлой трепать не привык. Кто хочет помахаться — выходите!

Но вызов принят не был. Толпа начала молча расходиться. Головко остался лежать на полу. Он не был никому нужен. Заступались не за него — выступали против Вольфа.

Волк подошел к Шнитману. Тот уже встал на ноги и платком оттирал перепачканное лицо. Кровотечение прекратилось.

— Ну как, нос дышит?

— Дышит вроде. Спасибо, Володенька, он бы меня и вправду насмерть забил.

— А с чего вы завелись?

— Не знаю. Ни с того ни с сего. Подошел и ударил. Меня никто никогда не бил! Я его... Я...

Шнитман осекся.

— Слушай, а тут Перепела знают?

— Вряд ли.

— А... А как же тогда?

Он растерялся и даже стал ниже ростом. Но через минуту снова распрямился.

— Как ты его уделал! Раз — и все! Я и не заметил — а он уже подыхает! Где это ты так научился, неужели в тюрьме?

— А то где же? — ответил Вольф. — Тюрьма — школа жизни.

— Я тебе заплачу, — лихорадочно зашептал Шнитман. — Охраняй меня, Володенька, охраняй... А этого гада кончить надо, чтоб все узнали... Соглашайся, Володя, мне теперь надеяться не на кого! Деньги везде нужны...

Вольф усмехнулся:

— Странный ты человек, Яков Семенович. Деньги, деньги... Неужели еще не понял, что в тюрьме это не главное? Здесь здоровье нужно да везение. Фарт — по-нашему. За деньги их не купишь... И потом, мы в особорежимной зоне, тут деньги не ходят. У тебя они есть?

— Сейчас и вправду нет, отобрали. Но потом-то подгонят... Или на воле рассчитаюсь.

— Через двенадцать лет?

— Ну хочешь, скажи адрес — в Москве или где угодно, и туда каждый месяц будут бабки носить. Пока. Попомнишь мое слово — скоро на волю выйдем. Амнистия или указ какой — не знаю, но выйдем. Я тебя и там не забуду.

— Это пустой базар, Яков. Здесь расклады одни, на воле другие. Там пути-дорожки обычно расходятся.

— Нет, я коммерсант, я все рассчитал. Ты надежный и опытный человек. Скоро такие будут в большой цене.

— Когда «скоро»?

— Очень скоро. Начнется другая жизнь, у людей появятся большие деньги, им понадобятся охранники, телохранители, специалисты для всяких деликатных дел...

Вольф усмехнулся:

— Ладно, я за тебя подписку брошу[1]. Но убивать никого не буду, выбрось это из головы. И постарайся не заводить врагов. Потому что я тут долго не задержусь.

— Что?!

— Ничего. Я пошутил. А может, и не пошутил. Но меня в любой момент могут выдернуть на этап: за побег ведь положено добавить срок.

— А-а-а, вон ты о чем... Это будет плохо для меня. Очень плохо.

Шнитман расстроился.

* * *

Наступила короткая осень, стремительно холодало. Когда утреннее построение перед запуском в рабочую зону затягивалось, зэки ежились и втягивали головы в плечи. С каждым днем чувствовалось приближение зимы.

Станки в деревообрабатывающем цехе были немецкими, на станинах отчетливо читался год выпуска: 1929, 1932,

---

[1] Бросить подписку — взять под покровительство и защиту.

1935. Неизвестно откуда поступили в ИТК-18 эти напоминающие о предвоенной дружбе с Германией реликты, но несмотря на повышенный шум и вибрацию, работали они вполне нормально. Дядя Иоганн считал это символичным.

— Прошло полвека, а изготовленное на нашей исторической родине оборудование по-прежнему безотказно. И мы, немцы, находящиеся в неволе за свои убеждения, соприкасаемся с прекрасным вечным металлом, олицетворяющим силу и мощь нации, ее неуничтожимость. Когда мы победим, я поставлю эти станки на пьедестал!

Фогель был нарядчиком, он ходил в тщательно выглаженном синем халате, из нагрудного кармана которого торчали бланки нормовыработки и шариковая ручка. Каждый, кто работал в цехе, зависел от него, потому что выполнение плана позволяло лишний раз отовариться в ларьке, получить внеочередную посылку, а то и свидание. Дядя Иоганн неоднократно приписывал Вольфу объем работы, спасая его от штрафного изолятора, но каждый раз предупреждал:

— Не лезь на рожон, здесь ты подневольный человек, винтик в машине. Надо крутиться вместе со всеми ее шестеренками и маховиками, иначе тебя раздавит, как букашку. Ты можешь не быть передовиком, но должен выполнять выработку!

Однажды он специально подошел к распиловочному станку Вольфа. Гул двигателя и визг бешено крутящихся ножей делали разговор неслышным для окружающих.

— Сегодня тебя «кум»[1] вызовет. Вроде бы на профилактическую беседу. Но будь осторожен, от них можно ждать любой провокации.

Вольф кивнул, лишний раз подивившись его осведомленности. Значит, не только оперчасть имеет агентуру среди осужденных, но и у Фогеля есть осведомители в администрации! В принципе об этом следовало рассказать Климову, но скрупулезно следовать правилам не хотелось. В конце концов, дядя Иоганн и так достаточно пострадал от их семьи, зачем делать ему еще одну подлянку...

Черт! Именно об этом предупреждал полковник Ламов в

---

[1] Кум — начальник оперчасти.

курсе оперативной психологии! Сращивание — вот как называется этот феномен. Когда сотрудник утрачивает чувство противостояния с объектом разработки, начинает симпатизировать, сочувствовать, входить в его положение. Это может стать первым шагом на путь предательства. Нет, обязательно надо сказать Климову!

«Берегись, сзади!» — крикнул рыцарь с правой лопатки, и тут же встревоженно зарычал тигр. Словно сквозь узкую щель Вольф увидел цех за своей спиной. Подвешенный на цепи тельфера тяжелый мешок летел прямо на них с Фогелем.

— Атас! — Вольф с силой толкнул дядю Иоганна, так что тот отлетел на несколько метров, с трудом удержавшись на ногах, а сам резко присел. Мешок пролетел над головой и плюхнулся на прозрачные круги циркулярных ножей, вмиг изменивших тональность своего визга. В стороны полетели ошметки дерева, опилок, какие-то тряпки, куски застывшего клея и фанеры. Вольф оцепенел. Вместо них должны были разлететься его кишки и куски разорванной на части плоти.

— Какая сука?!

Он рванулся в глубину цеха, Фогель кинулся следом.

— Кто мусор вывозит? Кто?! Убью падлу!

Но у пульта никого не было. Через несколько минут прибежал испуганный Васьков. Выпученные глаза возбужденно блестели, широкий шрам контрастно белел на покрасневшем лице.

— Я ничего... Только подвесил мешок и поднял на три метра, как положено... На выходе тачек все равно не было, выгружать некуда, ждать надо, я и пошел отлить... А кто-то его опустил и направил в другую сторону!

Дядя Иоганн зловеще скривился:

— «Кто-то»! Как у тебя все просто... Если б Вольф не оглянулся, нас бы обоих как кегли положило, аккурат на ножи! Чтобы так траекторию рассчитать, надо большой опыт иметь...

Он схватил человека-лягушку за ворот:

— Ведь за пульт ты отвечаешь. И ответишь по полной программе, не сомневайся! Если правду не скажешь...

Вольф с удивлением отметил, что корректный и рассудительный дядя Иоганн преобразился: в голосе чувствовалась смертельная угроза.

Васьков дернулся, но освободиться не сумел.

— Я ни при чем! Игорь Якушев подтвердит — мы вместе вышли. А у двери эти, религиозники, шушукались. Филиппов, Титов, Коныхин. Я еще подумал: чего этот безъяйцевый здесь делает, он ведь на складе пашет...

— Ладно, иди пока, — рука Фогеля разжалась, и Васьков мгновенно исчез.

— Скопец три года на тельфере работал! — дядя Иоганн поднял палец. — Он мешок может на кружку с чаем поставить! Его работа...

— Они и на меня наезжали, — сказал Вольф. — Вроде как за полицая вступились. Но это понты, тут что-то другое...

Дядя Иоганн покачал головой:

— Дело не в тебе. Когда я в зону пришел, тут все идейные борцы были. Баланов, Хабарский, Цыпман... Шушера всякая в спецзону не попадала. Меня хорошо приняли: и статья серьезная, и срок, и идея. Почти сразу в правление вошел, с годами зубры уходили кто куда, так постепенно и бугром оказался. А в последнее время шелухи стало больше, чем порядочных людей. И все хотят погоду делать. Я им — как бельмо в глазу. Религиозники с националистами объединились, хотят свою власть установить, а для этого надо меня скинуть. А тут как раз ты появился. И силу показал. Значит, надо нас обоих убирать. Вот они и попытались. За малым не вышло. И как это ты обернулся!

Фогель осекся.

— А ведь ты не оборачивался... Как стоял спиной, так и оставался... Так и крикнул и толкнул... Я даже не понял вначале, думал, ты на меня напал! У тебя что — глаза на затылке?

Вольф развел руками:

— А ты ничего не слышал, дядя Иоганн? Ни крика, ни рычания тигриного?

— Какого рычания?! — дядя Иоганн вытаращил глаза, почти как человек-лягушка. — Мы что, в зоопарке?!

— Не знаю, что со мной... Видно, крыша едет. Я голос услышал — крик: «Берегись, сзади!» И тигр зарычал...

— Постой, Вольдемар, какой тигр? Откуда здесь тигры? — Фогель явно был выбит из колеи.

— Вот какой! — Вольф стянул рубаху и повернулся спиной. — На левой лопатке, видишь? Он и рычал! А крикнул рыцарь, видишь рыцаря?

— Гм... Но ведь это же рисунки... Они не могут рычать и говорить!

— Не могут. А у меня говорят.

— Это плохо. Как у тебя с наркотиками? В смысле раньше?

— С наркотой?

Вольф уже оправился от шока и жалел о своей откровенности. Его действительно предупредили татуировки — тигр и рыцарь. И опасность он увидел действительно спиной — глазами рыцаря, через узкую прорезь забрала. Но говорить об этом ни с кем нельзя. Особенно в зоне.

— Было, дело прошлое... Баловался...

— Вот и объяснение! — обрадовался Фогель. — Это обычная галлюцинация на почве абстиненции. А выручила тебя интуиция. Да и меня заодно. Только что ты спас мне жизнь! Это, конечно, Коныхин, его компания...

— Вот сучье! — выругался Вольф. — Надо им разбор учинить!

— Надо бы. Только чтобы общество убедить, для этого факты нужны. А догадки...

К ним подошел озабоченный Эйно.

— Что тут у вас?

— Ничего, — ответил Фогель. Он взял себя в руки и казался совершенно спокойным. — Вон, гляди, мусор рассыпался...

Лицо эстонца тоже выглядело непроницаемым.

— Вольфа Климов вызывает. Сказали — на профилактическую беседу.

Фогель многозначительно улыбнулся. Расписной натянул рубаху.

* * *

— Ты встрял в самую гущу событий, — майор потряс пачкой исписанных корявыми почерками бумаг.

— Подготовка к побегу, драки, антисоветские высказывания...

— Насчет последнего — вранье, — меланхолично сказал Вольф, стараясь не смотреть на тарелку с бутербродами. Чай он жадно выпил — три чашки подряд, а бутерброды решил не есть. Сытость, запах колбасы, жир на коже, сало под ногтями — все это улики, которые могут стоить жизни. Потапыч рассказывал, как плохо кончали агенты, забывшие об осторожности.

— Может, и перестарались ребятки, лишнего наболтали, — Климов ласково разгладил листки, словно гладил плешивые головы тех, кто поставлял ему информацию. — Это не страшно. Хуже, когда молчат. Или недоговаривают.

— А про то, кто нас сегодня убить хотел, скажут?

— Обязательно, — кивнул Климов. — Может, не сегодня и не завтра, но дунут непременно. Я знаю запах любой каши, которая варится в зоне.

— А они нюхают вашу кашу?

Климов напрягся, личина простоватости мгновенно исчезла.

— Почему возник вопрос?

Вольф помолчал.

— Да так. Кто дует в одну сторону, тот может дунуть и в другую.

— Это верно. Но каждый такой факт — моя серьезная недоработка.

Майор испытующе рассматривал Вольфа.

— Если что-то знаешь, говори.

Вольф снова замешкался. Но ненадолго. Если информация утекает из этого кабинета, то уже сегодня ночью его могут задушить колючей проволокой.

— О том, что вы вызовете меня на профилактичекую беседу, Фогель знал заранее.

— А-а-а, — Климов облегченно вздохнул и махнул рукой. — Это ерунда, мелочь. В официальном вызове никакой секретности нет, все равно все узнают. Я утром дал в канцелярию список, а там уборщики толкутся, дневальный... Забудь. А вот то, что тебя интересует.

Майор освободил на столе место и, разложив план колонии, ткнул в него пальцем.

— Вот здесь, между котельной и складом готовой продукции, есть канализационный люк. Он, как положено, прижат двухдюймовым уголком и заперт. Но скоро мы начнем перекладку труб и замок снимем.

— Через него действительно можно выбраться за ограждение?

Майор выбрал бутерброд и смачно откусил большой кусок.

— Нет. Главный коридор с магистральной трубой тянется около сотни метров и заканчивается бетонным бассейном сброса на тысячу кубов. Сам понимаешь, какая там атмосфера. Без противогаза не продержаться и пяти минут. Но об этом никто не знает. Периодически в зоне возникают слухи, что канализация выходит за периметр, в озеро. Сейчас я их реанимирую.

— Что толку от слухов, если нет выхода? Мне надо будет залезть в люк при свидетелях и там остаться! Куда я денусь — нырну в бассейн с зэковским дерьмом?!

— Успокойся, — Климов взял второй бутерброд. — Один из боковых тоннелей проходит под складом. В прошлом году там обрушился свод. Так что вылезешь в складе, а ночью мы тебя вывезем на волю.

* * *

— Никогда не был сладкоежкой, а здесь полюбил сладкое. — Дядя Иоганн полил сгущенкой горбушку и быстро, пока не стало капать, отправил все в рот.

— Ты ешь, не стесняйся, — он протянул Вольфу ложку. — Парадокс в том, что на воле сгущенного молока в магазинах не найдешь. А у нас в ларьке — пожалуйста, потому что входит в норму положенности. Значит, осужденные имеют некоторые преимущества перед свободными гражданами.

После покушения они стали ближе друг другу. Окружающая дядю Иоганна невидимая холодная завеса растаяла. Как будто вернулось старое время и «дядя Иван» сидел в старой коммуналке и беседовал о жизни с маленьким Вольдемаром.

— А в немецкой автономии будет сгущенка? — с полным ртом спросил Вольф.

— Не знаю. Дело не в сгущенке, а в свободе. Однако материальная сторона тоже важна. Нам обещали помощь, но... Все этим и ограничилось.

— Да, обещания на хлеб не намажешь, — Вольф запил сладость горячим чаем. — Короче, тебя кинули через конифас!

Фогель поморщился:

— Отвыкай от блатных выражений, Вольдемар. Раз судьба свела нас здесь, я хочу изменить твою жизнь. В дальнейшем ты должен помогать мне в политической борьбе.

— Если за нее не платят, я не согласен.

— Платят. На наше дело выделяются очень большие деньги. Просто среди тех, кто нам помогает, тоже оказались нечестные люди. Точнее, один человек. Паршивая овца.

Вольф отставил пустую банку и долго вытирал липкие руки. Кровь прилила к голове, сердце усиленно колотилось. Дядя Иоганн сам завел разговор, ради которого он вытерпел столько мучений. Собственно, разговора никакого еще и нет — в руки попал скользкий и короткий обрывок веревки, за который, если повезет, можно вытащить главное...

— У нас если закрысятил — разговор короткий. И опустить могут, и на нож поставить, и спину сломать.

Дядя Иоганн тяжело вздохнул и, заглянув внутрь, аккуратно закрыл почти опустошенную банку.

— Я не сторонник таких методов. Хотя думаю, они достаточно эффективны. Но в данном случае паршивая овца давно проживает за границей.

— Значит, украл бабки и сбежал? Ну ловкач! И сколько он прихватил?

— Точно не знаю. Думаю, около полумиллиона.

— Рублей?

— Долларов.

— Ни фига себе! А вы умылись и сидите как ни в чем не бывало? Даже не пробуете их вернуть? Ну, вы даете! — Вольф презрительно засмеялся. — Если какой-то гад забрал у тебя и проглотил такой куш, надо вырвать его вместе с желудком. Иначе никто уважать не будет. Больше того — каждый захочет и для себя что-то отнять. Это как у пидоров: один раз его через шконку перегнули, а потом всю жизнь дерут, и никуда не денешься!

— Да, да... Я думал об этом. —Дядя Иоганн печально кивнул. — В начальном этапе политического движения у руководителей должна быть сила. Грубая физическая сила. Но скажу тебе честно, во мне такой силы нет. Я лично не могу никого ударить ножом или, как ты выражаешься, «опустить». И Генрих никогда не сможет. И другие наши. Поэтому придется консолидироваться с людьми твоего круга. Теми, которые... Которые не носят белых перчаток.

Вольф вытянул руки и сжал могучие кулаки:

— На меня они и не налезут. Наверняка у белых перчаток маленькие размеры...

— Очень точно замечено.

Дядя Иоганн улыбнулся и, прикрыв глаза, повторил:

— Белые перчатки бывают только маленьких размеров... Белые перчатки годятся только для худых кулачков...

Он будто пробовал слова на вкус.

— Белые перчатки не подходят сильным людям... Да, очень точно. И с глубоким философским смыслом. А тебе приходилось убивать людей?

— Что?! — вскинулся Вольф.

— Ты правильно расслышал.

Маленькие глазки дяди Иоганна бурили толстую кожу Волка, как будто пытались заглянуть в самую душу. Ответом стал тяжелый, ничего хорошего не сулящий взгляд.

— У нас не принято задавать такие вопросы.

— Да-да... Я понимаю. Но драться тебе приходилось много раз, что-то требовать от других и заставлять их делать то, что ты хочешь. Ведь так?

— Так. Но никому другому я бы и этого не сказал. Откровенничать ни с кем нельзя, особенно в таких местах. Здесь у стен, у шконок, у табуреток есть уши. А мне хватает того срока, который уже висит на шее.

— Ты прав. Я спросил потому, что именно ты мог бы стать моим помощником, моей правой рукой. Именно для таких дел.

Вольф хмыкнул:

— Интересно. Вас называют политиками, нас — уголовниками. А как будут звать, если мы станем заодно?

— Неважно. Важен результат. А тебя наверняка будут бояться и остерегутся обманывать наше движение.

— Это точно. К тому же у меня есть опыт возврата украденного.

— Да? — в маленьких глазках вспыхнул интерес. — А... Конечно, чисто теоретически... Ты бы мог взяться за то дело, о котором я рассказал? Ну, вообще, это возможно?

Вольф встал:

— Не уважаю пустой базар. А вообще в жизни все возможно. Обычно я выполняю такую работу за двадцать процентов с возвращенной суммы...

— Но речь идет об идейной борьбе...

— ...И исключений из этого правила делать не собираюсь. Я ведь не политик. А за сгущенку спасибо. Она напомнила мне вкус детства.

Последнюю фразу Вольф произнес совсем другим тоном. Потом наклонился к уху дяди Иоганна и прошептал:

— К тому же я собираюсь уйти в побег. Так что вряд ли мы можем строить планы на отдаленное будущее.

На улице падал первый снежок — легкий и пушистый. Вольф задрал голову к нему и завороженно замер. К нему подбежал Шнитман.

— Это правда, что тебя хотели убить? Какой ужас! Наверное, это из-за меня...

— Не исключено, — ответил Расписной. — А как ты узнал?

— Да все говорят...

— Ладно, замяли. Ты лучше вот что, наш разговор про деньги помнишь?

Яков Семенович кивнул:

— Конечно, разве я неблагодарный человек? Разве я забуду, чем тебе обязан?

— Тогда слушай...

* * *

Через день ремонтная бригада стала перекладывать канализационные трубы. Волосюк был в ней газорезчиком и по вечерам в курилке рассказывал приглушенным шепотом:

— Широченный коридор, прямо за забор выходит, в озеро. Там, правда, решетка поперек стоит. Это после того, как десять лет назад трое ушли, до сих пор ищут...

Разговоры такого рода в любой зоне вызывают живейший интерес, даже у тех, кто и не помышляет о побеге.

— Да, если решетку подпилить, а потом спрятаться, то можно...

— Как ты спрячешься, если при съеме с рабочей зоны перекликают всех. Заметят недостачу — начнут искать по всем углам...

— А я бы ломанулся внаглую, будь что будет!

Вольф несколько раз приходил к ремонтникам, вроде для того, чтобы переговорить с Волосюком, однажды спустился в люк и походил по темному смрадному коридору, который на самом деле не был ни широким, ни высоким — обычная вонючая кротовая нора. В двадцати шагах его и в самом деле перегораживала решетка. Вольф покачал ее, осмотрел, как прутья вделаны в стену, потом поджег кусок газеты и долго вглядывался через квадраты арматуры в разгоняемую желтыми сполохами темноту.

Вначале рассмотреть ничего не удавалось, но когда газета погасла, коридор осветился призрачным зеленым светом, будто на глазах оказался прибор ночного видения с небывало мощным инфракрасным лучом. Отчетливо различались трещины и куски отколовшегося бетона на стенах, грязный пол, серые комочки прячущихся по углам крыс. В мгновение ока луч достиг конца коридора, высветив огромный, наполненный нечистотами бассейн. Вольф понимал, что невозможно в темноте и на таком расстоянии рассмотреть все это, но факт остается фактом: вот валяющиеся кирпичи, вот старые, сбитые из полусгнивших досок козлы... Он инстинктивно закрыл лицо ладонями, но и коридор, и крысы, и козлы и бассейн не исчезли. Их видели вытатуированные под ключицами широко распахнутые синие глаза с огромными зрачками! Черт! Сквозь рубашку, куртку и телогрейку! Как это может быть? И вообще, как могут видеть ненастоящие глаза? Но прислоненная к стене лестница, корыто со следами цемента, две лопаты — это что, галлюцинация?

«Не вздумай тащить нас туда, — сказал пират. — Там тупик».

«Точно, — поддержал его кот. — Не выберемся».

Вольф отшатнулся от решетки, его качнуло. Явные галлюцинации. Причем со временем они усиливаются. Это верный путь в психбольницу!

— Ты чего, Расписной? — спросил сзади Волосюк.

— Там что, лестница стоит? — спросил Вольф. — И козлы? И корыто из-под цемента?

— Ну и что? — лениво ответил Волосюк. — Мы там стены и полы цементировали. Только они далеко, как ты рассмотрел? А чего ты такой бледный, еле на ногах стоишь?

— Видать, поплохело, — хихикнул его напарник.

— Щас в грязь ляжет! — добавил второй.

— Воздуха нет, как вы тут пашете! — Вольф выругался и полез на свет божий.

Ремонтники с превосходством смеялись. Можно было с уверенностью предположить, что уже сегодня и майор Климов, и Иоганн Фогель узнают, чем интересовался Расписной.

Так и получилось. После отбоя его позвал председатель правления.

— Имей в виду, на моей памяти через тот люк еще никто не ушел, — без предисловий начал он. — Это болтовня, ерунда.

— Значит, я буду первым, — уверенно ответил Вольф. — Я всегда делаю, что задумал. И всегда все получалось.

— Как знаешь, — голос железного дяди Иоганна дрогнул. — Я буду желать тебе удачи. Но не представляю, как ты ее добьешься. На воле беглому долго не погулять...

— Ничего. Кое-какие каналы остались, сделаю забугорный паспорт и свалю. Вначале в Италию, а потом... Посмотрим.

— А деньги?

Вольф щелкнул языком:

— Тут действительно закавыка. Шнитман обещал на первое время, но этого мало. Надо думать...

Наступила тишина. Были слышны только храп, вскрики, беспокойное бормотание спящих людей. В зонах обычно снятся дурные сны.

— Дядя Иоганн... А может, вы мне займете? — неожиданно спросил Вольф.

— Откуда, — устало ответил тот. — Вот все мои капиталы: рубашка да штаны. И на лицевом счете кой-какие копейки.

— Если я отберу ваши деньги у того хмыря, можно мне взять в долг?

— Хм, неожиданный оборот. Почему нет? Только как ты думаешь это сделать?

— Да очень просто. Найду гада и предъявлю ему факты. Никуда не денется!

— Неужели ты обладаешь таким даром убеждения?

— Очень большим! — зловеще сказал Расписной.

— А откуда у тебя факты? — после паузы спросил Фогель. В голосе проскользнули нотки настороженности.

— У меня их нет. Но если вы посылаете меня за деньгами, то должны рассказать все об этой крысе.

— В общем-то... Не я посылаю тебя за деньгами. Это твое предложение.

Очевидно, конспирация растворена у Фогеля в крови.

— Не будьте занудой, дядя Иоганн, и не цепляйтесь к словам. Я на ваши бабки не рассчитывал, могу и без них обойтись. Грохну кого-нибудь по заказу — и все дела!

— Что за разговоры, Вольдемар! Ты же хочешь начать новую жизнь, тогда следует забывать о старой! Я и не думал к тебе цепляться. Просто я всегда точен в словах и оценках. Конечно, я расскажу все, что тебе надо знать.

Фогель снова замолчал.

— Я знаю, о чем ты думаешь, дядя Иоганн. Ты думаешь, что я присвою твои деньги!

— Совсем нет, Вольдемар. То есть нет в том смысле, что это не мои деньги. Это деньги движения. А такие опасения у меня и в самом деле имеются. Я гоню их, но ничего не могу с собой поделать. Ведь ты же всегда очень вольно обращался с чужой собственностью...

Вольф усмехнулся:

— Красть у чужих — это одно, а красть у своих — это совсем, совсем другое! Тут даже сравнивать нечего!

— Извини, но я не очень знаю ваши законы. И... не очень им доверяю.

— Дело твое. Дня три-четыре у тебя есть.

— Ладно, не обижайся, — дядя Иоганн примирительно похлопал старого друга по плечу.

— Я никогда не обижаюсь. Обиженных через шконку перегибают. Я огорчаюсь.

— Что?

— Ничего. Тебе этого не понять.

— Я знаю, Вольдемар. У тебя своя жизнь, у меня своя. И у каждого найдется много непонятного для другого.

— Вот именно!

— Но мне не надо думать три дня. Я крайне рациональный человек. Наши деньги украдены, их нет. Нельзя второй раз украсть то, чего нет. Даже если это случится, мы ничего не потеряем. А эта сволочь потеряет и потрепет себе нервы. Это уже выигрыш для меня. К тому же остается шанс, что ты вернешь нашу собственность. Поэтому я все тебе расскажу!

— Только тихо, никто не должен слышать...

Вольф нагнулся, вслушиваясь в горячечный шепот дяди Иоганна.

— Этот человек работал в американском посольстве. Его фамилия Сокольски. Через него я держал связь с Западом, а он кормил меня обещаниями материальной поддержки. Он жил на широкую ногу: покупал антикварные картины, иконы, старинное серебро, содержал дорогих любовниц, был завсегдатаем в «Метрополе», «Национале», «Арагви». Я удивлялся, как на все это хватает посольской зарплаты, а он смеялся: дескать, Америка — богатая страна! — Фогель хмыкнул. — А потом я узнал, что наш казначей подделывал мои подписи на расписках, по которым я якобы получил полмиллиона!

— Он жив? — перебил Вольф.

— Кто? Сокольски? Да, благополучно уехал в свою Америку.

— Казначей жив?

— Мерзавец! За копейки и кучу обещаний этот гад помог ограбить великую идею...

— Он жив?!

— Да, его даже не посадили. Уехал из Москвы и затаился где-то... Говорят, его видели в Свердловске.

— Хорошо, — кивнул Вольф. — Только пока это слова, а как любят говорить следаки, нужны «доказы»[1]. Давай имена и факты. Фамилии казначея, любовниц, продавцов антиквариата. Короче, тех, кто мог бы это все подтвердить.

— Кому подтвердить?

— Сходке. Или вору.

— О чем ты говоришь, Вольдемар? Какие сходки?

— Тьфу! Это я по привычке. Просто, чтобы прижать крысу к стенке, мне надо ее напугать. Конкретно базарить, короче. Понял?

Фогель помолчал.

— Ну, слушай...

То, что он рассказал в последующие полчаса, и составляло конечную цель операции «Старый друг». Когда Вольф лег в постель, мозг по всем правилам мнемоники напряженно сортировал и фиксировал полученную информацию. Но когда работа была окончена, он заснул глубоким и спокойным сном, каким еще ни разу не спал за решеткой.

* * *

Генерал Вострецов об успехе Вольфа не знал. Напротив, все злоключения прапорщика он воспринимал с раздражением, как неумение работать. А чего ждать от неумехи? Только одного — неминуемого и сокрушительного краха в виде провала всей операции. Но он не собирался разделять ответственность за этот крах. Потому что неумех много, а он, Вострецов, один. А провал операции пахнет тем, что с него снимут генеральские погоны и отправят на пенсию влачить жалкое существование обычного, не облеченного властью и полномочиями человека.

Поэтому он вызвал одного из результативных сотрудников идеологического отдела майора Камушкина и провел с ним доверительную беседу, в ходе которой охарактеризовал ситуацию, поставил задачу получить от изменника Фогеля компромат на его бывшую связь с Сокольски и нарисовал перспективы для умелого оперативника, сумеющего эту плевую задачу выполнить.

---

[1] «Доказы» — доказательства.

— Понимаешь, майор, тут нечего сложные кружева вышивать! — перегнувшись через стол и заглядывая в глаза Камушкину, инструктировал генерал. — Кто такой Сокольски? Он этому Фогелю ни брат ни сват. Даже не друг-приятель. Наоборот, он обманул его, предал, присвоил большие деньги! Какие чувства должен испытывать Фогель к этому проходимцу? Конечно, ненависть! А потому сдаст его с потрохами. Ну, поломается для вида... Пообещай ему помилование или досрочное освобождение, на это все клюют!

— Все ясно, товарищ генерал! — отчеканил приземистый, крепко сбитый майор, внешний вид которого полностью оправдывал фамилию. — Никуда он не денется!

Решительность и уверенность во многом обеспечивали те результаты, которых добивался Камушкин.

— Вот и молодец! — подвел итог Вострецов. — Сегодня же вылетай в Потьму. Я дам команду, чтобы тебя ждал вертолет. Дня за три успеешь?

— Постараюсь, товарищ генерал! — Камушкин вскочил. Молодцеватость и готовность выполнить любой приказ руководства также отличали старшего опера и способствовали продвижению по службе.

* * *

Монотонно гудели станки, завивалась гладкая стружка, но сегодня время будто остановилось. Операция «Старый друг» завершена. Вольф не верил, что через несколько дней окажется в Москве, он не верил даже в то, что Москва действительно существует. А от мысли о Софочке голова шла кругом. Первое, что он сделает, вырвавшись из тюремного ада, — увезет ее с собой! Куда он увезет генеральскую жену, Вольф не знал, потому что плохо представлял мир свободы, но частности не имели значения: главное, он ее заберет и они будут вместе. Как отнесутся к его плану сама Софья Васильевна и генерал Чучканов, он не задумывался.

«Крыша едет, — самокритично охарактеризовал он свое состояние. — Это я сто восемьдесят пять суток просидел, полгода. А как же десятку мотают? Пятнашку? Бр-р-р... Правильно Потапыч говорил — это уже не люди. Правда, дядя Иоганн не сломался и здравый ум сохранил... Но он железный человек, борец за идею, таких единицы...»

В это время он увидел, что легкий на помине дядя Иоганн идет к выходу из цеха, а за ним движется помощник дежурного с красной повязкой на потертом рукаве зеленого мундира. Странно! Обычно в администрацию вызывали по телефону или через шнырей. А чтобы начальство лично вело зэка — дело почти небывалое! Ну ничего, к обеду все станет ясно — зоновский телеграф работает безотказно...

Итак, операция завершена. Точнее, ее основная часть. Осталось отработать выход из зоны. Просто так нельзя прийти к Климову, принять душ, выпить водки, отдохнуть и поехать восвояси. Не только потому, что на поддержку его легенды были задействованы секретные сотрудники, те самые «утки» и «наседки», которые лютой ненавистью ненавидимы в любой зоне. Одного агента Вольф вычислил без труда: Волосюк сказал свое слово на разборе, Волосюк озвучил выдумку Климова о возможном выходе через канализационный люк за ограждение... Он входит в правление и потому является особо ценным сексотом. Не исключено, что и другие люди помогали в легализации Вольфа. Подставлять их нельзя.

Есть и еще одна причина, по которой невозможно резко выскочить из зоны: в оперативной практике «Старый друг» не единственная и не последняя операция. Сколько приезжало и еще приедет оперативных работников под видом прибывших по этапу обычных зэков! Поэтому нельзя давать пищу для размышлений о закономерностях оперативного внедрения, нельзя оставлять в памяти подробности собственной придуманной биографии...

Вольдемар Вольф должен уйти в побег. Удачный или неудачный — дело другое. Вряд ли Климов захочет подавать осужденным вредные примеры: скорей всего, через какое-то время из канализационного коллектора извлекут обезображенное тело, зона погудит месяц-другой, и в истории татуированного уголовника будет поставлена точка. Может, у кого-то останутся смутные подозрения, но обсасывание пустых догадок не прибавляет авторитета, поэтому обсуждать их не станут, и вскоре они забудутся.

Вольф механически менял заготовки, росла горка готовых деталей. Перед перерывом за ними подкатил с тачкой Якушев.

— Подожди, где Фогель? Кто мне норму выработки закрывать будет?

Человек-лягушка опасливо оглянулся:

— Фогеля к хозяину[1] вызвали. Вроде из самой Москвы приехали по его душу. Мастер сказал, чтобы я считал и записывал, а потом кто-то наряд закроет.

— Не понял, — возмутился Волк. — Что ты понимаешь в нарядах? Мне Фогель нужен. Я его подожду.

Якушев пожал плечами:

— Так он, может, и не придет. Да ты не бойся, я все правильно запишу.

— Ну смотри, — угрюмо согласился Волк.

В курилке все говорили о Фогеле. Мнения высказывались разные, но сходились в одном: ничего хорошего ему не светит.

— Скорей всего, что-то старое выплыло, — сказал Кацман. — Может, труп откопали, может, еще что...

— Вряд ли за Иоганном есть трупы, — усомнился Парцвания.

— Я же говорю: «...может, еще что», — сварливо повторил Кацман. — В былые времена, когда ты досиживал свой срок, тебя вызывали в спецчасть и давали расписаться еще за десять лет.

Шнитман доверительно взял Вольфа под локоть и отвел в сторону.

— Я, кажется, догадываюсь, в чем дело, — зашептал он. — Кто-то из старых подельников дал-таки показания. Держался, держался, а потом таки дал. Это бывает.

— Суки поганые, да я за дядю Иоганна! — Вольф разорвал на груди рубаху. — Пойдем со мной, Яков Семенович, постоишь на стреме...

— Где? — испуганно спросил тот.

— Ну на атасе! Не бойся, делать ничего не будешь. Увидишь, кто-то идет, свистни!

---

[1] Хозяин — начальник колонии.

Взобравшись на крышу пристройки, Вольф мелом написал на черной стене: «Менты — суки». Это был сигнал для Климова — просьба о встрече.

— Ну ты даешь, Володя! — Шнитман вытер влажные ладони о штаны. — Смело, конечно. Но... Не очень умно.

— Это еще почему?

— Потому что этой надписью ты никому ничего не докажешь. А тебя посадят в ШИЗО. И что ты выгадал?

— Не всегда надо выгадывать. Мы же не в магазине.

— При чем здесь магазин? — обиделся Яков Семенович. — К чему эти намеки! Если хочешь знать, я никого не обвешивал и не обсчитывал. Меня посадили за политическую борьбу!

— Знаю, знаю, — примирительно сказал Вольф. — Но борьба должна продолжаться и здесь. Поэтому в ШИЗО я пойду с гордо поднятой головой!

Шнитман уважительно кивнул и отошел. Можно было не сомневаться, что об идейной стойкости Вольфа в зоне будут ходить легенды.

Рабочий день подходил к концу. Вольфа не оставляло беспокойство. Сделанная им сигнальная надпись до сих пор не повлекла никаких последствий. Такого просто не могло быть. Даже если многочисленные осведомители не дунули кому-то из оперов, оскорбительную фразу наверняка видели сотрудники начальствующего состава колонии, к тому же ее невооруженным глазом можно рассмотреть с вахты. Климов должен был узнать о ней через пять минут, и если он не принял никаких мер, значит, нормальный ход событий нарушен. Скорей всего, это связано с проверяющим из Москвы. Интуиция подсказывала, что нарушение обычного порядка не обойдет стороной и его самого.

Привычно гудели станки, как всегда пряно пахло свежей стружкой, но беспокойство нарастало. Глупо встрять в какую-то передрягу, когда главное дело позади. Все равно, как выполнившей задание группе специальной разведки наткнуться на случайный патруль и вынужденно оказаться в незапланированной и ненужной перестрелке, погибнуть в которой можно с той же степенью вероятности, что и в главном бою. «Очень некрасиво», — сказал бы по этому поводу опытный в подобных делах майор Шаров, с которым так и не довелось выпить за удачу в поединках со смертью.

«Очкуешь? — проницательно спросил кот. Его тоненький голосок легко перекрывал шум работающего цеха. — Я тебе так скажу: не лезь ты в этот долбаный люк! Все там сдохнем, сукой буду!»

— Я по другой теме, — неожиданно для самого себя ответил Вольф. — Вот-вот меня на вилы поставят, потому и очко играет...

«Хреново! Тогда надо мутилово заводить, — со знанием дела сказал кот. — Волну погнать, чтобы все закрутились, задергались... Один хрен тебе на пользу пойдет! Когда зона на ушах стоит, с любых вил соскочить легче!»

— А как мутить-то? — недоуменно спросил Вольф. Сейчас ему не казалось, что он разговаривает с галлюцинацией.

«Да по-любому! Сделай кому-нибудь предъяву. Сплетню запусти. Любая херня сгодится!»

— Ладно, попробую, — не очень уверенно сказал он, и кот удовлетворенно мурлыкнул.

Когда строились для съема с рабочей зоны, Вольф грубо толкнул Коныхина.

— Замочить нас хотел, гнида? Фогель вернется, мы вас всех на пики поставим!

— Посмотрим, кто кого! — зло окрысился скопец. — Мы в советской зоне, а не в Неметчине!

Во время переклички рядом с Вольфом оказался Азаров.

— Сегодня будем коныхинскую банду резать! После отбоя. Подписываешься?

Антисоветчик втянул голову в плечи и отвернулся. Он поддерживал отношения с Филипповым, а тот дружил с Титовым. Когда вернулись в жилую зону, религиозники собрались в кучу и что-то с жаром обсуждали. В свою очередь, Вольф подошел к Парцвания, пошептался с Вяло, заговорщически поговорил со Шнитманом. В отряде нарастало опасное возбуждение.

Перед ужином вернулся Фогель. Его шатало. Ссадина на скуле, синяк под глазом, заплывший левый глаз...

— Что с вами, дядя Иоганн?! — изумился Вольф.

Тот даже не повернул головы, молча прошел мимо и лег на свою койку. В столовую он не пошел.

Вольф без аппетита ел едва теплые макароны и напряженно размышлял. Интуиция подсказывала, что он стоит на грани провала. А может, уже и за ней.

После ужина он отозвал в сторону Волосюка.

— Подойди к Коныхину и скажи, что сейчас Фогель соберет совет, чтобы устроить им правилку. После отбоя их всех вырежут!

Осужденный Волосюк посмотрел с недоумением, но потом сидящий в нем помощник майора Климова опасливо выглянул наружу и кивнул.

В жилой зоне сгустилась тревожная предгрозовая атмосфера. На площадке для курения десятка два зэков кучковались вокруг Коныхина, в помещении отряда собирались сторонники Фогеля.

— Идем к старшому! — Парцвания будто случайно встретил Вольфа у входа и вроде дружески обнял его за плечи. Рядом оказался похожий на эсэсовца Эйно Вялло, тут же крутился человек-лягушка. Отказаться от приглашения было невозможно.

Дядя Иоганн, сгорбившись, сидел на кровати, подбитый глаз совсем закрылся. Стоящие вокруг осужденные нехотя расступились. Фогель даже не посмотрел на подошедшего. Наступила неприятная пауза.

— Так что случилось? — спросил Вольф в пространство. Язык не поворачивался произнести «дядя Иоганн».

— Случилась очень нехорошая вещь, — медленно сказал Фогель, по-прежнему глядя в сторону. — Из Москвы приехал какой-то майор. Грубая скотина, он не был со мной так деликатен и обходителен, как ты... Но он расспрашивал про Сокольски, причем задавал те же вопросы, которые интересовали и тебя! Наверное, ты и твои комитетские друзья считаете меня идиотом. Но неужели самый распоследний идиот поверит, что это совпадение?

В груди у Вольфа захолодело. Как подставили, суки!

— И что это значит? — спросил он, чтобы хоть что-нибудь сказать.

«Беги, дура, сейчас тебя колбасить будут!» — крикнул

кот. Но момент был упущен. Точнее, его и не было. Когда Расписной подошел, кольцо осужденных сомкнулось.

— Это значит, что Системе зачем-то понадобился Сокольски. — Дядя Иоганн перевел, наконец, здоровый глаз на Вольфа. В нем читались боль, разочарование и тоска. — Очень понадобился. Настолько, что тебе испортили всю шкуру, придумали легенду и заслали сюда, ко мне. В расчете на наше старое знакомство и добрые отношения. Тонкий расчет, правда? У них ведь нет ничего святого. И я их недооценил. Вполне возможно, что и тогда, в твоем детстве, все было подстроено... Кстати, именно после прихода милиционера Генрих согласился поехать со мной на наш съезд и стал работать на движение. Правда, пользы движению он не принес, а вот провалы стали следовать один за другим... Я не связывал неудачи со своим старым другом. Но... Если связать, то мой арест тоже выглядит вполне логично...

Кольцо сужалось. Кто-то толкнул его в спину, кто-то жарко дышал в шею. Может, Эйно, может, Парцвания. Надо действовать, но не было ни воли, ни куража, ни силы. Вольф стоял, будто парализованный. Дядя Иоганн проник в суть вещей, он был прав, и эта правота придавала каждому слову пронзительную убедительность. А Вольф чувствовал себя, как нашкодивший и пойманный с поличным щенок. Он сгорал от стыда и был готов к тому, что сейчас его ткнут носом в собственное дерьмо. Или набросят на шею удавку. Самое страшное, что он считал это справедливым. Ужасный непрофессионализм! Очень, очень некрасиво!

— Что скажешь, Вольф? — впервые в жизни дядя Иоганн назвал его по фамилии. — Каждый имеет право на ответное слово. Все должно быть по справедливости. Нас никто не должен упрекнуть в поспешности.

— Не... Не знаю... — еле слышно просипел Вольф.

Несколько крепких рук взяли его за плечи, что-то острое прижалось к спине, под левой лопаткой. Сейчас он понял, что чувствует обреченный ягненок, безропотно принимающий смерть.

С улицы послышался шум, топот ног, крики. Со звоном разлетелось оконное стекло:

— Бей немчуру!

Сильно стукнула о стену входная дверь, возбужденная толпа вооруженных палками и заточками зэков ворвалась в отряд.

— Бей гадов! Мочи фашистов!

Направо и налево посыпались удары, брызнула кровь, чье-то тело с грохотом упало на пол. Руки, державшие Вольфа разжались.

— Бей гадов! — Парцвания схватил табуретку и принялся молотить нападающих, дядя Иоганн с Эйно Вялло сноровисто перевернули кровать и, отсоединив спинку, стали бить ею по головам противников. Человек-лягушка метнул в толпу наполненный водой графин...

Оцепенение прошло, Вольф встряхнулся. На месте готового к закланию ягненка вновь стоял матерый, опытный волк. Мгновенным цепким взглядом он осмотрел поле боя. Религиозники явно брали верх. Шалве Парцвания палкой разбили голову, и он одной рукой смахивал с лица кровь, а второй с трудом удерживал табуретку, защищаясь от града ударов. Эйно Вяло ничком валялся на полу, Фогель отступал, прикрываясь кроватной спинкой, в которую вцепились Титов и Филиппов. Несколько зэков навалились на отчаянно отбивающегося человека-лягушку. Коныхин, пряча руку за спиной, целеустремленно пробивался к дяде Иоганну.

Бац! Бац! Два удара достигли цели: баптисты опрокинулись на пол и остались лежать неподвижно, как тряпочные куклы. Фогель приободрился и поднял кроватную спинку повыше, защищая голову. Рубашка выпросталась из штанов, открывая впалый живот. Коныхин выставил руку, нацеливая заостренный кусок арматуры между прутьями. Пружинистым прыжком Вольф ворвался в гущу разгоряченных тел, раздавая пушечные удары направо и налево. Выхватив из ослабевшей руки Парцвания табуретку, он свалил еще двоих и достал Коныхина в тот самый момент, когда заточку от живота отделяло лишь несколько сантиметров.

— Зачем? — спросил Фогель. Он тяжело дышал, по лицу катились капли пота. — Грехи замаливаешь?

Но отвечать было некогда: чья-то заточка исподтишка метилась в самого Вольфа, со всех сторон налетали палки и кулаки: нападающие стремились вывести из строя наиболее результативного бойца противника. Но сделать это не удавалось: у него было много помощников. Тонкие голоса, перебивая друг друга, наперебой подсказывали: «Пика сбоку!», «Палка сзади!», «Осторожно, слева!» К тому же Вольф видел все, что происходит вокруг: слева, справа, сзади и далеко впереди. Он махал табуреткой, бил кулаками и ногами, уворачивался, отводил удары...

«Слева стекло!» — отчаянно крикнул кот, и тут же рукав набух кровью. Боли не было, Вольф подумал, что кровь чужая, но плечо саднило и кот отчаянно матерился и жалобно скулил.

«Сказал же тебе — стекло! Смотри, он мне весь бок распахал! Сваливать надо...»

Но в драке уже наметился перевес. Основные силы нападавших были выведены из строя, остальные потеряли боевой дух и отступали к двери. К тому же снаружи светили яркие фонари и усиленные динамиками голоса требовали прекратить беспорядки и по одному выходить на улицу. Значит, подоспел дежурный взвод.

Вольф опустил натруженную руку и уронил табуретку. Вокруг валялись бесчувственные тела, палки, заточки... Кто-то сидел, оглушенно держась за голову и матеря весь белый свет, кто-то пытался подняться. Эйно Вяло не двигался, судя по позе, досталось ему изрядно. Парцвания перевязал голову рукавом рубахи и оказывал помощь человеку-лягушке. Где же Фогель?

Дядя Иоганн, скорчившись, лежал в углу, за тумбочкой. Между ребер у него торчал кусок косо заточенного стального листа, глаза были открыты.

— Кто это вас?! — хрипло спросил Вольф, садясь рядом. — Как?! Когда?!

— Полицай. Сзади подобрался, — тихим голосом ответил Фогель. — А у тебя совесть есть... Значит, трудно в жизни придется...

Он потерял сознание. Быстро осмотревшись, Вольф поднял с пола заточку, проколол окровавленную рубашку на уровне сердца и зажал острие под мышкой.

— Быстро наружу! — надсаживался динамик. — А то хуже будет!

Участники драки с поднятыми руками по одному выходили во двор под слепящие лучи фонарей. Не чувствующие вины зэки толпились в стороне, наблюдая за происходящим. Среди зевак находился и Шнитман.

— Яков Семенович! — позвал Вольф, но тот не слышал. — Яков Семенович!

Наконец кто-то толкнул Шнитмана, и он быстро подбежал. Расписной ничком скрючился на полу.

— Ой, что с тобой, Володенька? Ты ранен?!

— Пику загнали... Врача надо...

Вольф опрокинулся на спину. Шнитман в ужасе схватился за голову:

— В сердце?! Сейчас, Володенька, подожди...

Он поспешно бросился к двери. Через несколько минут Вольфа положили на носилки и понесли к выходу. Выстроившиеся коридором зэки с двух сторон рассматривали заточку, торчащую прямо из окровавленной груди.

* * *

— Выход из операции залегендирован отлично! — Майор Климов довольно улыбался. — Все считают, что ты умер.

— Если бы мне не присоветовали мутилово поднять, то я бы умер по-настоящему, — мрачно ответил Вольф.

В зарешеченное окно светило красноватое заходящее солнце. Вольф проспал в лазарете почти сутки, потом замнач колонии привел его в конспиративный кабинет на втором этаже. Лестницы, коридоры, помещения были пусты, похоже, кроме них двоих, в здании никого не было. Хотя обильный стол явно сервировали специалисты. Жареная медвежатина, твердый прозрачный холодец, моченая клюква... Они пили уже вторую бутылку водки, сознание затуманилось, но напряжение не отпускало. Не верилось, что он навсегда выбрался из тюремного мира.

— Кто тебе присоветовал «замутить»? — спросил Климов, наливая очередной стакан.

— Вот он, котик, — Вольф показал на перевязанное плечо. Почувствовав внимание, кот жалобно застонал. — Его стеклом полосанули, так мне даже больно не было. Он все на себя принял.

— Ладно, не хочешь говорить, не надо. Давай за все хорошее. Ты ведь свое-то задание выполнил?

— Разве? — Вольф опрокинул стакан. — Чего она такая слабая? Бавленная, что ли?

— Водка хорошая, не балуй... Ты ведь не стал бы ни с того ни с сего из зоны сдергивать?

— Как раз очень бы стал! Остохерело все! И раскололи меня к тому же...

— Да? А ты испугался? Ты вроде не из пугливых!

У Климова был ясный, испытующий взгляд трезвого человека. Неужели пил антиалкогольные пилюли? Значит, для него это не отдых, а работа... Чего же он хочет? Вольф почувствовал прилив раздражения, которое могло легко перейти в злость.

— Слушай, у меня ваши игры в печенках сидят! Лучше скажи: почему по сигналу меня не вытащил?

— Извини, брат, не вышло. Я с твоим коллегой занимался, из центрального аппарата. Майор Камушкин, знаешь?

Вольф покачал головой. Климов привычно обхватил ладонью стакан.

— Он требовал, чтобы я все время при нем находился. На подхвате. То в коридоре, то в соседней комнате. А сам, сука, Фогеля отмордовал, как бомжа на вокзале! Если прокурор вдруг приедет, с меня первый спрос!

— С тебя и есть спрос, раз бить позволил. Как он там?

— Нормально. Внутренние органы не задеты. Через две недели пойдет в цех. А вот у эстонца дела плохи. И у этого, Якушева. Человек шесть в тяжелом состоянии. Так что твоя командировка нам боком выходит.

— Это им ваша расхлябанность боком выходит, — Вольф плевал на субординацию. — А у меня выбора не было.

— Ладно, ладно, какие тут могут быть счеты, — примирительно сказал майор. — Ну, давай за все хорошее.

Климов поднял стакан, и они конспиративно чокнулись — пальцы в пальцы.

— Так ты получил, что хотел? — выпив, спросил майор. — Давай, напиши, я отошлю шифротелеграмму — приедешь, а тебя уже орденок ждет или медалька...

«Не верь ему, врет он, — слабым голосом сказал кот. — Какой-то свой интерес у падлы. Это из-за него меня порезали. Ты видел, какая рана?»

— Видел, видел, — отозвался Вольф. — Не бойсь, до свадьбы доживет!

— Что ты видел? До какой свадьбы? — спросил Климов, разглядывая пустой стакан.

— Это я не с тобой разговариваю.

— А с кем? — удивился майор.

— С котом. Он путевый кот, много раз мне жизнь спасал. Знаешь, я его сводить не буду. Пусть живет. Ты как считаешь?

— Э-э-э, брат, набрался ты крепко! Спать надо. Напиши рапорток и ложись — вот здесь, на диване.

— Нет, брат. Ничего я писать не буду, — решительно сказал Вольф. — О моем выходе в Центр доложили? И хорошо. Там разберутся!

— Да пойми ты! — Климов резко перегнулся через стол. — Этого Камушкина прислал генерал Вострецов! Приказ генерала — немедленно передать полученные тобой сведения в Москву!

— Передавай, брат! — Вольф зевнул. — Но без меня. Потому что у меня никаких сведений нет.

— Но иначе с меня сдерут погоны!

— Это не страшно. С меня много раз могли содрать шкуру. И испортили ее вконец. Что такое погоны в сравнении с собственной кожей?

— Ты что, смеешься?!

Климов в ярости вскочил на ноги. С грохотом упал стул. Вольф действительно усмехнулся:

— Полегче, брат. Я же тебе не зэк. И ни ты, ни твой Камушкин не сможете меня отмордовать... Даже если вдвоем возьметесь. Хочешь, попробуем?

На приставном столике зазуммерил селектор. Майор нервно ткнул пальцем кнопку ответа.

— К вам лейтенант Медведев из Москвы! — привычно доложил дежурный.

— Это за мной, — Вольф встал. — Счастливо оставаться, брат!

Когда стемнело, Климов в багажнике своего «уаза» вывез Вольфа за пределы колонии и через сотню метров открыл дверцу. Вольф пружинисто выпрыгнул на мерзлую землю, глубоко вдохнул морозный воздух свободы и осмотрелся. Среди шелестящего леса, на проселочной дороге стояла темная «Нива» с включенными габаритами. Возле нее нервно курил человек. Вольф узнал Медведева. Они обнялись.

— Ну и душок от тебя! — Роман поморщился. — Сейчас приедем, сразу в душ!

— Да я часа два под душем простоял!

— Запах тюрьмы, — философски сказал Климов. — Он не только зэков пропитывает и лишь на свободе ответривается. Меня поначалу каждый день жена ругала. Потом притерпелась, принюхалась...

Вольф вспомнил одну из своих женщин. Въедливый запах ее слизи неистребимо преследовал его несколько дней. Черт!

— Знакомьтесь, капитан Васильев из местного отдела, — лейтенант указал на человека, сидящего за рулем. — Он довезет вас до райцентра, это почти семьдесят километров. Дорога плохая, надо торопиться.

— Прощай, — сказал Климов. — Извини, если что не так.

— Ладно, проехали, — рассеянно сказал Вольф. Майор относился к прошлой жизни, которая прошла безвозвратно и его уже не интересовала.

«Нива» тронулась с места. На повороте фары высветили серый бетонный забор ИТК-18. И хотя он тоже принадлежал безвозвратно ушедшей жизни, у Вольфа задрожала каждая жилка.

Часть вторая

МОСКВА БЬЕТ С НОСКА

Глава 1

НЕ ПРИСТУПАЯ К СЛУЖЕБНЫМ ОБЯЗАННОСТЯМ

В Москве мела поземка и царила предновогодняя суета. Толпы приезжих рыскали по мегаполису в поисках «дефицита», к коему в провинции относилось все, даже самое необходимое: продукты, одежда, обувь, лекарства. С уличных лотков разметали оранжевые марроканские апельсины и желто-зеленые бананы, под запись выстраивали очереди у «Польской моды», «Ядрана» и «Власты», без записи осаждали «ГУМ», «ЦУМ» и «Детский мир». Буксовали в пробках машины и троллейбусы, толпы людей мерзли на остановках, искристый снег кружился вокруг памятника Дзержинскому и заметал подоконники огромного, известного всему миру здания, олицетворяющего мощь пресловутой «руки Москвы», а сотрудниками ведомства буднично называемого «домом два». Памятник был хорошо виден из окна небольшого кабинета на шестом этаже, в котором уже несколько часов беседовали три человека.

— Значит, особых проблем не возникло? — спросил Александр Иванович, разглаживая на столе листы с отчетом Расписного. Непосредственный руководитель операции «Старый друг» встретил Вольфа как родного сына и даже чуть не прослезился. Причем выглядело это совершенно искренне.

Вольф пожал плечами:

— Практически все проблемы мы отработали при подготовке легенды, — сказал полковник Ламов — консультант операции.

И руководитель и консультант добродушно улыбались. Они явно испытывали удовлетворение и готовы были делиться хорошим настроением с человеком, воплотившим их кабинетные разработки в далекую и непростую жизнь.

«Вас бы туда, — с неприязнью подумал Волк. — Там бы узнали, какие бывают проблемы...»

Но тут же одернул себя: эти люди не виноваты в том, что ему пришлось вынести, они старались наилучшим образом подготовить операцию. И раз он вернулся живым и невредимым, значит, цель достигнута.

— Особых не было, — наконец ответил он. — Только зэковская шкура осточертела. Когда будем татуировки сводить?

В комнате натянулась невидимая струна и со звоном лопнула. Петрунов и Ламов переглянулись.

— На следующей неделе и начнем, — менее бодрым тоном произнес Александр Иванович. — Там могут быть закавыки... Потапыч-то от души колол, туши не жалел и иголки глубоко запускал. Так что придется повозиться...

— Как там Потапыч?

— Нормально! — Александр Иванович снова повеселел. — Он же после того, как тебя разрисовал, из Лефортова не выходил. Отработает в корпусе — и в медицинский изолятор: телевизор, спиртик, да и водочку я ему приносил. Домой мы его даже на выходные не отпускали. Не из недоверия — Потапыч кремень, еще той закалки, с Лаврентием Павловичем работал, сейчас таких людей нет. Просто конспирация есть конспирация. Ему вначале нравилось. Но вчера домой с радостью побежал: по старухе своей соскучился!

Александр Иванович рассмеялся, хотя, на взгляд Вольфа, ничего смешного в этой истории не было. Петрунов, видно, почувствовал его настроение. Он оборвал смех и вмиг стал серьезным.

— Ладно, Володя, спасибо за службу! Снимай зэковские шмотки, одежду тебе приготовили за счет конторы. В кармане пальто премия. Внизу машина, Медведев отвезет домой. Ты теперь живешь на Соколе, недалеко от метро.

— Квартиру дали?! — радостно вскинулся Вольф.

Петрунов отвел взгляд в сторону:

— Нет, твои поменялись. Но дадут, обязательно дадут! И орден, попомнишь мое слово! Генерал Вострецов лично мне говорил: и квартиру, и орден... За это не могут не дать!

Он потряс в воздухе отчетом.

— Уже сегодня по всем добытым фактам начнут работать наши оперативники. И за пару дней они накопают столько на этого Сокольски, что он наверняка заткнется. А знаешь, что это значит? Будет спасен благоприятный образ Советского Союза! Выигрыш на международной арене — вот что это значит! Награды посыпятся дождем! Может, и я наконец получу полковничью звездочку. Или, на худой конец, медаль.

Волк криво усмехнулся и встал.

— Не знаю, как вам, а мне всегда больше везло на свинцовые дожди... Ну ладно, я поехал!

Через несколько минут подполковник Петрунов вошел в кабинет к генералу Вострецову и положил перед ним отчет Вольфа.

— Товарищ генерал, операция «Старый друг» завершена успешно! — четко доложил он: Вострецов придавал значение мелочам. — Вольф представил очень подробный и конкретный материал!

Не предлагая сесть, генерал надел очки и углубился в чтение, подчеркивая что-то зелеными чернилами. Медленно тянулись минуты. Петрунов молча смотрел на генеральскую макушку, слабо заштрихованную редкими волосами. Наконец Вострецов перевернул последнюю страницу.

— Да, материал плотный, — не поднимая головы, сказал он. — Я отметил носителей конкретной информации и тех, кому может быть известно о таких носителях. Всего получилось одиннадцать объектов. К каждому надо направить одного-двух оперативников. Иногородними пусть займутся на местах — сегодня же пошлите телеграммы за моей подписью.

— Есть! — по-прежнему четко сказал подполковник.

— И подготовьте представление о поощрении майора Камушкина...

— За... За что? — четкость исчезла из голоса Петрунова.

— За успешное выполнение задания в ИТК-18, — барабаня пальцами по столу, сказал генерал. — И полученные положительные результаты.

— Но... Ведь Камушкин не получил положительных результатов. Положительные результаты получил Вольф. Они вот в этом отчете, написанном его рукой!

Это была чистая правда. И вместе с тем вопиющая дерзость. Потому что чистая правда, противоречащая мнению начальника и высказанная ему в глаза, считается грубым нарушением субординации и посягательством на основные принципы государственной службы.

Вострецов вскинул голову, но в последний миг сдержал начальственный рык. В конце концов, дело щепетильное настолько, что можно снизойти до разъяснения мотивов своего решения.

— Кто предложил его разукрасить — я или ты? Помнишь наш разговор: Вольф отработанный материал! С такой картинной галереей на теле он не может продолжать службу! А Камушкин — перспективный сотрудник, он сделал все что мог, ему просто не повезло! Вольфа мы тоже поощрим — дадим премию в два оклада, путевку в санаторий, выпишем лечебные!

— Извините, товарищ генерал, но в том самом разговоре вы обещали ему квартиру и орден...

Генерал побагровел. Это уже переходило всякие границы: какой-то жалкий подполковнишко не хочет вникать в высокую стратегию кадровой работы и не принимает во внимание доводы руководителя! Он даже не оценил того, что с ним разговаривают почти как с равным! Это уже не просто неблагодарность, это неприкрытое хамство! А ведь еще недавно он выделял этого толкового оперативника из общей массы...

— Молчать! — Вострецов стукнул кулаком по столу. — Как вы смеете обсуждать мои решения!

Александр Иванович Петрунов стиснул челюсти. Он никогда не перечил начальству, в военизированной системе это не принято. Но когда сделан первый шаг, остальные даются легче.

— Извините, товарищ генерал! Но я причинил Вольфу слишком много вреда, чтобы добавлять еще! И я чувствую ответственность за его судьбу!

Вострецов вскочил:

— Да что ты знаешь о человеческих судьбах? Ты что, решил хоть одну?!

Петрунов помолчал. За долгие годы службы в идеологическом отделе он перепахал немало судеб. Но говорить сейчас об этом было нельзя. К тому же Вострецов имел в виду позитивное изменение человеческой судьбы.

— Я нет. Но судьбой Вольфа интересуется сам Грибачев... Недаром он дал ему свой прямой телефон...

Генерал так и остался стоять, только челюсть у него на мгновение отвисла. Это было не напоминание. Это была угроза. Причем не очень замаскированная. Может, потому, что реальные угрозы не нуждаются в маскировке. А по сравнению с Генеральным секретарем ЦК генерал Вострецов фигура стократ более мелкая, чем подполковник Петрунов в сравнении с самим генералом.

— Что ж... Действительно, это меняет дело. Впрочем, давай дождемся, что даст проверка отчета твоего подопечного. Может, за него надо не поощрять, а наказывать!

Александр Иванович понял, что ни третьей звезды, ни медали ему не видать как своих ушей. Больше того, при первой возможности Вострецов выгонит его со службы. А может, подставит так, что дело кончится чем-то похуже...

— Есть, товарищ генерал! — четко сказал подполковник. — Разрешите идти?

— Идите! — Вострецов снова нагнулся к бумагам, но когда подчиненный направился к двери, неприязненно посмотрел ему вслед.

Подполковник не ошибся. На его карьере был поставлен крест.

* * *

Машина мягко катила по заснеженным улицам. Вольф опустил стекло и жадно дышал морозным московским воздухом. Огромные неогороженные пространства, обилие разнообразно одетых людей, праздничная иллюминация, возможность идти куда хочешь и делать что вздумается пьянили и кружили голову. Раньше он воспринимал все это как должное. Теперь воля казалась роскошью, царским подарком.

Медведев довез Вольфа до самого подъезда.

— Четвертый этаж, шестнадцатая квартира, — сказал он и протянул руку. — Лаура дома, я звонил. Какие планы?

— Никаких. У меня же отпуск. Хочу пожить в домашнем

тепле, расслабиться, погулять по воздуху, борща поесть, восстановить физическую форму. Мне же все это в диковинку, отвык... А там видно будет...

Лейтенант улыбнулся:

— Счастливо! С наступающим!

Вольф взбежал по лестнице. Сердце колотилось — может, отвыкло от физических нагрузок, а может, по другим причинам. У незнакомой, обитой дерматином двери он замешкался. Неловкость сковывала движения. Виновата в этом, наверное, была чужая одежда — новый жесткий ширпотреб со склада службы наружного наблюдения. Он расстегнул пальто, но неловкость не проходила.

Коротко тренькнул звонок. Звякнула задвижка глазка, щелкнул замок, дверь открылась. На пороге стояла Лаура в коротком халатике. Она была явно удивлена:

— Это ты?! Мне не сказали, что ты вернулся! Что на тебе за пальто?

Вольф молча рассматривал ее ноги. На гладкой коже топорщились редкие светлые волоски.

— Заходи, что стоишь как пень! Мог бы хоть раз позвонить или написать письмо...

— Это было исключено, — хрипло сказал Владимир. — По условиям командировки исключалось на сто процентов.

Он обнял жену и привлек к себе. Лаура высвободилась.

— Откуда у тебя это пальто? И этот костюм? А почему ты не снимаешь перчатки? Что ты так на меня смотришь?

— Я полгода не видел женщин.

— Это хорошо. Есть хочешь?

— Нет. Я другого хочу...

Вольф, наконец, снял пальто и перчатки, тут же сунув руки в карманы.

— Вот так сразу, с порога? — Лаура лукаво улыбнулась. — Ну что ж... Я тоже соскучилась. Давай быстро в ванную!

Он долго мылся: намыливался, тер себя мочалкой, снова мылился и снова тер, чтобы содрать, развеять, уничтожить неотвязный тюремный запах.

«Осторожней! — сварливо сказал кот. — Чуть мою рану не задел. Ты нас сейчас сдерешь вместе с кожей!»

«В натуре, — подтвердил черт. — Он меня уже задушил своим мылом. Лучше б водки налил!»

«Много он тебе наливал? — злорадно спросил пират. — Мутный у нас хозяин, ох и мутный...»

— Заткнитесь! — рявкнул Вольф.

Картинки послушно умолкли. Но как они поведут себя через несколько минут, когда станут соучастниками того, что традиционно исключает присутствие посторонних, сказать было нельзя. Нельзя было предсказать и реакцию Лауры, впервые увидевшей растатуированное тело мужа.

Владимир вышел из ванной голым, и у любого, кто бы его увидел, не осталось бы сомнений в том, чего он сейчас хочет. Лаура застилала диван чистой простыней, халатик на ней был расстегнут. На звук стремительных шагов она обернулась... При виде голого Расписного лицо женщины изменилось: будто мокрая жесткая губка с силой прошлась от лба к подбородку, стирая ожидающую улыбку и сгоняя жизненные краски. Она побелела, как посмертная маска, гримаса ужаса исказила черты, руки с растопыренными пальцами выставились вперед, даже маленькие груди в распахе халата обвисли и сморщились, словно лимоны, из которых выдавили сок.

— А-а-а! На помощь! Спасите! — истерично закричала она.

— Ты что, Лаура, ты что? Это же я... Просто так получилось, так было надо по условиям командировки... Но это временно, скоро от них ничего не останется...

Лаура ничего не слушала. Она схватила со стола тяжелую хрустальную вазу и отчаянно взметнула над головой.

— Я убью тебя, а сама выброшусь из окна! Назад! Назад! А-а-а! Милиция!

Владимир поднял руки и отступил обратно к ванной.

— Перестань, Лаура! Что с тобой? Я тебе все объясню!

Ваза полетела в его сторону и угодила в зеркало. Раздался звон, грохот, брызнули осколки.

— Уходи! Уходи! Прочь! Второй раз я этого не вынесу! Я вскрою вены!

Полетела в стену и разбрызгалась осколками чашка, потом блюдце...

— Ненавижу! Ненавижу! Вон отсюда! Исчезни!

Гипсовая маска выражала только отчаяние и страх. Лаура не слышала его слов, да и не могла ничего слышать. Она была невменяемой.

— Успокойся, я ухожу. Все, успокойся...

Вольф быстро натянул на чужую кожу чужую одежду и, не застегиваясь, выскочил из квартиры.

На лестничной площадке стояла соседка — полная растрепанная женщина в застиранном цветастом халате.

— Что там происходит? — требовательным тоном спросила она.

— Семейные неурядицы. Обычный скандал. Можно от вас позвонить?

Быстрые глаза женщины зацепились за татуированные кисти Вольфа.

— Скандал, говоришь, обычный? — Она повернулась к открытой двери. — Вася, тут позвонить хотят. По твоей части.

Тут же на площадку вышел молодой крепкий мужчина в майке и милицейской фуражке.

— Я участковый. Покажь документы!

Паспорт Вольфу еще не вернули, нового удостоверения не выдали, а наручниками и решетками он был сыт по горло. Поэтому, не вдаваясь ни в какие объяснения, он бросился вниз по лестнице.

— Стой! Догоню, хуже будет! — крикнул вслед участковый, но преследовать не стал.

Выскочив на улицу, Вольф быстро прошел до конца квартала, проверился и между домами выскочил на Ленинградский проспект, затерявшись в людской толчее. Очарование свободы пропало. Стемнело, снег усилился, мужчины и женщины несли елки, авоськи и пакеты с покупками, торты... Каждый знал, куда он идет, и каждого где-то ждали. А кто и где ждет расписанного зэковскими татуировками Вольфа?

«Чего с твоей бабой случилось? — спросил кот. — Она что, галушки объелась?»

«Это она его болт увидела! — сально захихикал черт. —

Как у жеребца! Немудрено испугаться! А у меня во, гляди! Потрогать хочешь?»

«Отвязни! — выругалась русалка. — У меня того, что тебе надо, все равно нет. Не нарисовали».

«Видать, мы ей не понравились, — хрипло сказала женщина с креста. — Она чистенькая, ей с нами западло... Я б ей, суке, глаза выдрала да под хор подставила!»

Поднялся всеобщий гам, картинки так оживленно обсуждали происшедшее, что разобрать отдельные голоса стало невозможно.

— Заткнитесь! — приказал Вольф. — Скоро сведу вас всех к чертовой матери!

Он сам не мог понять, что произошло с Лаурой. Похоже, жена перенесла стресс и впала в шоковое состояние, для выведения из которого в снаряжении спецназовца имеется специальный шприц-тюбик. Но почему наступила такая реакция? Чужая кожа — это чужой человек, понятно, но не до такой же степени... Может, у нее врожденная неврастения? Так предупреждать надо перед свадьбой! А в результате — добрался до дома, а тебя выбросили, как щенка на мороз!

Вольф испытывал глухое раздражение и некоторую растерянность. В многомиллионном городе он был одинок и никому не нужен. Впрочем...

Разменяв деньги, он нашел телефон-автомат и набрал номер Софьи. Длинные гудки показались тросом из болота на твердую землю. Хотя как использовать этот трос, Владимир не знал. К тому же он сразу лопнул: незнакомый женский голос объяснил, что Чучкановы переехали на другую квартиру. Москва опустела окончательно.

Вольф бесцельно брел куда глаза глядят. Поехать к Сержу? Черт! Черт! Черт! Бриллианты! Серж отдал ему на хранение пластмассовую коробочку из-под фотопленки с камешками из Борсханы, но в назначенное время не пришел за ними! Прошло больше полугода, он наверняка решил, что Вольф присвоил камни! Это очень серьезное подозрение, очень... Развеять его можно только одним способом — отдать бриллианты. Но они спрятаны за ванной в квартире Лауры! В старой квартире!

Он остановился и схватился за голову: по ней будто били

кузнечным молотом. А если новые хозяева затеяли ремонт и нашли невзрачную черную коробочку? Тогда подозрения не развеять, ибо слова, даже самые убедительные, не перевесят стоимости целой пригорошни драгоценных камней! Да-а-а... Серж не сентиментален и один раз убил сразу четверых... Нет, к Сержу идти нельзя. Надо доставать камни, а пока не попадаться на глаза старому другу!

Толпа обтекала застывшего столбом человека, кое-кто налетал на него и недовольно бурчал, некоторые ругались в полный голос.

— Чего стал на дороге? Пьяный, что ли? Иди домой, проспись!

Деваться ему было некуда. Делать нечего, надо звонить Александру Ивановичу.

В очередной телефонной будке он набрал нужный номер.

— Это Вольф. Мне надо связаться с подполковником Петруновым.

— Кто такой Вольф? — безразлично спросил дежурный.

— Операция «Старый друг». Загляните в список участников.

— Эта операция завершена и снята с контроля.

Гм... Действительно. Владимир растерялся, но молчать нельзя: дежурный вот-вот положит трубку.

— Соедините меня с Петруновым.

— Его нет в управлении.

— Позвоните домой. Или дайте мне домашний телефон.

— Не положено. Звоните завтра.

— Мне он нужен сегодня.

— Тогда обратитесь в справочное.

— Но в справочном...

В трубке раздались сигналы отбоя. Конечно, в справочном нет телефонов оперативных сотрудников КГБ. От него просто хотели отвязаться.

Вольф снова медленно побрел по улице. Чем дальше от метро, тем больше редела толпа.

Еще позавчера каждый его звонок обязательно докладывался ответственному дежурному. Ему могли послать подмогу, выслать вертолет или подводную лодку. Но это было позавчера. Раз операция снята с контроля, он никому не нужен. В том числе и Александру Ивановичу. У него свои дела, своя семья, свои предновогодние дела. Он тоже нуждается в отдыхе после операции.

Надо попробовать устроиться в гостиницу. Деньги есть, выбрать гостиницу попроще и сказать, что украли документы... И не снимать перчатки... Если поверят на слово, если не увидят татуировок, если ничего не заподозрят... Слишком много «если»! Скорей всего, вызовут милицию и ночь придется провести в камере, а может, и следующий день тоже... Может, переночевать на вокзале? Но там тоже проверяют документы у подозрительных типов. Татуированному человеку трудно жить в Москве!

Он почувствовал, что мерзнет, и ускорил шаг. Надо погреться в метро. Да, в метро лучше всего. И безопасней. Вольф дошел до следующей станции и нырнул под землю. В вагоне было тепло. Грохотали колеса, входили и выходили люди, он тоже выходил и пересаживался в другие поезда. Он потерял ориентировку и уже не знал, где находится. Но главное — удалось согреться, подземная суета сняла напряжение, расслабила нервы. Поклонило в сон, откинувшись на спинку сиденья, он задремал.

Это был чуткая, тревожная дрема. Дремлющий в метро человек уязвим для карманников, хулиганов, оперативных работников уголовного розыска и агентов спецслужб. Он выделяется из общей массы и привлекает постороннее внимание. Он беспомощен, и с ним можно сделать что угодно. Правда, большинство москвичей, придремывающих по пути на работу или домой, об этом не задумываются. Но Вольф не относился к большинству, хотя изо всех сил пытался замаскироваться под обычного человека из толпы, у которого в жизни все в порядке. Почти на каждой остановке он просыпался и вскидывал голову, осматриваясь, чтобы окружающие не подумали, что он никуда не едет, а просто спит в метро. Несколько раз Вольф выходил, будто достиг нужной станции, пересаживался на другую ветку, а в новом вагоне десять-пятнадцать минут можно было спать спокойно. В принципе, вот так, урывками, он мог за три-четыре часа восстановить силы, но дело шло к закрытию метро, а куда деваться после этого, он совершенно не представлял.

Вагоны то переполнялись, то пустели, менялись попутчики и попутчицы, менялись даже стандартизированные голоса, объявляющие остановки. Вынырнув из дремы очередной раз и оглядевшись, он увидел рядом знакомое лицо. Старый домовой с растрепанными седыми волосами, нос картофелиной испещрен красными прожилками. Старое выношенное пальто, облезлую шапку он снял и держит в руках — не по возрасту сильных руках с широкими запястьями и крепкими пальцами.

«Гля, кто! Узнаешь? Кольщик! Это я его приманил, — довольно сказал кот. — Побазарь с ним, может, на хату позовет. А то ночью замерзнем на хер!»

Только сейчас Вольф понял, кто волею судьбы оказался рядом с ним.

— Здорово, Потапыч!

Домовой безразлично повернул голову, покарябал острым взглядом лицо соседа.

— Это ты кому?

— Не узнал, Потапыч? — улыбнулся Вольф. Он искренне обрадовался, будто встретил родственника.

— Кого узнавать-то? — домовой поджал губы. — Я тебя отродясь не видел. Да и никакой я вообще не Потапыч!

— На лице у меня маска была марлевая, потому и не видел. А вот это узнаешь?

Вольф поднес к лицу домового кулак. Тот уперся взглядом в перстни, быстро оглянулся по сторонам и совсем другим тоном спросил:

— Петро, что ли?

— Точно. Только на самом деле я Владимир.

— Ты-то особо не болтай, тут, знаешь, сколько ушей...

Домовой огляделся еще раз:

— Вернулся, значит? Ну, как все прошло? Гладко аль не особо?

— Долго рассказывать. А скажи-ка, Потапыч, как ты рядом со мной оказался? Почему сел именно сюда? Случайно, что ли?

— А ведь действительно... Я вон туда, в уголок хотел, а

тут как позвал кто... Тоненьким голоском позвал, вроде как кто знакомый...

— Это кот. Я думал, он бахвалится, а выходит, правда.

— Какой такой кот? Откуда здесь коты? И с каких пор они по-человечьи разговаривают? Ты, Петро, случайно, головой не подвинулся?

— Поговорить нам надо, Потапыч, — сказал Вольф. — Документов нет, ночевать негде, а я уже засыпаю...

— А давай ко мне поедем, — оживился домовой. — Старуха у дочки ночует, никто мешать не будет!

«Вот видишь! — радостно взвизгнул кот. — Благодаря мне все и устроилось. А ты не верил!»

Вольф повернулся к домовому.

— Слышал, Потапыч? Голос тот самый слышал? Ну, который тебя позвал?

— Брось дурить, Петро. Я пока не пьяный. Вставай, нам на следующей сходить.

* * *

Потапыч жил в старом доме в районе Белорусского вокзала. Две узкие комнаты с высоченными потолками сохранили невыветривающийся дух расселенной коммуналки. На длинном шнуре висел желтый абажур с кистями, из-под него лампочка-сотка ярко высвечивала круглый стол на толстых квадратных ножках, застеленный бордовой бархатной скатертью. Дальше свет постепенно рассеивался, и углы комнаты таились в полумраке.

— Радио включить надо, а то тихо, как в могиле, — аж на мозги давит...

Потапыч повернул ручку допотопного приемника, медленно накалился зеленый глазок, затеплилась желтым шкала настройки.

«Вы слушаете программу «Маяк», — во всю мощь динамика рявкнул диктор. Потапыч удовлетворенно кивнул:

— Есть будешь? Старуха вчера борщ варила.

— Буду! — обрадованно кивнул Вольф. С утра он не держал во рту ни крошки, а мечте поесть борща дома так и не суждено было осуществиться. Впрочем, с чего он выдумал этот борщ? И Лаура и теща не отличались кулинарными способностями или склонностями к домашнему хозяйству...

Пока Потапыч гремел кастрюлями на кухне, Владимир осмотрелся. Тяжелый неуклюжий буфет, обтянутый потертым дерматином диван с высокой спинкой и двумя съемными валиками-подушками, заваленная газетами этажерка. Такую обстановку он видел в фильмах пятидесятых годов. Раздвинув ситцевые шторки, он заглянул в другую комнату.

Трехстворчатый шифоньер, кровать с никелированной спинкой и облезлыми шарами, тумбочка, на стенах с потускневшим золотым накатом — десяток фотографий.

Воровато оглянувшись, он щелкнул выключателем и скользнул за занавески.

«Не наглей, — сказал кот. — Лучше утром, перед уходом. Сейчас только пригляди, что брать...»

«Не базарь под руку, пусть хоть раз дело сделает», — возразил пират.

Вольф подошел к фотографиям. Из выцветшего, но тщательно отретушированного и увеличенного черно-белого далека смотрел мужчина в наглухо застегнутом под горло кителе с капитанскими погонами. Мощная грудная клетка, крепкая шея, массивный бульдожий подбородок, прямой, сверлящий пространство взгляд, — от него исходила волна силы, уверенности и напора. Это был молодой Потапыч. Потапыч крупно по пояс, Потапыч в группе сослуживцев, Потапыч у пулемета, Потапыч в тире, в вытянутой руке непропорционально увеличенный «ТТ»...

Владимир вернулся к столу. Хозяин застелил праздничную скатерть потертой клеенкой, поставил дымящуюся тарелку с борщом, блюдечко с чесноком, черный хлеб и крупную соль. Что-то в его облике изменилось, он уже не казался немощным стариком... А может, Вольф теперь смотрел на него другими глазами.

— Самогонку пить будешь, — не спросил, а констатировал домовой. — Хорошая, хлебная. За водкой по нынешним ценам не угонишься.

На столе появилась наполненная на три четверти кривоватая бутылка и два маленьких граненых стакана. Ребенком Вольф видел такие на кухне тиходонской коммуналки.

— Давай за то, что ты вернулся, — Потапыч чокнулся и залпом выпил, потом посолил черный хлеб и бросил в рот зубок чеснока. Вольф сумел проглотить только половину: огненная жидкость обожгла глотку так, что перехватило дыхание.

— Когда меня домой отпустили, я понял — обошлось, — как ни в чем не бывало продолжил Потапыч, словно выпил стакан воды.

— Как обошлось? А что могло быть?

— Да очень просто. Как обычно. Ты прокололся — **те** на куски порвали... А **эти** меня расстреляли. Все в дамках — и дело с концом.

Домовой снова наполнил стаканы.

— Окстись, Потапыч! Ты что? Кого сейчас за это расстреливают?!

Старик вздохнул:

— Это верно. Потому и порядка нет. Порядок — он ведь на страхе держится! Только у меня страх в крови сидит, в костях, в сердце, в мозгах! Вот и не знал: отпустят или расстреляют. Мало ли, что сейчас послабления кругом, а вдруг как раз мне-то послабления и не сделают! Пулю в затылок пустить дело нехитрое. И тогда какая мне разница, что там у других делается... Давай поднимай!

Вольф покачал головой:

— Крепкая больно. Градусов семьдесят, не меньше...

— А я выпью. За крепкую власть выпью. Потому как без нее всем хана. Ведь посмотри, что получается...

Потапыч выпил, покрутил головой и снова закусил чесноком.

— В сороковом году я служил срочную в войсках НКВД, ага. Раз пошли на операцию: в одном домике засел злодей — грабитель или разбойник, опера его оттель выкуривали, а нас в оцепление вокруг поставили, чтоб не ушел... А он возьми — и выкинь в окошко перстенек золотой, улику, значит... А один солдатик соблазнился, возьми и подыми, и за пазуху сунь... И что тогда?

— Что?

Вольфа развезло окончательно, он то и дело проваливался в сон, так что голова бессильно свешивалась на грудь, как в метро. И тут же вскидывался, тоже как в метро. Слова Потапыча сливались в дымную завесу, звуковой фон, хотя смысл произносимого сохранялся.

— А то! Солдатику двадцать пять лет дали, разбойника — на Луну... Как положено. Другие разве шалить станут при таком раскладе? Мне двадцать годков едва исполнилось, мальчишка, а ведь до самой печенки понял — нельзя за чужим руки тянуть... И службу надо честно справлять. А теперь что?

— Что?

Вольф вскинулся в очередной раз.

— А то! Тюрьмы нынче изоляторами зовут, только это одно название. Чего они изолируют? За башли тебе и записку передадут, и водку принесут, и бабу приведут! А информация туда-сюда льется, как говно через канализацию! У нас-то, в Лефортово, конечно построже... Потому что дух сохранился! А в обычных тюрьмах...

Потапыч махнул рукой и вышел в спальню. Освобожденный от утомительной роли внимательного слушателя, Вольф уронил голову на стол и мгновенно отключился.

— Подъем, приготовиться к атаке!

Рядовой специальной разведки Волков вскочил, с грохотом опрокинулся стул. Но вместо начбоя Шарова он увидел молодого капитана НКВД Потапыча в парадном мундире. Стоячий воротник обхватывал шею, тускло блестели ордена и медали, даже кобура топорщилась на боку.

— Ну ты даешь! Чего орешь-то?

Домовой довольно смеялся. Пришедший в себя Вольф увидел, что мундир не вернул ему молодость: погоны обвисали на усохших плечах и шея болталась в жестком воротнике, только выцветшие глаза обрели цвет и молодой блеск.

— Молодец! Видать, ты парень боевой. Я таких люблю!

Потапыч налил очередной стаканчик.

— А кобуру пустую зачем нацепил? — подколол Вольф старика, поднимая стул.

— Где ты видал пустую? — обиженно пробасил тот. — Я в игрушки не играю...

К удивлению Вольфа, Потапыч сноровисто отстегнул застежку и извлек всамделишный «ТТ», точь-в-точь такой, как на фотографии. Привычно вынул обойму с патронами и протянул безопасный теперь пистолет Вольфу.

— На-ко, почитай!

Еще больше удивленный, Вольф рассмотрел на потертом затворе гравировку: «В.П. Раздорову от наркомвнудел Л.П. Берия».

— Видал, какая «пустая»? — Потапыч требовательно протянул руку и забрал «ТТ» обратно.

— Сколько раз участковый приходил, сдать предлагал. Мол, зачем старому хрычу оружие? Только у меня ответ один: не ты награждал, не тебе отбирать! А мне еще сгодится, на крайний случай... Ну ладно, — Потапыч махнул рукой. — Расскажи лучше, как там мои картинки — нормально проканали?

Вольф вздохнул:

— Были проблемы, Потапыч, были.

Он коротко пересказал сомнения Коляши во Владимирской тюрьме. Потапыч пожамкал губами:

— Всего не предусмотришь. Я так думаю: раз ты здесь сидишь, значит, зэки их признали!

— Слышь, Потапыч, я почти не пил и трезвый остался. Только... Короче, разговаривают твои картинки. Особенно кот активный. Советы дает, подсказки... Я считаю, он мне жизнь спас! И другие помогали. Рыцарь об опасности предупредил, несколько раз я **их** глазами назад смотрел, в темноте далеко видел... Как такое возможно?

Потапыч пожал плечами:

— Да так и возможно. Ты же весь на нервах, вот и мерещится... Мне тоже, бывало, кто-то подсказывал. Мол, то сделай, а этого — не моги... Иногда прямо как голос чей-то. Интуиция это, вот что. Хотя... Слышал я подобное от зэков пару раз. Только знаешь, когда они долго сидят, у них ведь мозги размягчаются. Наверное, от онанизма. От них еще и не такое услышишь!

Вольф перегнулся через стол.

— Да пойми, Потапыч, не мерещилось мне! Вот, например, в камере вши всех поедом ели, а меня не трогали! Кот сказал, что они их ловят!

Потапыч посмотрел с укоризной, как на несмышленыша:

— Ну как они могут вшей ловить, ты подумай? Они же неживые. Они нарисованные. Я их сам и нарисовал. Отдохнуть тебе надо, вот что. Давай на боковую, сейчас мундир скину и на диване тебе постелю.

Энкавэдэшник встал и направился в спальню. Ниже кителя на нем были старые тренировочные брюки, растянутые на коленях.

* * *

Вольф вынырнул из тяжелого забытья, не понимая, где находится и что с ним происходит. Белая наволочка под головой, черный дерматин перед лицом и чья-то рука, настойчиво трясущая за плечо.

— Вставай, Петро, там старуха уже два часа дожидается, замерзла небось...

— А-а-а, — Вольф облегченно расслабился. — Я же говорил, меня Владимиром зовут.

— Я этого не знаю, — кряхтя отозвался Потапыч. — Мне положено знать, что ты Петр. Вот я и говорю: здоров ты спать, Петро! Одиннадцать скоро.

— А старуха где дожидается? — Вольф сел и потянулся. В окно ярко светило солнце, искрился на раме пушистый снежок.

— Да внизу, на скамеечке, где ж еще. А может, гуляет вокруг дома, в мороз на одном месте долго не усидишь...

— Так чего ж она домой не идет? Меня стесняется, что ли?

— Потому что порядок знает, привыкла за столько лет.

— Какой порядок?

— Обыкновенный. Видеть-то ей тебя ни к чему. Я ее у соседнего подъезда посадил, сюда спиной. Как положено.

— К чему эти сложности, Потапыч? Кончились мои секреты. Я теперь обыкновенный человек.

— Это твое дело, Петро. А мы живем, как приучены. Ты извини, придется без завтрака...

— Спасибо за ночлег, Потапыч. А без жратвы я могу неделю обходиться.

— Молодец. Когда-то и я мог. Не поминай лихом.

Вольф быстро оделся. На пороге на миг задержался:

— Потапыч, а свести твои картинки можно?

— Свести?! — Энкавэдэшник присвистнул. — Как же их сведешь? Я ведь по-настоящему колол. Перстенек или крестик срезать можно, вместе с кожей. Но рубец-то останется. А собор куда денешь? И остальной зверинец? Этак ты весь будешь сплошным шрамом. Еще хуже...

— А электрофорез?

— Какой такой форез?

— Александр Иванович говорил, что электричеством чернила из-под кожи можно вытянуть.

Домовой втянул нижнюю губу и покачал головой:

— Это я не знаю. Раз Александр Иваныч сказал... Может, у них счас и есть такое... Не знаю, врать не буду.

Выйдя на улицу, Вольф прищурился на солнце, с наслаждением вдохнул чистый морозный воздух и осмотрелся. Жены Потапыча он не увидел.

Из автомата Вольф позвонил Петрунову, но его напарник ответил, что подполковник будет к концу дня. Вольф выругался. Москва не такой город, где полдня может бесцельно бродить человек в новой одежде, без документов и с зэковскими татуировками. Здесь полно милиции: экипажи патрульно-постовой службы, участковые, сыщики, агентура уголовного розыска... Плюс оперативники КГБ и их агентура...

Но делать было нечего. Вольф сходил в кино, прошелся по Арбату, перекусил в бутербродной. Как ни странно, но никто его не останавливал и не проверял документы. Похоже, он переоценивал возможности столичных спецслужб.

Около пяти часов, добравшись до площади Дзержинского, Вольф, как обычный посетитель, зашел в бюро пропусков и позвонил Петрунову. Через несколько минут он наконец попал в знакомый кабинет.

Подполковник изучал папку с документами.

— Кажется, все в порядке, информация подтверждается, — поздоровавшись, сказал он. — Четыре московских объекта уже отработаны. Этот Сокольски еще больший негодяй, чем мы предполагали. Носитель всех пороков. Пьянство, разврат, наркотики, растление малолетних...

Александр Иванович потряс пачкой объяснительных, потом достал измятый пакет.

— Вот, даже интересные снимки собрали, для наглядности. Московские элитные притоны. Он тут такое выделывает! Хочешь посмотреть?

— Нет. Я заочно сыт по горло этим Сокольски. У меня свои проблемы.

— Что случилось? — насторожился Петрунов, откладывая фотографии.

Вольф рассказал о том, что произошло вчера.

— Кто бы мог предположить, — задумчиво произнес Александр Иванович. — Такая острая реакция на татуировки... За ней кроется какая-то причина, которую мы не учли... Это очень неприятно...

— Да уж, действительно! — с горьким сарказмом сказал Владимир. — Все мое задание сплошные неприятности, и в конце — разрушение семьи!

— Не надо раньше времени сгущать краски, может, все и обойдется. Поживешь пока в нашей малосемейке на Вернадского, а потом все образуется, — успокоил Петрунов.

— Образуется! — хмыкнул Вольф. — Давайте быстрее убирать всю эту картинную галерею! Потапыч сказал, что ее не сведешь. Но вы ведь обещали! Электрофорезом. Один электрод туда, один сюда, тушь из-под кожи высасывается — и на марлю... А марлю в мусорник. Так? Ведь так же?!

Подполковник кивнул:

— Конечно. Электрофорез чудеса творит! Успокойся. Еще проблемы есть?

Вольф глубоко вздохнул, сбрасывая охватившее его напряжение:

— Мне нужны документы. Без них я как голый!

Несколько секунд Петрунов сидел неподвижно. Потом достал из сейфа заклеенный конверт из плотной бумаги, ножницами отрезал край и вытряхнул содержимое на стол.

— Держи. Паспорт, часы Грибачева, его визитка... Не собираешься позвонить старому знакомому?

— Пока повода нет. А удостоверение?

— Да... Как говорится, дай бог, чтобы поводов и не было. Ведь ты звонил Генеральному секретарю ЦК, когда тебя окончательно загнали в угол. Лучше, чтобы это не повторялось. Хотя сама возможность такого звонка служит тебе охранной грамотой.

— Где мое удостоверение? — повторил Вольф.

— Здесь, где же еще?

Александр Иванович вытряхнул удостоверение, которое вначале зажал двумя пальцами в углу конверта, раскрыл его.

— Так, срок годности еще не истек. Правда, с прежней должности ты вроде откомандирован, а на новую еще не назначен...

— Ну и что?

— Да, пожалуй, это формальность.

Подполковник протянул Вольфу документ. Вряд ли генерал Вострецов одобрил бы его поступок. Но семь бед — один ответ!

Привычно сунув картонный прямоугольник в нагрудный карман пиджака, Вольф почувствовал, что чувство уязвимости перед внешним миром бесследно исчезло.

— Надо поехать, забрать свои вещи... — Он замешкался. — Не хочется идти в этот дурдом... Может, позвонить вначале?

Петрунов придвинул ему телефон, продиктовал номер.

— Алло, — трубку взяла Александра Сергеевна.

— Это Владимир. Вы в курсе, что Лаура выгнала меня из дома? Я хочу заехать за вещами...

— Здравствуй, Володя! Ты неправильно все понял, никто тебя не выгонял, дело совсем в другом... Приезжай, я все объясню!

— А моя жена не выбросится из окна?

— Ее нет дома. И потом... Но это не телефонный разговор...

— Ладно, еду, — положив трубку, Вольф посмотрел на Петрунова.

— Можно взять машину? В метро сейчас толчея...

— Попробуем, — без энтузиазма отозвался Александр Иванович и, несколько раз прозвонив по внутренней связи, развел руками.

— У нас один водитель болеет, две машины в ремонте. А дежурная как раз сейчас на линии. Так что извини...

— Ничего, доберусь, — Вольф резко встал. — До свиданья.

После его ухода подполковник позвонил в ведомственную поликлинику.

— Здравствуйте, Петр Петрович, это Петрунов. У нас есть сотрудник, которого по оперативной необходимости пришлось всего растатуировать. Да, именно. Типичные зэковские наколки. Да. А теперь необходимость отпала и он требует очистить кожу. Да, я понимаю. Но я ему обещал. Нет, без хирургического вмешательства. С помощью электрофореза. Э-лек-тро-фо-ре-за. Нет, не шучу. Просто я сказал про электрофорез, так пришло в голову. Надо хотя бы имитировать попытку. Ведь она может оказаться неудачной по различным причинам. Но он не должен понять, что я соврал. Так что все должно выглядеть правдоподобно. Да, пожалуйста, проинструктируйте лично. Спасибо.

Положив трубку, он долго сидел неподвижно, оцепенело глядя перед собой.

* * *

У подъезда Вольф лицом к лицу столкнулся с соседом Лауры. На этот раз тот был не в майке, а в полной форме капитана милиции.

— Попался, дружок! — капитан привычно схватил его за рукав, чуть выше локтя. — Я тебя предупреждал: не беги, хуже будет! Пойдешь со мной, и не дергайся!

Вольф не менее привычно освободился от цепкого милицейского захвата.

— Как вы себя ведете, товарищ капитан! — строго сказал он. — Я сотрудник госбезопасности!

Внушительный тон и официальные обороты подействовали. Участковый растерянно посмотрел на свою руку и зачем-то вытер ее о шинель.

— Документы есть?

Вольф извлек удостоверение, раскрыл и поднес к лицу милиционера.

— Чего ж вы вчера убегали? — обескураженно пробормотал капитан. — И наколки... А почему соседку в больницу увезли? Тут что-то не так...

— Государственная тайна! — значительно произнес Вольф.

На воспитанных в строгости советских людей эти слова всегда оказывали магическое действие. Так получилось и в этот раз. Участковый подтянулся, его лицо разгладилось, выражение сомнения будто стерли мокрой тряпкой.

— Спасибо, капитан. Я вас больше не задерживаю.

* * *

— Ее изнасиловали, — откинувшись в кресле, Александра Сергеевна нервно затягивалась сигаретой и с силой выпускала дым сквозь нервно сжатые губы. — Семь лет назад, в Малаховке. Она возвращалась с дачи, от друзей, возле станции напали трое. Беглые уголовники, они с ног до головы были в татуировках... В результате сильнейший шок, мания преследования, ночные страхи — целый психиатрический букет...

В комнате навязчиво пахло французскими духами. Похоже, теща прыскалась ими совсем недавно. Засунув руки в карманы, Вольф прошелся взад-вперед по толстому ковру и остановился перед сервантом. За стеклом таращила глаза черная сова из лавы Везувия, привычно кренилась белая пизанская башня, блестело золотыми лентами дерево счастья из Венеции. Похоже, оно не принесло счастья семье Маркони.

— Мой бывший муж, Урбано, прислал новейшие лекарства, ею занимались лучшие психиатры Москвы, очень помог этот знаменитый гипнотизер — Прохоров, ты про него наверняка слышал.... Лечение длилось почти полгода, потом реабилитация, она все забыла, я думала, кошмар прошел бесследно... А вчера она вновь впала в такое же состояние! Меня предупреждали: избегать любых ассоциаций! Я не пускала ее в Малаховку, изолировала от прежних друзей, ограничивала выезды на природу, но кто же мог подумать, что однажды ее собственный муж заявится домой весь в татуировках!

— Извините. Я ведь ничего не знал.

— Конечно. Семейные тайны — это скелеты в шкафу. Ими не хвастают.

— Тех уголовников нашли?

— Не знаю. Наверное, нашли. Лаура была в таком состоянии, что мы не делали официальных заявлений. Да и к чему? Их и так ждала тюрьма. Ну добавят несколько лишних лет — разве нам от этого легче?

— Если бы они были установлены, я бы убил их, — буднично сказал Волк. — Всех троих, одного за другим.

— Правда? — в голосе Александры Сергеевны проявился интерес.

— Правда.

— Это только добавило бы тебе проблем. А Лауре все равно не стало бы легче.

— Где она?

— В психиатрической клинике. Лечение займет несколько месяцев. Но и потом... Она никогда не сможет видеть тебя. Даже если полностью убрать татуировки, ты все равно останешься провоцирующей ассоциацией...

Вольф вздохнул:

— Что ж, ничего не поделаешь. Я уже договорился насчет общежития. Очень жаль, что так вышло. Сейчас соберу вещи и поеду...

— Нет, так не годится, — возразила Александра Сергеевна. — Поживи пока здесь, приди в себя. Тебе ведь сильно досталось за это время... Сейчас я приготовлю ужин.

Волк прислушался к своим ощущениям. Действительно, ехать ни в какую общагу не хотелось.

— Хочешь виски? — Не вставая, Александра Сергеевна достала из бара бутылку «Белой лошади». В обычных магазинах она не продавалась — только в «Березках»[1] и закрытом баре «Метрополя». Рядом появились широкие стаканы с толстым дном, вазочка-термос со льдом и пакетик с орешками.

— Садись, наливай, — пригласила она.

— Почему вы поменялись? — спросил Вольф, наполняя стаканы почти доверху.

Александра Сергеевна удивленно покачала головой, но не возразила.

---

[1] «Березки» — валютные магазины для иностранцев, где в описываемый период только и продавались импортные «дефицитные» товары.

— Из-за денег. Мы получили хорошую доплату. А нам вполне достаточно и этого метража.

Они выпили. Лед не успел раствориться, чайного цвета жидкость была теплой и резкой, алкоголь сразу ударил в голову. Вольф высыпал в рот пригорошню орешков. Обещанный ужин оказался не очень сытным.

— Кто там теперь живет?

— Какие-то люди.

— Понятно, что не звери, — раздраженно сказал Вольф. — Что это за люди? Кто они, чем занимаются?

— Люди как люди, — удивленно посмотрела Александра Сергеевна. — Семья. Муж какой-то начальник, она, кажется, инженер, двое детей. Я не интересовалась, чем они занимаются. А почему ты спрашиваешь?

— Для порядка, — буркнул Волк. — А почему вы так на меня смотрите?

— Как?

Александра Сергеевна закинула ногу за ногу и качала ступней с повисшим на пальцах золотистым шлепанцем. Ногти у нее были ровно подстрижены и покрыты перламутровым лаком. Как у Софьи. И качала ступней Софья точно так же. Два времени наложились одно на другое, реальности перемешались, и Волк не понимал, в какой находится. Однажды такое с ним уже происходило, но тогда рядом была Лаура...

— Так. По-особенному...

Когда они жили все вместе, Александра Сергеевна любила плескаться под душем, не прикрывая двери, а иногда выходила на кухню в прозрачном пеньюаре и делала это неспроста... Неспроста она душилась перед его приходом, неспроста приготовила лед, неспроста смотрит прямым и до предела откровенным взглядом. Можно поспорить, что под халатом, высоко открывающим белые бедра, у нее ничего нет.

— Смотрю: чего в тебе такого страшного... И пока ничего не вижу, — с двусмысленной улыбкой ответила женщина.

— Не видишь, значит, — охмелевший Волк встал и шагнул вперед. Александра Сергеевна поднялась навстречу...

* * *

— Здравствуйте, Антонина Федоровна. Мы из Комитета государственной безопасности, вот наши служебные удостоверения. Разрешите войти?

Оперативники работали по двое. Вежливые и строгие молодые люди усредненной «комитетской» внешности: правильные славянские лица без особых и броских примет, официальные костюмы, сорочки, галстуки, безукоризненные властные манеры, располагающий тон. Их специально подбирали и обучали, в результате они становились похожими друг на друга, как инкубаторские цыплята. Впрочем, подобное неуважительное сравнение никому и в голову не могло прийти.

В те времена шпионаж наказывался только одной мерой наказания — расстрелом, а обычное знакомство, угрожающе именуемое «связью» с иностранцем, было очень близко к шпионажу. Поэтому визит контрразведчиков был сродни появлению архангела с огненным мечом. Причем независимо от того, чувствовал ли хозяин за собой какие-то грехи.

— Да, пожалуйста, конечно, а что, собственно, случилось? — Симпатичная женщина лет тридцати пяти испуганно попятилась, впуская архангелов в небольшую, уютно обставленную квартирку.

— Ничего, Антонина Федоровна, ровно ничего, просто нам нужна ваша помощь. Меня зовут Николай Петрович.

— А я Сергей Игоревич. У вас очень уютно.

— Извините, что беспокоим вас дома, в выходной день, но мы подумали, что так вам будет удобней, — улыбнулся Николай Петрович.

— Вы ведь работаете в хореографическом обществе, там женский коллектив, начнутся ненужные пересуды, — доброжелательно пояснил Сергей Игоревич.

— А двенадцать лет назад вы танцевали в кордебалете Большого театра, — еще шире улыбнулся Николай Петрович. — Говорят, у вас хорошо получалось.

— Всего два месяца, — виноватым тоном пояснила хозяйка, накрепко сцепив кисти рук. — Там были такие интриги... Меня отчислили, сказали, что нет данных. Хотя способности у меня были лучше, чем у многих.

— Да, в мире много несправедливости, — сочувственно кивнул Сергей Игоревич.

— Зато за эти два месяца вы познакомились с одним человеком, — Николай Петрович продолжал улыбаться.

— С Майклом Сокольски, сотрудником американского посольства, — скорбно уточнил Сергей Игоревич.

Антонина Федоровна икнула. Черты лица расплылись, симпатичность мгновенно пропала.

— Который как раз нас и интересует, — закончил Николай Петрович. Теперь он больше не улыбался.

— Но почему сейчас? Ведь прошло столько лет... И потом, это были чисто личные отношения, только личные...

Антонина Федоровна икала не переставая. Сергей Игоревич принес ей воды.

— Успокойтесь. Вас мы ни в чем не обвиняем. Но государственные интересы требуют, чтобы вы подробно рассказали о ваших взаимоотношениях с Сокольски. Все, включая самые интимные подробности. Какие подарки он вам дарил, в какие рестораны водил, как вел себя в постели. Откуда у него деньги, сколько он тратил на вас и вообще... Хорошо, если у вас остались какие-то фотографии, даже самые неприличные...

— Что вы знаете о других его любовницах, о фактах совращения несовершеннолетних, — добавил Николай Петрович. — А также о карточных играх, об ипподроме, обо всех его контактах, привычках, наклонностях.

— Вначале вы все расскажете, а потом мы это подробно запишем, — предупредил Сергей Игоревич. На самом деле запись уже шла: он включил миниатюрный диктофон перед тем, как позвонить в дверь.

— Очень важна точность, — сказал Николай Петрович. — Речь идет о деле государственной важности.

— И откровенность, — добавил Сергей Игоревич. — Это уже в ваших собственных интересах.

Антонина Федоровна взяла себя в руки и даже перестала икать.

— Хорошо. Я понимаю. И я расскажу все...

* * *

Он бежал со всех ног, сердце гулко колотилось в груди. Впереди должен быть септик — огромный бетонный бассейн с зэковским говном. Но спасения он не сулил. Туннель становился все уже и ниже и, наконец, закончился стенкой. Он обреченно прижался к ней спиной. Топот преследователей приближался, скоро показались огромные уродливые тени, они надвигались. В руке невесть откуда появился факел, он вытянул его перед собой, и пляшущий желтый свет выхватил из мрака искаженное лицо Меченого. Из-за его спины тянул костяные пальцы Калик.

— Вы же умерли, вас уже нет! — истошно закричал он.

— Есть, есть, есть! — хохотали мертвецы, а за их спинами корчили рожи и гримасничали Пинтос, Краевой и Хорек.

В такой тесноте невозможно защищаться голыми руками, нужен пистолет или, на крайняк, нож... Но оружия, как назло, нет.

— Попался, ментяра, щас мы тебя на косточки разберем!

Страшные хари приблизились вплотную, ледяная костлявая рука схватила за горло, перекрывая воздух.

— А-а-а!

Земля под ним осыпалась, Вольф, дернувшись, провалился в яму и тут же проснулся, догнав свой собственный крик.

— А-а-а!

— Ты что?! — Александра Сергеевна испуганно вскочила на ноги. Спальной одежды она не признавала, и белое тело отчетливо выделялось на фоне красного ковра. Большие груди тяжело отвисали, но сохраняли форму. У нее была отличная фигура, лучше, чем у Лауры.

— Что случилось? Сейчас шесть утра!

— Дурной сон. Мертвецы приснились...

— Ты так дернулся, мне показалось — кровать перевернулась, — Александра Сергеевна зевнула. — Когда снятся кошмары, лучше показаться психиатру. У меня есть хорошие.

Уже несколько дней Вольф жил, как в санатории. Много спал, днем гулял в парке, по пять-шесть раз занимался сексом с Александрой Сергеевной. Она была охочей до этого дела и оказалась большой мастерицей, дочь ей и в подметки не годилась. Правда, готовить теща не умела, зато где-то добывала продукты, а Вольф сам жарил отбивные и варил сосиски.

— Уходишь куда-нибудь сегодня? — Александра Сергеевна наклонилась над Вольфом, явно собираясь сесть на него верхом.

— Да, в поликлинику. Попробую свести свою роспись. Давай поспим еще пару часиков.

Он быстро перевернулся на живот: силы иссякли — такого темпа не выдерживал даже его крепкий, изголодавшийся по женщинам организм.

Александра Сергеевна недовольно плюхнулась рядом.

— Вначале орет, дергается, а когда разбудит, предлагает еще поспать... И что там с тобой делали?

Она принялась водить пальцем по телу, повторяя узоры татуировок.

— Забавные картинки... У кота смышленый вид и глаза, как у живого... А черт злой. И пират кровожадный... Без них ты станешь совсем другим.

Острый ноготок царапал кожу, но фигурки не выражали недовольства.

— Не другим, а прежним. Кстати, я бы проконсультировался с твоим психиатром.

— Нет проблем, красавчик, я договорюсь... А на твоем основном инструменте нет никаких узоров? Ну-ка, давай посмотрим...

Рука целенаправленно скользнула вниз.

— Отстань, Саша, — пробурчал Владимир, закрывая глаза. — А то попрошу политического убежища. В Италии.

— Это ты намекаешь, что я Маркони заездила и он сбежал? Да? Ошибаешься, он сам кого хочешь заездит... Не мужик, а конь! Конь, конь, конь!

В такт слову «конь» она принялась трясти его за плечи, укусила за шею, жарко подышала в ухо. Стало ясно, что отлежаться не удастся. Но и необходимой для требуемой схватки энергии в теле не было. Тогда Вольф представил, что навалившаяся на него мягкой грудью женщина не Александра Сергеевна Маркони, а Софья Васильевна Чучканова. Это ее соски трутся о его лопатки, ее пальцы вцепились в плечи, ее язычок щекочет ушную раковину, ее лоно ждет горячего проникающего вторжения... И чудо произошло: организм воспрял!

— Ах, так! — прорычал он, открывая глаза. — Тогда держись!

И началась очередная битва, в которой не бывает проигравших.

Глава 2
ЖИВЫЕ КАРТИНКИ

В поликлинике было немного посетителей — перед праздниками люди предпочитают не обращаться к врачам. Осанистый, с большими залысинами, начальник медицинской части отвел Вольфа к хирургу, тот внимательно осмотрел татуировки, даже поводил по ним пальцем.

— Лет семь-восемь? Или старше? Похоже, они впитались намертво...

— Скоро год, — ответил Вольф.

«Эй, а чего это лепила нас лапает? — тревожно спросил кот. — Не нравится мне это!»

«Какую-то подлянку готовит!» — сказал пират скрипучим голосом.

«Похоже, резать нас собирается», — выругался черт.

«За что резать? — заплакала русалка. — Я-то вообще не при делах!»

Угрожающе зарычал тигр, но сквозь угрозу отчетливо пробивались тревожные нотки.

Картинки охватывало волнение. Обстановка накалялась.

— Год, говорите? А краска вроде старая...

— Их специально старили.

Хирург переглянулся с начальником медчасти.

— Случай очень сложный. Можно, конечно, попробовать электрофорез... Но полной гарантии я дать не могу!

— Постарайтесь, Валерий Степанович, — сказал начальник медчасти. — Не ходить же нашему сотруднику с такой картинной галереей! Тем более, парень видный. Хотя они его, честно говоря, и не портят...

— Могу поменяться кожей, — сказал Вольф. Хотя он и не хотел, но прозвучало это грубо.

«Слышьте, кожу срезать будут, — сипло произнесла женщина с креста. — Видать, он нас этому проиграл. Или сменял на что...»

— Ладно, пойдемте к Верочке, — доброжелательно улыбнулся хирург.

Верочкой оказалась симпатичная медсестра с веснушками на округлых щеках, деловито застилающая кушетку чистой простыней. Рядом, на тумбочке, стоял матовый ящик с амперметром, переключателями и разноцветными сигнальными лампочками. От него отходили провода, рядом лежали куски резинового бинта с дырочками и круглые металлические диски разных размеров.

— Электрофорез творит чудеса, — заученно сказала медсестра, подключая к проводам электроды. — Один полюс к руке, второй на объект, подаем напряжение и током всю эту гадость из-под кожи вымываем...

Вольфу показалось, что это он уже слышал. Да, именно так говорил Александр Иванович, когда Потапыч наносил татуировки. Причем медсестра повторяла не смысл слов Петрунова, а сами слова. Как это возможно? И вообще, происходящее в поликлинике казалось ему странным: во всем чувствовалась некая заданность, нарочитость. Как будто разыгрывался заранее отрепетированный спектакль. Но может, это оттого, что он и сам... достаточно чудной? Ведь если бы начальник медчасти, хирург и медсестра услышали разговоры картинок, вряд ли это показалось бы им нормальным...

— С чего начнем? — Верочка прижала электрод к левому плечу. — Давайте с этого кота!

«Мяу!! — взревел кот. — Да за что меня-то, хозяин? Я тебе верой и правдой служу! Кто тебя от заточки спасал?! Кто вшей ловил?! Кто советы давал?! Ты хоть совесть поимей человеческую!»

— Нет, не с кота! Кота не надо! Я его, может, вообще оставлю...

У Вольфа вдруг разболелась голова. Такое происходило с ним крайне редко.

— Тогда давайте с правого плечика, — мило улыбнулась Верочка. И наложила металлический кружок на пирата. Тот заскрежетал зубами о финку:

«А я тебе что плохого сделал?! Да в последней махаловке я двоим руки порезал, не дал тебя гвоздями расковырять! И вшей из щелей выковыривал, можешь у кота спросить!»

— Нет, здесь тоже не надо! Может, со спины...

Верочка взглянула удивленно, но спорить не стала.

— Хорошо, ложитесь на живот. Я вот на лопатку поставлю...

Тут же возмущенно лязгнуло железо доспехов.

«А кто тебя в цеху остерег?! Тебе б циркуляркой все кишки вырвало, да на потолок забросило!» — надменно процедил рыцарь.

— Нет! — Вольф вскочил с кушетки. — Не надо на лопатку! Лучше... Лучше...

Что «лучше», он сам не знал.

Татуированный мир охватила паника, он излучал биоволны животного ужаса и первобытного дремучего страха. Страха смерти. Как будто гибнул в землетрясении город или уходил в океанские волны целый континент. Страх и ужас проникали в тело Вольфа, насыщали каждую клеточку организма, раздражали нервные окончания и пробирались в мозг. Хотелось вскочить и со всех ног бежать неизвестно куда. Он собрал волю в кулак, с трудом противодействуя этому порыву. Не удавалось сосредоточиться, мысли прыгали и путались из-за хаоса разрывающих голову звуков. Мяукал кот, ругался сквозь скрежет зубов пират, плакала и жаловалась на судьбу русалка, черт с бесшабашной удалью бренчал на гитаре и срывающимся голосом пытался петь блатные куплеты, шипела обвивающая кинжал змея, грязно материлась женщина с креста, рычал тигр, стучал щитом о копье рыцарь, испуганно ржал и бил копытами его конь. Вдобавок ко всему монах ударил в набат, и звон колоколов разрывал больную голову Вольфа.

— Вот, лучше ее! — Вольф ткнул пальцем в женщину на кресте. — Будет знать, как Лауру ругать!

— Что? — растерялась Верочка. — Какую Лауру?

Бам!! Бам!! Бам!! Голова превратилась в раздутый колокол, и тяжелые чугунные языки разбивали ее изнутри. Бам!! Бам!! Бам!!

— Лаура — это моя жена...

Бам!! Бам!! Бам!!

— А кто ее ругал?!

Бам!! Бам!! Бам!!

— Неважно... У вас есть пенталгин? Голова просто разрывается на части... На такие маленькие кусочки...

— Есть, я сейчас!

Чтобы быстрей подействовала, Вольф разжевал горькую таблетку в порошок и запил горькой водой. Верочка заботливо подложила ему под голову подушку, на живот положила мокрую марлю, прижала сверху электрод и закрепила резиновым бинтом. Второй электрод надела на запястье левой руки, включила ток и повернула ручку реостата. Стрелка амперметра качнулась вправо, вначале кожу стало ощутимо пощипывать, потом пришло горячее жжение.

— Не больно? — спросила Верочка. — Тогда полежите так десять минут.

«Больно! Больно! — истошно закричала женщина на кресте. — Заживо, суки, сжечь решили! За что?! За правду?! Огонь кругом, огонь! Горю!! А-а-а-а!»

«Ее сожгут, за нас возьмутся! — пророчил черт. — Вот влетели!»

«Я не хочу, я боюсь! — рыдала русалка. — Я вообще никому ничего плохого не делала!»

«Кончай, хозяин! В натуре, не за что братву жечь!» — испуганно просил кот.

«Я не дамся, всех пороть буду, на ремни распущу!» — истерично кричал пират.

«А-а-а-а! Горю! Спасите!»

Минуты растянулись в часы, как бывает в холодном карцере. Пенталгин заглушил боль, но не мог умерить страх и отчаяние обитателей татуированного мира. И весь этот страх и все это отчаяние сжигали нервную систему и психику Вольфа, как аварийное высокое напряжение сжигает внутридомовую проводку и выводит из строя приемники, холодильники и телевизоры... Он напрягся, сжал челюсти и оцепенел, глядя в потолок ничего не видящими глазами. Зато вытатуированные под ключицами широко открытые глаза с синими зрачками видели то, что происходит за потолочными перекрытиями, за бетонной плитой, деревянными лагами и навощенным паркетом, в кабинете главврача. Упитанный мужчина в медицинском халате сидел за столом и читал какие-то документы, потом к нему зашел начальник медицинской части с листом бумаги и что-то сказал, главврач снисходительно махнул рукой и толстой ручкой наложил на бумагу резолюцию.

Наконец жжение прекратилось.

— Процедура окончена, — наклонилась над ним Верочка. — Как вы себя чувствуете?

— Гораздо лучше. Что-нибудь получилось?

— Сейчас посмотрим...

Она сняла электрод, осторожно подняла марлю. Вольф ожидал увидеть на марле чернила, но она была совершенно чистой.

— Вы знаете, кажется побледнело, — вглядевшись, сказала Верочка. — Но одного сеанса явно недостаточно. Вам придется походить на процедуры еще...

Медсестра как-то потускнела и перестала улыбаться.

— Что с вами? — спросил Вольф.

— У меня тоже ужасно разболелась голова, — пожаловалась Верочка. — И так странно... Ведь тут тихо, а впечатление, что побывала в каком-то бедламе, где дикий шум...

— Какой шум? — быстро спросил Вольф.

— Не знаю... Словно в зверинце...

— Почему в зверинце?!

Верочка пожала плечами:

— Глупо, конечно. Такие тоненькие голоса... Будто далеко-далеко звери и люди что-то кричат вперемешку. И колокола бьют. Неприятное чувство, со мной такого никогда не было. И мороз по коже, будто страшный сон приснился... Ладно, это мои проблемы. Завтра приходите с двенадцати до шестнадцати.

Вольф покачал головой. Второй раз ему такого не пережить.

— Нет. Я больше не приду.

— Почему? — встрепенулась медсестра.

— Не хочу. Извините за беспокойство.

В коридоре Вольф встретил начальника медчасти. Тот улыбнулся:

— Как прошла процедура?

— Безрезультатно. Вы заходили к главврачу десять минут назад?

— Да, — удивился начмед. — Подписал заявление на отпуск. А что?

— Такой толстой ручкой?

— Откуда вы знаете? — еще больше удивился начмед. — Вас же там не было? Вы были на процедуре!

— Да. Но это как раз под кабинетом главврача.

— Ну и что?

— Да ничего, это я просто так. Ужасно разболелась голова. До свиданья.

Через несколько минут начмед позвонил Петрунову:

— Только что у нас был ваш парень. Я обставил все как вы просили, получилось очень правдоподобно. Парень довольно чудной. Мы провели ему процедуру. Но он сказал, что больше не придет.

— Спасибо, — медленно ответил Александр Иванович. — Значит, он все понял.

* * *

В Свердловске мела пурга, злой ветер завывал в заледеневших водосточных трубах и продувал промерзшие подворотни, сек острой крупой лица припозднившихся прохожих и захлопывал за ними двери стылых подъездов.

Два желтых милицейских «уазика» и неприметная серая «Волга» остановились у блочной девятиэтажки в новом микрорайоне, люди в форме и штатском привычно стали под нужными окнами, бесшумно вошли в подъезд и через несколько минут затарабанили в неприметную дверь на втором этаже.

— Кто там? — послышался напряженный голос.

— Открывайте, гражданин Лукашин, проверка паспортного режима, — сказал участковый, в точности выполняя полученные инструкции.

— Почему ночью? Разве днем нельзя прийти? Я уже сплю...

— Открывайте. У нас есть сведения, что у вас ночуют посторонние лица.

— Какие посторонние? Я один!

— Открывайте, мы должны это проверить.

— Ну, пожалуйста...

Щелкнули замки, лязгнула цепочка. Участковый резко рванул за ручку, настежь распахивая дверь. Три милиционера и двое штатских ворвались в квартиру, оттесняя хозяина — растрепанного немолодого мужчину в трусах и майке.

— Что случилось? В чем дело?!

Два милиционера схватили его за руки и быстро надели наручники, третий осмотрел комнату, кухню и службы.

— Гражданин Лукашин, вы арестованы! Сейчас мы произведем обыск, — властным голосом объявил штатский. — Виноградов, поднимай понятых.

— Какой обыск? У вас есть ордер?!

— Ордеров не существует давным-давно, — нравоучительно сказал второй штатский. — Вот постановление на арест, а вот на обыск. Ознакомьтесь и распишитесь.

Хозяин взял бумаги и стал читать, явно не понимая смысла. Руки у него дрожали. Он бросил бумаги на стол.

— Я не буду ничего подписывать.

— Дело ваше. Вот понятые, они подтвердят, что вы отказались. Капитан, начинайте обыск. А мы пока побеседуем.

Штатские отвели хозяина на кухню.

— Кто вы? В чем меня обвиняют? — Хозяин попытался перехватить инициативу. — Это беззаконие. Я буду жаловаться! Меня знает прокурор города!

— Под какой фамилией?

— Что?! — хозяин явно растерялся.

— Под какой фамилией он вас знает?

— Что вы имеете в виду?!

— Вы прекрасно знаете, гражданин Потапенко, что я имею в виду!

— Боже мой... — Хозяин побледнел и обессиленно опустился на табуретку. — Кто вы такие?

Первый штатский поднес к его лицу удостоверение.

— Я так и понял... Но как вы узнали, где я?! Ни один человек не знает, куда я переехал!

— Посмотрите, что мы нашли, — капитан милиции занес на кухню потертую папку с тесемками. — Здесь какие-то документы, расписки...

— Неужели вы не уничтожили свою бухгалтерию, Потапенко? Этого я даже не ожидал, — удивился второй штатский.

— Что вы от меня хотите?

— Нас интересует Сокольски. Ваши дела с ним. Те расписки, которые вы подделывали, — спокойно сказал первый штатский.

— Если вы хотите облегчить свою вину, придется подробно рассказать про все это, — добавил его напарник, просматривая документы.

— Неужели Фогель раскололся? Через столько лет... Невероятно! — Хозяин обхватил голову руками.

За окном завывал ветер.

* * *

— Наши пациенты часто слышат голоса... Обычно угрожающие или оскорбляющие, побуждающие к поджогу, убийству или самоубийству... Отличительная особенность шизофрении, паранойи, мании преследования и всех других навязчивых состояний — деструктивность зрительных и слуховых галлюцинаций...

Знакомого Александры Сергеевны звали Виктор Федорович. Доктор психиатрии, профессор, крупный мужчина лет сорока, с роскошной, прошитой сединой шевелюрой. Ухоженный, знающий себе цену, с вальяжными манерами, он производил располагающее впечатление и внушал доверие. Внимательно выслушал Вольфа, осмотрел татуировки, даже поводил по ним острой иголкой и навел лупу...

— Но осмысленные диалоги, предупреждения об опасности, дельные рекомендации — это не из нашей сферы. Помню, сказочным героям помогали микроскопические консультанты, спрятавшиеся в волосах или ушной раковине. Психиатрии такие добрые советчики неизвестны. К тому же предварительный осмотр показывает, что вы не принадлежите к числу наших пациентов. Хотя... Постстрессовый синдром, истощение нервной системы... Среди моих коллег найдется немало менее квалифицированных специалистов, которые оценят ваш рассказ совершенно по-иному. Поэтому советую ни с кем не откровенничать на эту тему! Вы понимаете, о чем я?

Вольф кивнул:

— Да, доктор, спасибо. Но... Что же все это значит?

Тот снял халат и сел в глубокое кожаное кресло, знаком указав Вольфу место напротив.

— Есть два объяснения. Первое вполне укладывается в рамки материалистической диалектики: ваш собственный опыт, обостренные органы чувств, безошибочная интуиция — они-то и предостерегают вас об опасностях. Хотя по каким-то причинам у вас все это связывается с котом, пиратом и рыцарем.

Доктор замолчал.

— А второе объяснение? — спросил Вольф.

— Второе ни в какие рамки не укладывается! — Виктор Федорович развел руками. — Рисункам часто приписывают мистическое значение. Оживающие портреты, забирающие жизнь у своего оригинала или принимающие на себя его грехи и пороки... Особенно много мистики вокруг рисунков на теле. В японской литературе есть рассказ о том, как на спине женщины вытатуировали огромного паука. Очень талантливо и красиво. Конечно, в той мере, в какой может быть красивым паук... И женщина превратилась в паука. Не буквально, а по личностным свойствам. Хотите выпить?

Отказываться было неудобно, и Вольф кивнул. Виктор Федорович вышел и вернулся с бутылкой коньяка и двумя пузатыми бокалами. Плеснув в каждый золотистой жидкости, он зажал свой бокал в ладони.

— Согрейте его, вот так, и понюхайте, вы почувствуете, как резкая нота уходит и появляется мягкий нежный аромат, требующий хорошую сигару или трубочного табака, опять же хорошего... Чему вы улыбаетесь?

— Извините, — смутился Вольф. — Боюсь, я мало в этом разбираюсь. Последние годы в основном я ел солдатскую кашу, тушенку и сухой паек. Пришлось питаться и тюремной баландой.

— И как? — Виктор Федорович смотрел с искренним интересом. Глаза у него были черные и блестящие, как влажные маслины в «Метрополе». Вспомнив «Метрополь», Вольф подумал, что несколько сгустил краски своей жизни. Впрочем, ненамного.

— Как вам баланда? — интерес психиатра усилился.

— Нормальному человеку ее невозможно есть. Вы бы не стали.

— А вы? — Виктор Федорович даже отставил бокал и наклонился вперед, внимательно рассматривая Вольфа.

— Приходилось, когда не было ничего другого. Впрочем, мне приходилось есть даже змей и лягушек.

— Во Франции и Китае?

— Нет. В обычном советском лесу, — Володя отхлебнул из бокала. — Это была не еда, а жратва. Вижу, что это не простое любопытство, а профессиональный интерес.

Виктор Федорович кивнул и снова стал греть коньяк в ладони.

— Нарисованный на женщине паук изменил ее личность. Я пытаюсь понять, изменили ли вас эти картинки?

— Не знаю. Разве такое возможно?

— Вы слышали про акупунктуру? Раздражая иглой определенные точки на теле, удается вылечить многие болезни, продлить молодость. То есть изменить человека! А ведь что такое татуирование? То же самое иглоукалывание! Только не по медицинской методике, а по художественному замыслу. Так, может, изображение паука и должно превратить его носителя в насекомое? А тюремные наколки привить аппетит к тюремной пище?

Вольф почувствовал раздражение.

— Это полная... В общем, это не так! Я не привык к тюрьме и не полюбил баланду. Хотя... Кое-что во мне действительно изменилось.

— Что? — насторожился доктор.

Действительно, что? В двух словах этого не расскажешь. Особенно постороннему человеку.

— Да нет, ничего... Значит, я здоров?

— Практически да. Вам надо отдохнуть и восстановить силы.

— А что надо делать, чтобы избавиться от голосов?

Психиатр снова развел руками:

— Это область не науки, а мистики. В мистике, к сожалению, я не силен. Но ведь они вам не очень досаждают?

— Ну, как сказать...

— Если их подсказки несколько раз спасли вам жизнь, то, по-моему, все неудобства окупились с лихвой. Не так ли?

— Пожалуй, так.

— Тогда научитесь сосуществовать с вашими картинками. И постарайтесь максимально использовать ту пользу, которую они могут принести. Я бы с удовольствием встретился через полгода-год и поговорил с вами на эту тему.

Вольф встал.

— Спасибо за консультацию, доктор. Может быть, я еще зайду к вам.

Психиатр пожал ему руку.

«Правильный мужик, ты его слушайся», — сказал кот.

* * *

В восемнадцатиэтажной крестообразной башне на Юго-Западе ничего не изменилось, даже код замка остался прежним. Светлые площадки, стерильная чистота просторных коридоров. Все как тогда, когда празднично наряженный, с чистой белой кожей, Вольф первый раз пришел к Лауре, зажав в кулаке купленные в подземном переходе розы. Кажется, что это было сто лет назад. Сейчас Вольф маскировался под сантехника: старая стеганка, черный комбинезон, фибровый чемоданчик с инструментами. На руках коричневые вязаные перчатки, скрывающие знаки принадлежности слесаря к уголовному миру.

На шестнадцатом этаже кремовую чистоту панелей оскверняли грубые черные числа, крупно выписанные на высоте человеческого роста. 884, 884, 884 — то ли заклинание, то ли кабалистические знаки. Четверки были одинаково кривоватыми, с непонятными хвостиками сверху. Всмотревшись, опытный сантехник понял, что цифровой оболочкой закамуфлировано ключевое слово советской настенной живописи, обозначающее отношение к жизни и окружающему миру значительной части россиян.

«Хороший цифровой код для радиообмена, — подумал Вольф. — На нереальную задачу передаешь руководству: «884» — и все понятно... Если бы я в свое время ответил Петрунову: идите-ка вы, друзья, на 884, глядишь, и ходил бы с неиспорченной шкурой...»

Рядом с дверью бывшей квартиры Лауры стояли мешки с песком и цементом. Значит, ремонт вот-вот начнется... А может, уже идет и плитка в ванной сбита. Тогда тайник раскрыт, а значит, бриллианты и пистолет попали в чужие руки... Чьи? Ремонтников? Хозяев? А может, хозяева заявили в милицию, и уголовный розыск ждет, кто придет за закладкой?

Он приложил ухо к замочной скважине. Тишина. Похоже, никого нет дома. Лаура говорила, что в сорок третьей квартире живет редкая сплетница, Вольф позвонил туда. Когда он жил здесь, то с соседями не общался, к тому же в таком виде вряд ли кто-то его узнает.

— Кто там? — послышался женский голос.

— Сантехника вызывали? Воду отключать для ремонта?

— Мы нет, это, наверное, соседи, — дверь распахнулась, низенькая полная дама в синем халате указала на мешки. — Вот грязь разведут!

— Стучат, небось, целыми днями? — сочувственно спросил сантехник.

Соседка махнула рукой. Ей было около сорока, крашеные волосы, выщипанные брови, отвисшие щеки, подвижный рот, недовольное выражение лица.

— Пока тихо... Когда начнут, голова развалится!

Вольф перевел дух и оценивающе вгляделся в лицо источника информации. С ним продуктивно работать на негативе.

— Да, народ порядка не любит... Смотрю я, у вас стены испачканы. Дом приличный, никогда тут такого не было!

— А это сынок ихний, оболтус! К нему такие же приходят, курят на черной лестнице, плюются. А на стене, думаете, цифры нарисовали? Ругание матерное! Это уже мой муж замазал...

Сантехник осуждающе покрутил головой.

— Непорядок. А когда они дома-то бывают?

Женщина плотнее запахнула халат и сложила губы сердечком.

— Его вообще неделями не бывает, ее не поймешь — то дома сидит, то уходит до вечера. А сынок ихний — с утра в школе, потом по улицам гойдает, уже под ночь свою музыку дурацкую включает!

Вольф сочувственно покивал. Разведдопрос закончен. Теперь надо выйти из ситуации, зачистив следы.

— Ладно, зайду вечером. Хотя странно, у них точно уже идет ремонт... Это ведь восемнадцатый дом?

Сердечко растянулось тонкой резинкой.

— Прям-таки! Шестнадцатый. Вы что, своих домов не знаете? Пить надо меньше!

Дверь захлопнулась.

Удовлетворенно улыбнувшись, «сантехник» направился к лифту. Завтра утром можно повторить визит. Дверь довольно хлипкая и проникнуть в квартиру не составит труда...

В хорошем настроении он вышел на улицу. Яркое солнце слепило глаза, искрился пушистый снежок. Вольф глубоко вдохнул чистый морозный воздух и улыбнулся. Сейчас возможность дышать полной грудью уже не казалась роскошью. Оказавшийся на дороге мрачный парень недоуменно смотрел на его улыбку. Вольф обошел его, но еще один мрачный человек в надвинутой на глаза кепке и поднятым воротником снова оказался на пути.

— Не дергайся, а то получишь маслину, — тихо и очень уверенно сказал он. — Садись в машину.

Голос был серьезным, рука глубоко засунута в карман, пальто топорщилось. Сквозь толстую ткань Вольф непостижимым образом рассмотрел пистолет, направленный ему в живот.

«Зуб даю, он и вправду шмальнет! — обеспокоенно сказал кот. — Лучше бы шкуру не дырявить...»

— Пошел! — первый мрачный парень толкнул его в спину, направляя к подъехавшей «Волге».

Вольф не собирался садиться в машину. Зачем? Ясное дело: вывезут в безлюдное место и грохнут. Лучше уж «подергаться» здесь. Вряд ли они станут стрелять среди бела дня на глазах десятков прохожих... Кто они? Впрочем, сейчас это неважно. Первым срубить этого, в кепке, потом с разворота — второго, прыгнуть за угол дома и зигзагами к метро. Тело привычно напряглось, секунды стали растягиваться...

Дверь «Волги» распахнулась.

— Здорово, Волк! — Серж смотрел на него в упор и криво улыбался.

Вольф расслабился.

— Здорово, Серж! — ответная улыбка получилась искренней и спокойной. — Что это за карусель? Я уж чуть было не начал воевать!

— Это на тебя похоже, — буркнул Серж. Он явно ожидал другой реакции. — Садись, прокатимся.

— С удовольствием, братишка. Только без этих быков. Они мне не нравятся.

Серж замешкался, но только на мгновение.

— Ладно, давай без них. Хотя это мои друзья, отличные ребята. Они поедут следом.

Вольф сел на заднее сиденье, водитель сразу набрал скорость. Мрачные парни прыгнули в зеленую «шестерку» и повисли на хвосте. Машины свернули на узкую улочку и через несколько минут остановились на пустыре возле строящегося дома. По знаку Сержа водитель вышел, оставив их наедине.

— Что же это, братишка, — холодно начал Серж, развернувшись на переднем сиденье. — Я тебе доверил камушки, а ты меня кинул? Очень удивительно — на тебя это не похоже! Хотя на больших суммах люди часто ломаются.

«Этот тоже в нас целится, — сказал пират. — Они что, совсем оборзели?»

Подключичными глазами Вольф уже и сам увидел сквозь мягкую спинку кресла оружие в руках Сержа.

— Я не думал тебя кидать, — по-прежнему спокойно ответил Волк, снимая перчатки. — И убери свою пушку.

— Не думал, говоришь? — Серж не пошевелился. — А где камни? Куда ты пропал? Почему квартиру поменял? Или все это случайно? Знаешь, как такие случайности называются? Фуфло!

Волк ощерился и положил руки на спинку сиденья, прямо перед лицом Сержа. Тот застыл, уставившись на синие перстни.

— Фуфло, значит? — «блатным» голосом с развязной угрожающей интонацией проговорил Вольф, расстегивая свою телогрейку. — Пока вы, бультерьеры, по гадиловкам в рыжих ошейниках лукаетесь, где-нибудь в Коми люди баланы катают и рады, если выйдет гуляшом приколоться... Ты хоть рубишь, что такое гуляш? Э-эх... Тебя бы сейчас в лагерную тройку вбить, тогда бы и базарил про фуфло... Ну что ты чичи напузырил?[1]

Расстегнувшись до пояса, Вольф рывком обнажил грудь. Огромные синие глаза впились безжалостным взглядом в изумленное лицо Сержа. Непристойная женщина на кресте строила ему рожи и показывала язык, трехкупольный храм подавлял своим величием, звезды вокруг сосков излучали уверенность и силу.

Серж потерял дар речи.

— Ты кто?! — Он облизал пересохшие губы. — Двойник Волка? Когда тебя сделали?

— Да я это, я! — ответил Волк своим обычным голосом и рассмеялся обычным смехом. — Это я в Рохи Сафед тебя от стариковской присяги освободил! И Чувака я отмудохал!

Серж потряс головой и с силой провел ладонью по лицу.

— Но откуда... у тебя... это все? И татуировки, и говор уркаганский...

— От верблюда! Камушки твои я спрятал, а меня на задание отправили! В крытых парился, в тюрьмах то есть. А под легенду и роспись навели! Вернулся в Москву, а мои бабы квартиру поменяли! Вот пришел обстановку разведать, прикинуть, как камни выручать... А тут — ты со своими дружками.

Дружки неподвижно стояли полукругом чуть в отдалении, внимательно контролируя происходящее в машине. Их было пятеро. Руки все держали в карманах.

---

[1] Бультерьер — бандит, рэкетир. Гадиловка — дешевое кафе, забегаловка. Рыжий ошейник — золотая цепь. Балан — бревно. Гуляш — собачье мясо. Лагерная тройка — ироническое выражение арестантов: «пайка, майка и фуфайка». Чичи напузырить — вытаращить глаза.

— Индийское кино! — Серж покрутил головой. — Если б не твои картинки, ни в жисть не поверил бы! Ну, раз так, другое дело! Поехали в кабак закатимся! Обмоем встречу.

Привычным движением Серж вставил оружие куда-то под пиджак.

— Поедем, чего ж не поехать. Мне только переодеться надо.

— Не надо. Все нормально, — беспечно махнул рукой Серж. — Нас везде в любом виде примут. И еще рады будут.

— Как скажешь, — кивнул Волк. — А вот скажи мне честно и откровенно... Неужели шлепнул бы старого боевого товарища? За пригорошню говенных камней?

В машине наступила тишина. На пустыре тоже диспозиция изменилась. Быки поняли, что кульминация миновала, их позы стали расслабленней, кое-кто даже достал сигареты. Защелкали зажигалки, после первых затяжек внимание быков рассеялось, как струйки табачного дыма... Это не профессионалы, это криминал. Они отвлеклись, и сейчас их можно было легко перемочить. Если бы, конечно, Волк собирался это сделать. Но он не собирался.

— Что молчишь? Шлепнул бы друга? За говенные камни?

— Ну, не такие уж они и говенные, — глядя в сторону, ответил Серж. — И потом, крысятничество — грех тяжкий...

— Я тебя понял, дружище! — Волк широко улыбнулся. — Тем вкуснее будет обед.

* * *

Прилично пообедать в центре столицы практически невозможно[1]. В кафе самообслуживания стоят хвосты очередей, только через час можно добраться до столовского винегрета, невкусных сосисок и шницеля с картошкой. На дверях немногочисленных ресторанов висят таблички «Мест нет». Элитные даже не вывешивают табличек — туда и так никто не идет. Кроме тех, кому положено.

«Прага» относилась к суперэлитным. У входа стояли сияющие «Волги» из специальных гаражей, диковинные «Мерседесы» и «Вольво» с посольскими номерами, даже «Чайка»

---

[1] Во второй половине восьмидесятых годов так и было.

с антеннами спецсвязи. За отсвечивающим стеклом тяжелой, отделанной бронзой двери белым пятном маячило лицо швейцара. При виде Сержа он приветливо распахнул дверь и расплылся в улыбке.

— Пожалуйте, Николай Павлович, проходите!

Потом уже без улыбки обратился к Волку:

— А тебе через служебный ход надо!

— Это мой гость, — сказал Серж. — Мы служили вместе.

— А... — швейцар явно растерялся. — Только как Марат Витальевич посмотрит...

— Что?!

— Нет, ничего. Но в общий зал совершенно невозможно... Сами знаете.

Серж сдал вышколенному гардеробщику дорогое пальто-реглан и норковую ушанку. Вольф протянул через отполированный прилавок телогрейку и черную трикотажную шапочку, напоминающую колпак Буратино. У зеркала прихорашивались две симпатичные девушки в неподходящих ко времени вечерних платьях. Они изумленно обернулись, рассматривая могучую фигуру, обтянутую черным рабочим комбинезоном. Можно было смело держать пари, что таких посетителей здесь отродясь не бывало.

— Это иностранки? — спросил Вольф, разглядывая голые плечи девушек и блестки на веках.

— Нет, обыкновенные проститутки, — не понижая голоса, ответил Серж.

Они стали подниматься по чистым мраморным ступеням с заправленным под блестящие медные прутья красным ковром. На площадке второго этажа их встретил человек в смокинге, накрахмаленной сорочке и галстуке-бабочке. Уверенные манеры, холеное лицо, перстень-печатка на пухлом пальце — все это казалось нарочитым, скрывающим совсем другую суть. Вольф понял, что это и есть Марат Витальевич. И он уже был в курсе возникшей проблемы.

— Э-э, здравствуйте, Николай Павлович, — вальяжно поздоровался человек. — Мест очень мало, но я приготовил вам кабинет на двоих...

— Спасибо, старина, мы с товарищем хотим в чешский зал. Чего нам по углам забиваться?

— Но вы же знаете, что к нам разрешен вход только в костюмах и галстуках... А ваш товарищ, мягко говоря, одет не по этикету...

— Слушай, Марат, — Серж взял его за пуговицу. — Ты с парашютом прыгал?

— Я? Нет, — администратор попятился, но Серж не отпустил пуговицу.

— Тогда ты меня поймешь. Я упал Волку на купол, и нам обоим чуть не пришел трандец. Но он не дал полотну сдуться. А меня поймал за фал и держал. Представляешь, что это такое?

Серж гипнотизировал Марата Витальевича взглядом и странно улыбался. Пуговица с треском оторвалась. Администратор побледнел. Пухлая ладошка машинально отряхнула оскверненное место, будто от этого могла вырасти новая пуговица.

— Ну, в порядке исключения... Там есть место, в углу за фикусом...

В просторном, наполовину пустом зале царили тишина и благолепие. Один официант убрал от столика лишний стул, второй записал заказ на блюда и закуски, третий — на спиртное. Серж прекрасно ориентировался в меню и называл официантов по именам.

— Завсегдатай, — утвердительно сказал Вольф.

Товарищ кивнул:

— Надо же где-то тратить бабки.

— А где ты их зарабатываешь?

— Есть много способов. А скоро будет еще больше. Так что с камнями?

Вольф рассказал. Он проголодался и с удовольствием ел диковинную закуску: что-то типа слоеного пирога, в котором чередовалась нежная ветчина и ароматный сыр. Серж ковырялся в сложном салате и внимательно слушал.

— Сегодня я выяснил, что ремонт еще не начат, а утром в квартире чаще всего никого нет.

— Понятно, — Серж опрокинул рюмку коньяка. Подлетевший официант наполнил ее снова. — После обеда и поедем.

— Куда?

— За камушками.

— Это как?!

— Да очень просто. Ребята зайдут, всех повяжут, а ты вынешь свою захоронку.

— Это же разбой! Лучше завтра с утра, когда дома никого...

Вольф положил вилку. У него пропал аппетит. Серж наоборот — жадно набросился на свой салат.

— Какая разница, как это называется. Там камней на миллион долларов! Их нельзя оставлять ни на один лишний час! И так...

Серж отодвинул пустую тарелку, и она была мгновенно убрана.

— В общем, если окажется, что они пропали... Я даже не знаю... Возникнет серьезная проблема...

Он смотрел на Вольфа ничего не выражающим взглядом, от которого по коже пробежали мурашки. Картинки зачесались.

«Его валить надо при первой возможности, — опасливо прошептал кот. — Иначе он тебя замочит».

«Перо под кадык, и все дела! — согласился пират. — Хотите, я сделаю?»

— На разбой я не пойду, — твердо сказал Вольф.

— Как хочешь, — легко согласился Серж. — Ребята сами справятся. Только расскажешь им, где тайник.

— Нет. Разбоя не будет.

— Хорошо, — кивнул Серж. — У тебя ксива ментовская есть? Придем под видом обыска.

— Это уже лучше. А понятые?

— Ребята и будут понятые.

— Тогда мне точно надо переодеться.

— Переоденешься.

Оставшаяся часть обеда прошла в молчании.

* * *

Два быка затаились на лестничной площадке. Кроме песка и цемента у знакомой двери стояло ведро со сбитой плиткой. Из квартиры доносился характерный стук.

— Твою мать! — выругался Волк. — Ты как в воду глядел!

Он с силой вдавил кнопку звонка. На этот раз дверь открыли сразу. Аккуратная женщина лет тридцати тревожно осмотрела солидных, чем-то похожих друг на друга мужчин в расстегнутых пальто, строгих костюмах и галстуках.

— Что-нибудь случилось?

Вольф отработанным жестом извлек удостоверение, четко открыл его и поднес к лицу женщины.

— У нас к вам важное дело, — произнес он, так же четко сложил красную книжечку и спрятал в карман. За несколько секунд испуганный человек способен рассмотреть только верхнюю строчку: «Комитет государственной безопасности СССР». Да еще фотографию владельца в форме. Ни фамилия, ни звание, ни должность при беглом показе не запоминаются.

— Можно войти? — спросил Вольф. — Желательно, чтобы нас никто не слышал.

— Да-да, конечно, — женщина посторонилась. — Но мужа нет дома, он в командировке.

Стук доносился из санузла. Лязг металла сливался с хрустом плитки. Вольфа подмывало броситься туда, но он должен был доиграть роль, с которой Серж не справится. Не раздеваясь, официальные посетители прошли в комнату, без приглашения сели на диван. Вольф выдвинул из-под стола стул.

— Садитесь, Валентина Ивановна!

Такая осведомленность достигается очень легко, а производит сильное впечатление.

— В соседнем доме кто-то нарисовал свастику в подъезде. На каждом этаже, — сказал Вольф. — И учинил антисоветские надписи... Такой же краской, какой были написаны ругательства в вашем подъезде. А их, по нашим сведениям, сделал ваш сын...

Он машинально чеканил казенные обороты, а сам сидел как на иголках, напряженно вслушиваясь в удары молотка.

На лице хозяйки отразился ужас.

— Нет-нет, это не он! Может, друзья... К нему ходят несколько мальчишек...

Стук в ванной прекратился. Волк напрягся. Вдруг сейчас раздастся удивленный вскрик! Иголки впились глубоко в тело. Он вскочил.

— Извините. Расскажите моему напарнику про всех этих мальчишек... Очень подробно.

Вольф быстро прошел в санузел. Здесь клубилась въедливая белая пыль. Невзрачный мужичок с трехдневной щетиной собирал сбитую плитку в ведро. Ему было наплевать на то, что происходит в квартире. Да и вообще на все.

— Выйди, мне надо отлить! — приказал Вольф. Мужичок высморкался в ведро и понес его на площадку. Вольф заперся и осмотрелся. Со стены над раковиной плитка была сбита полностью, облицовка ванны — наполовину. Кусочки между ванной и стеной пока оставались на месте.

Вольф поднял большую тупую отвертку, приставил к нужному месту и ударил молотком. Плитка отлетела в сторону. Он сунул в щель руку. Пусто! Черт!

Он отбил еще одну плитку, потом еще... Наконец пальцы нащупали коробочку из-под фотопленки. Вольф потряс ее. Внутри сухо перекатывались алмазы.

— Слава богу! — Он перевел дух и вновь залез в тайник. Завернутый в промасленную тряпицу крохотный пистолетик тоже оказался на месте. Золотые монограммы на костяной рукоятке придавали «браунингу» дорогой и нездешний вид.

Вольф протер его платком и хотел спрятать в задний карман брюк, но внезапно замешкался. А вдруг Серж захочет его убрать? Вольф повертел оружие в руках, дослал патрон в ствол и сунул пистолет в карман пальто. Потом вытер жирные руки, тщательно вымыл их горячей водой, помочился и вымыл еще раз.

Он вышел из туалета. Безразлично ожидавший под дверью плиточник вернулся к прерванной работе.

— Четвертого я не знаю, он такой рыжий, — продолжала монотонный рассказ вконец деморализованная хозяйка. — Но они не могли такого сделать...

— Хорошо, Валентина Ивановна, мы склонны вам верить, — перебил ее Вольф. — Если понадобится, мы вас вызовем.

— Вызовете?!

— Или сами зайдем, — поправился Вольф. — Но о нашем разговоре никому ни слова. Сами понимаете, это государственная тайна!

В лифте Вольф передал коробочку товарищу. Тот вытряхнул алмазы на ладонь.

— Похоже, все на месте, — удовлетворенно пробормотал он. — Возьми свою долю.

Серж протянул сложенные щепоткой пальцы Вольфу.

— Зачем? Откуда у меня здесь доля?

— Держи, держи! В конце концов мы оба рисковали жизнью в Борсхане. И в «Арагви» ты мне помог, и потом... К тому же сохранил все в целости...

Вольф подставил левую ладонь. Правая еще сжимала крохотную рукоятку «браунинга». Два крупных драгоценных камня перешли из одной грубой руки в другую.

— Никогда не держал такого в руках...

— Их надо огранить, тогда цена возрастет в десятки раз, — сказал Серж. — Тебе сейчас куда? Где ты живешь?

— Считай, нигде. С Лаурой развелся, пока ночую у тещи. На днях перееду в наше общежитие.

— Зачем? У меня есть пустая квартира в Кузьминках. Не бог весть что, но зато будешь чувствовать себя хозяином. И совершенно бесплатно. Поехали, я тебя отвезу. Ведь все прошло хорошо. Надо отметить удачу!

У Вольфа захолодело под ложечкой, по коже пробежали мурашки.

«Не езди, — закричал кот. — Заманивает, сукой буду!»

«Или перо приготовь на всякий случай», — посоветовал пират.

«Лучше дай ему по башке и делай ноги!» — вмешался черт.

— Поедем, братишка, отметим, — спокойным тоном ответил Вольф. — Ребята с нами?

— Зачем? Я дал команду — через пять минут после нас спуститься и уезжать. На сегодня дела закончены. Остался отдых. Можем баб взять.

Вольф перевел дух:

— Обойдемся. Устал.

— Ну, как знаешь...

Через час они пили водку в панельной хрущевке рабочего района Москвы. Уже без хрустальной посуды и изысканной закуски. Обычные стеклянные рюмки, купленная в гастрономе колбаса, зеленые кислые яблоки. И разговоры ни о чем. Общие темы без привязки к конкретным датам, местам, событиям. Так разговаривают шпионы. Или опытные преступники.

— Хорошо, что ты не скурвился, — сказал Серж, когда содержимое бутылки подходило к концу. — Настоящих людей мало, очень мало. Почти нет. А нас с тобой многое связывает.

— Кстати, ты не знаешь, как живет Софья Васильевна? — преодолевая себя, спросил Вольф, и сердце его забилось чаще.

— Какая Софья Васильевна?

— Ну, учительница. Чучканова!

— А-а-а...

Серж равнодушно пожал плечами:

— Не знаю.

Вольф напряг все органы чувств, но не уловил признаков маскировки или притворства.

— А ты наконец научился пить, — Серж усмехнулся. — Я помню, был трезвенником. Чего руку в кармане держишь?

— Ударил по пальцам, когда вскрывал тайник.

— Слышал, как ты там стучал. Нервно так, как дятел. Тук-тук-тук!

— А хозяйка что?

— Ничего. Ей не до того было. Плела всякую чушь, как загипнотизированная. Все прошло гладко, молодец. Будем вместе работать?

— Нет.

— Нет?! — вскинулся Серж. В глазах мелькнул огонек угрозы, но тут же погас. На смену пришло удивление: — Почему нет?

— Потому.

— Ладно. Допиваем, и я пошел.

Прощаясь, Вольф протянул левую руку. Только когда дверь захлопнулась, потная ладонь выпустила рукоять «браунинга». Он перевел дух.

«Что, на этот раз обошлось? — спросил кот. — Вот житуха: ни к кому спиной не повернись! Ладно в крытой или на зоне, а когда и на воле так... Кисло! Выходит, что там, что здесь — без разницы...»

— Много ты понимаешь, — огрызнулся Вольф, вытирая платком вспотевшие ладони. — Откуда ты знаешь про волю-то?

«А что тут знать? Все просто, как махорка. Не так, братва?»

«В самый цвет, — отозвался пират. — Сунул бы этот фраер в хозяина пику — и всем нам каюк».

«Точняк! — грубым голосом подтвердил черт. — Ты бы меньше вязался в рисковые подвязки».

«Тем более задарма», — снова встрял пират.

— У меня работа такая — рисковать, — объяснил Вольф и затряс головой. Это же надо: напился до того, что разговаривает с картинками! Или сам с собой?

«Чего-то я не пойму твоей работы, — с сомнением сказал черт. — Ты вообще-то кто, по жизни? Роспись у тебя богатая, а дел фартовых нету... За что парился на пересылках и в мордовской зоне? Почему скоро выскочил? Сплошные непонятки...»

«И вообще ни одного дела не сделал, — вмешался пират. — Что за деловой без делов?»

«Хозяину видней! — тоненько рявкнул кот. — Только шкуру задарма не подставляй! На фиг такая работа? С работы жив не будешь!»

— А с чего будешь? — спросил Вольф. Он опустился на диван и перестал ориентироваться — сон это или явь. Просто расслабленно плыл по течению.

«Как «с чего»? Если не дышать, не есть, не пить, то сразу окочуришься! С воздуха, хавки и живут... Но ведь все норовят не просто жить, а кайфовать! Хорошую жрачку хавать, на пляже загорать, в море плавать, красивых баб трахать, коньяк пить или марафет нюхать... Для собственного удовольствия, вот для чего!»

Картинки возбужденно загалдели, под тонкий многоголосый гомон Вольф незаметно уснул.

* * *

Приземистый длинный «Додж» мягко стелился по бетонной дороге. Двадцать миль от Вашингтона он преодолел за четверть часа и, ловко вписавшись в поворот, въехал в престижный коттеджный поселок, в котором селились крупные чиновники, известные политики и воротилы делового мира.

— Мы уже подъезжаем, — сказал сидящий за рулем человек — мужчина лет сорока пяти, одетый в легкие спортивные брюки, светлую рубаху и теннисные туфли.

Это был коренной американец с настоящим паспортом, карточкой социального страхования, постоянным жильем и работой. Агент советской разведки из местных жителей. Задание он получил от резидента, руководителя агентурной сети, тоже постоянного жителя США. От кого тот получил большой пухлый конверт из плотной глянцевой бумаги, агент не знал и знать не хотел.

— А вы меня не надуете насчет ста долларов? — спросил обтрепанный молодой парень, сидящий на правом сиденье. Он не знал вообще ничего. Случайный человек, нанятый для разовой, хорошо оплачиваемой работы.

— Держи, вот половина. Выходишь из машины, идешь по улице, в первый почтовый ящик кладешь этот конверт, остальные в три следующих. Я тебя жду в конце улицы и отдаю вторую половину. Ясно?

— Да ясно, ясно...

— Вот этот дом, видишь? — агент притормозил и указал на двухэтажный особняк, окруженный аккуратно подстриженным зеленым газоном. — Держи конверты. Первый вот, он верхний. Не перепутай. Пошел.

Сквозь затемненное стекло водитель «Доджа» наблюдал, как обтрепанный молодой парень положил конверт в нужный почтовый ящик, потом двинулся дальше и через сотню метров сунул второй конверт в ящик соседям. Там были обычные рекламные материалы. Потом он пошел дальше и опустил в ящики еще два конверта.

«Додж», объехав квартал, ждал его в конце улицы.

— Держи еще пятьдесят, — водитель протянул деньги. — Поедем, я довезу тебя до подземки.

Агент проконтролировал, как парень, смешавшись с пассажирами, скрылся под землей, потом подъехал к телефону-автомату и набрал нужный номер.

— Письмо отправлено, — сказал он и повесил трубку.

После чего зашел в ресторанчик и с аппетитом съел стейк с жареной картошкой. Тайная работа приносила неплохой доход, будоражила нервы и не была связана с большим риском.

* * *

Майкл Сокольски верил в приметы. Ночью ему неожиданно приснился Фогель. Он гонялся за ним по ночной Москве, потом все-таки догнал и принялся душить.

Днем позвонил неизвестный.

— Привет от Фогеля, Майкл, — задушевно сказал он. — В почтовом ящике конверт с интересными материалами. Там все твое прошлое, поганец.

— Кто говорит? — нервно спросил Сокольски и тут же осознал неуместность вопроса.

— Неважно. Важно другое. Если ты еще раз откроешь рот про московский период, такие же конверты получат другие люди. Те, чьи деньги ты украл. А для верности несколько копий пойдут в газеты. Ну да ты сам все поймешь. Беги за конвертом.

Он действительно побежал к почтовому ящику, дрожащими руками вскрыл конверт, быстро просмотрел содержимое и тут же сжег все бумаги и фотографии. Потом по-русски выпил: два стакана виски без закуски. Потом сел за телефон.

— Роберт! Я не могу закончить свою книгу. Я ее сжег. Да. Да. Я все понимаю. Но сделать ничего не могу. Не обижайтесь.

Дилон кричал, как разъяренный бык, но он уже положил трубку и набрал следующий номер.

— Грегори, это я, Майкл Сокольски. Я не буду выступать на пресс-конференции. И вообще, я должен отказаться от наших планов. Это неважно. Важно, что это так. Да, и передайте Генри: я съезжаю с московской темы. Отказываюсь от нее. С этим покончено.

Потом он отключил телефон и три дня пил по-русски, не просыхая.

Больше фамилия Сокольски не появлялась в политических информациях. Да и вообще нигде не появлялась.

Глава 3
НАГРАЖДЕНИЕ

Вольф вышел из метро у гостиницы «Москва» в пятнадцать сорок пять. Воздух пах весной, на деревьях набухли почки, обрели бодрость и весело чирикали воробьи.

Неделю назад он вернулся из санатория в Крыму. Там было солнечно, в подогреваемом бассейне с морской водой разрешалось купаться с утра до вечера. Что он и делал. Правда, отдыхающие дикими глазами смотрели на его татуировки. И он чувствовал барьер отчуждения везде: и в столовой, и в клубе, и на танцплощадке. По возвращении Петрунов сообщил новости: враг, против которого проводилась операция «Старый друг», нейтрализован. Встреча на высшем уровне прошла успешно, Грибачев очень доволен. Вольф удостоен государственной награды, а поскольку неоднократно награжденный орденоносец должен выглядеть солидно, ему присвоено звание лейтенанта.

Лауре стало лучше, ее уже выписали из клиники, и она успешно возвращалась к обычной жизни. Александра Сергеевна по своей инициативе регулярно приезжала к нему в Кузьминки. Вольф уже привык к новым отношениям, привык к ее телу и раскованным манерам, сам себе он признался, что с тещей ему хорошо в постели. Моральная сторона дела отошла на второй план: они с Лаурой подали на развод.

Как всегда, в центре было много народа. Святой для каждого советского человека треугольник: ЦУМ — ГУМ — Красная площадь, кишел радостными, возбужденными, огорченными и безразличными людьми. Пористые серые сугробы таяли, по тротуарам текла вода, брызгая грязными каплями, хрустели под подошвами кусочки льда. Опасаясь запачкать наполированные до блеска форменные ботинки, он смотрел под ноги, прыгая через лужи и удивляясь обилию протаявших из-под снега сигаретных пачек, спичечных коробков, окурков и прочего мусора.

Награждение было назначено на семнадцать часов, однако прийти следовало заранее. Ровно в шестнадцать Вольф в новенькой лейтенантской форме подошел к Боровицким воротам, где переминались с ноги на ногу несколько торжественно-отутюженных военных и штатских. К своему удивлению, он волновался больше, чем перед атакой дворца в Борсхане. Даже больше, чем на правилке в «Индии» Владимирской тюрьмы.

Попасть на самую охраняемую территорию страны оказалось проще, чем предполагал Вольф. Очередь продвинулась быстро. Сидящий за стеклом человек в форме капитана милиции окинул его цепким взглядом, безошибочно выбрал нужный листок, заглянул в удостоверение, сверился со списком и любезно кивнул:

— Проходите, Владимир Григорьевич.

Вольф нажал на турникет, вертушка провернулась, раздался зуммер, перемигнулись слева зеленые лампочки, и два настороженных офицера в форме с васильковыми петлицами сразу утратили к нему интерес, переключившись на следующего посетителя — седого майора авиации.

За воротами гостей встречали два неприметных молодых человека в униформе гражданских аппаратчиков среднего уровня — стандартных костюмах, галстуках и белых сорочках. Один держал плакат с надписью: «Лауреаты», другой — такой же плакат с надписью «Награжденные». Вольф подошел ко второму, представился, тот нашел фамилию в своем списке и поставил галочку.

— Меня зовут Сергей Иванович, — сказал молодой человек. — Подождите немного, только не курите и не держите руки в карманах. Сейчас пойдем на инструктаж к товарищу Павловскому.

Вольф понятия не имел, кто такой Павловский, но кивнул и стал ждать. Награждаемых было около двух десятков, в основном военные: трое рядовых и офицеры — от капитана до майора. Солдаты чувствовали себя явно неуютно и жались в сторонке, не зная, куда девать руки. Офицеры стояли вроде отдельной группой, но не очень тесной: каждый сам по себе. Белые перчатки — принадлежность парадной формы все держали в руках или карманах, чтобы не измять раньше времени. Только Вольф надел их как положено. Большинство общевойсковиков, один летчик, несколько моряков.

Впрочем, знаки различия здесь мало что значили: на

форме самого Вольфа были нашиты десантные петлицы. Когда будут зачитывать Указ о награждении, может возникнуть накладка: лейтенант госбезопасности с петлицами ВДВ! Явная расшифровка!

Когда Вольф поделился своими сомнениями с Петруновым, тот только усмехнулся:

— Не забивай голову глупостями, на таком уровне накладок не бывает! Там все продумано!

Что ж, посмотрим...

Штатские держались особняком. Один, высокий и грузный, показался Вольфу знакомым. Напрягшись, он вспомнил: конструктор шестиствольного штурмового пулемета «дождь», когда-то он приезжал в рохи-сафедскую бригаду на испытания своего чудовища. Трунов или Трынин... Остальные, наверное, тоже разработчики оружия.

Молодой человек с плакатом «Лауреаты» уже повел свою группу к Кремлевскому дворцу. Пятеро осанистых мужчин в одинаково дефицитных дубленках и ондатровых шапках[1] чинно шли гуськом, как первоклассники.

— Нам тоже пора, — Сергей Иванович озабоченно посмотрел на часы. — Один не явился, удивительная безответственность! Что ж, тем хуже для него. Пойдемте!

Стерильно-чистые сухие аллеи, аккуратно подстриженный, готовый зазеленеть кустарник, тщательно убранные газоны... Здесь не бывает грязного снега и брошенных окурков, суеты и давки, очередей и скандалов. Малолюдно, тихо, спокойно и комфортно. Это другой мир, и населяют его другие люди. Вольф остро ощущал свою чужеродность и чувствовал, что попал сюда случайно.

Когда раздевались в огромном вестибюле с высоченным лепным потолком и огромными зеркалами, ощущение собственной ничтожности усилилось. Судя по всему, такие же чувства испытывали и все остальные. Было ясно: совершен-

---

[1] В описываемый период качественные товары — продукты, напитки, одежда, обувь и т.д. — в свободной продаже отсутствовали, их надо было «доставать» путем переплаты и всевозможных ухищрений. Для руководителей, начиная с определенного уровня, существовали закрытые «распределители», где дефицит можно было приобрести свободно и относительно недорого.

ный каждым подвиг послужил только разовым пропуском в мир высшей власти. Ни завтра, ни послезавтра — никогда! — никто из них не сможет зайти сюда по каким-то делам или просто для того, чтобы посмотреть на эту великолепную позолоченную лепнину.

Гардеробщицы не соблюдали субординацию: одна обошла майора и взяла шинель у съежившегося от невольно допущенной дерзости рядового. Сделано это было буднично и без какого-либо злого умысла: просто для персонала, допущенного к обслуживанию небожителей, все «чужаки» сливались в однородную массу.

Вольф подошел к зеркалу поправить форму. Хотя среди офицеров он был самым младшим по званию, два ордена Красной Звезды на груди сразу привлекли повышенное внимание окружающих. У большинства наград не было, у некоторых позвякивали юбилейные медали. Только на черном кителе лысеющего капитан-лейтенанта подводного флота, который причесывался рядом, блестел такой же орден. Вольф заметил, что на расческе подводника осталась целая прядь волос. Не только он обратил на это внимание. Тут же рядом оказался Сергей Иванович, что-то тихо спросил.

— Лучевка, — ответил капитан-лейтенант. — Вроде вылечили, а волосы лезут.

Сопровождающий отступил на шаг.

— Пройдите, пожалуйста, вон в ту дверь.

— Да не бойтесь, это ведь не заразно! Иначе разве б меня сюда пустили?!

— Товарищ военный, прошу пройти в ту дверь, — повторил молодой человек. И неожиданно обратился ко второму подводнику-старлею:

— И вы тоже! Проходите туда, такой порядок.

Откуда-то появился, будто выдвинулся из колонны, широкоплечий человек с внимательным взглядом.

— Прошу, товарищи, я вас провожу!

Подводники переглянулись. Они явно растерялись и не знали, что делать.

Вольфу захотелось дать в рожу и Сергею Ивановичу, и широкоплечему. Он напрягся.

«Ты это кончай! — сказал кот. — Костей не соберешь. Сгниешь в БУРе»[1].

Кот был прав, как никогда.

Подводники ушли с охранником, а остальных Сергей Иванович по широкому, с ковровой дорожкой коридору проводил в небольшой конференц-зал. Половину занимали ряды кресел, в первой половине стоял полированный стол в виде буквы «О». Через несколько минут в боковой, отделанной деревянными панелями стене открылась дверь, в нее вошли пятеро. Аккуратный человек в строгом черном костюме, белой сорочке и с черным галстуком уверенно занял место председателя. Почтительно державшиеся сзади чиновники сели по сторонам.

— Вставайте с места и начинайте выходить сразу, как назовут вашу фамилию. Не надо ждать, пока прозвучат имя-отчество и наименование награды. Пока вы дойдете, все это успеют сказать, — негромко говорил старший чиновник, внимательно оглядывая аудиторию.

Очевидно, это и был товарищ Павловский. Судя по почтительности свиты, он пользовался большим влиянием и занимал значительную должность. Но в отличие от большинства других начальников не обзавелся красной ряшкой и пивным животом: очевидно, в этом мире существовали иные стандарты внешности руководителя...

— Докладывать коротко и четко, военные называют звание и фамилию, гражданские — фамилию, имя и отчество. «Лейтенант Иванов», или «Иванов Иван Иванович». Больше ничего не говорить. Останавливаться за полтора метра до Генерального секретаря, на ковре есть тонкая линия. Ближе не подходить.

В зале царила тишина. Каждый слушал очень внимательно и боялся что-нибудь перепутать. Пожилой штатский с седой бородкой и в очках стал даже лихорадочно черкать в блокноте.

— На Генерального секретаря не дышать, ни с какими вопросами к нему не обращаться. Улыбайтесь. После вруче-

---

[1] БУР *(устар.)* — барак усиленного режима. В настоящее время ПКТ — помещение камерного типа: «тюрьма в тюрьме» для злостных нарушителей режима.

ния награды военные говорят: «Служу Советскому Союзу!» Гражданские говорят: «Спасибо, товарищ Генеральный секретарь!» Рукопожатие контролировать: не затягивать, сильно не давить. Сейчас все вымоют и продезинфицируют руки. Если руки потеют, выходя на сцену, вытрите ладонь платком. У кого парадные перчатки — не снимайте: гигиена важнее этикета. Но руки вымойте все равно.

Чиновник доброжелательно улыбнулся:

— У фуршетного стола не толпиться, друг друга не отталкивать. Надеюсь, вы не голодны. Помните, это не торжественный обед, а просто способ неформального общения. Можете съесть несколько бутербродов. Спиртным не увлекайтесь. Продолжительность неофициальной части полтора-два часа. Особо задерживаться не стоит. Вопросы есть?

— Есть, — седобородый очкарик, который черкал в блокноте, встал. Лицо его выражало преданность и послушание. — Может быть, лучше вообще не употреблять спиртного? Ведь партия борется с пьянством!

Павловский переглянулся со свитой и развел руками:

— Уверяю, что принуждать вас никто не будет. Еще вопросы?

Вольфу хотелось спросить, куда увели подводников.

«Боже упаси! — остерег кот. — Сиди и рта не открывай!»

Больше вопросов не оказалось.

Павловский поднял над столом большое шило с расплющенным острием.

— Сейчас вам раздадут такие инструменты, проделайте дырочки в кителях и пиджаках. Потом прошу пройти в туалетную комнату, привести в порядок обувь, вымыть и протереть спиртом руки. После этого вас отведут в зал награждений, — закончил инструктаж Павловский.

Через двадцать минут награжденные, вытянув перед собой пахнущие спиртом руки, вышли из туалета. Народу в вестибюле заметно прибавилось. Значительного вида мужчины и ухоженные женщины сдавали в гардероб шубы и дубленки, поправляли прически перед большими зеркалами. Витал аромат духов. Все как в театре. Только тише: ни смеха, отдающегося под высокими сводами, ни улыбок, ни свободной раскованности. Торжественно-приподнятую атмосферу сковывали строгие правила, хорошо известные приглашенным. Да у распахнутых дверей в главный зал дворца не было билетеров.

Сергей Иванович стоял, как часовой, вглядываясь в каждого и сверяясь со своим списком.

— Проходите, товарищи, проходите в зал, занимайте первый ряд справа от прохода. Именно правый, левая сторона для награжденных генералов.

Когда Вольф, разглаживая перчатки, поравнялся с чиновником, тот взял его под локоть.

— А вам, Владимир Григорьевич, надо пройти в другое место. Попрошу в эту дверь.

— Но у меня не вылазят волосы! И нет лучевой болезни! И вообще я здоров! — Он резко вырвал руку. — Или вы насчет татуировок? Уже донесли?

— Успокойтесь, — удивленно поднял брови Сергей Иванович. — При чем здесь ваши волосы, какие татуировки? Вы проходите по секретному Указу, поэтому награждаетесь отдельно. Так положено. Потом вы можете присоединиться к остальным, фуршет будет общим. Пожалуйста, в этот коридор.

— А куда делись... подводники?

— Какие подводники? А-а-а... Их наградят отдельно и очень торжественно. Но вручать им награды будет не товарищ Грибачев. С учетом вероятности риска... Они тоже придут на общий фуршет. Это ваши знакомые?

— Нет.

— Странно, — пробурчал Сергей Иванович. — Тогда какая вам разница?

Они снова шли вдоль ряда дверей по длинному пустынному коридору, и мягкая дорожка пружинила под подошвами. Наконец коридор расширился. В круглой рекреации стояли кожаные диваны и журнальный столик, высокую двустворчатую дверь заслонял собой человек в черном костюме с наушником в ухе. В его позе явно чувствовалась военная выправка. Сопровождающий остановился.

— Вот мы и пришли. Не забывайте инструктаж!

— Это Волков? — спросил человек, заглянув в блокнот.

— Да, — кивнул Сергей Иванович. — А мой опоздавший не появлялся?

— Появлялся, — на каменном лице проступило подобие улыбки. — С генералом приехал.

Человек в черном костюме посторонился, открывая дорогу.

Небольшой, ярко освещенный зал был почти пуст. Внушительные фигуры охранников по углам казались монументальными скульптурами. Никакой сцены тут не было — в торце стояла трибуна, длинный полированный стол, за ним угадывалась неплотно прикрытая потайная дверь. На первом ряду кресел сидели несколько генералов и старших офицеров. «До десяти», — конкретизировал Вольф. В специальной разведке так обозначали количество подлежащих уничтожению целей. Но сейчас этот термин не годился. «Четыре генерала, четыре полковника, один лейтенант», — поправился он.

На вошедшего лейтенанта никто не обратил внимания, даже головы не повернули. Он сел с краешку и устремил взгляд на замаскированную дверь. Именно оттуда должен появиться Грибачев и именно туда напряженно смотрели все остальные. Но ничего не происходило. Пять минут, десять, пятнадцать... Вольф понял, что Генеральный секретарь начал с награждения по открытому списку.

Никто не шевелился и не разговаривал. Генералы и полковники, положив руки на колени, сидели, как прилежные первоклассники. Прошло полчаса, наконец потайная дверь открылась. Начальник охраны генерал Никитский, как и положено, вошел первым, затем появился Грибачев, за ним председатель КГБ Рябинченко и министр обороны Вахрушин. Замыкали процессию начальник штаба Рыбаков, начальник Главного разведывательного управления Латынин и еще несколько генералов.

Награждаемые вскочили и замерли по стойке «смирно». Что-то сразу изменилось. Присутствие облеченных высшей властью людей, которых большинство присутствующих видели только по телевизору да на газетных фотографиях, делало происходящее нереальным, как сон. Мгновенно возникла торжественная и строгая атмосфера, казалось, даже лампочки стали светить ярче. Зал уже не производил впечатления пустого, возможно, оттого, что внимание присутствующих сосредоточилось на блеске маршальских и генеральских звезд.

Появилась остальная свита: заведующий протоколом, начальник наградного отдела, секретари, референты. Вошедшие привычно заняли места по протокольному расписанию, Генеральный секретарь оказался в центре, Рябинченко и Вахрушев по сторонам от него, остальной генералитет выстроился чуть сзади. Секретари и референты приступили к работе: один разложил на столе списки, другой, сверяясь с ними, сортировал маленькие квадратные коробочки, третий раскрывал коробочки и доставал ордена, четвертый дублировал проверку по списку. Грибачев улыбался.

— Ну здравствуйте, здравствуйте, герои! Да-да, вы действительно герои, не надо бояться этого слова! Потому что честно исполнили свой долг и правильно выполняли задание партии. Вы заслужили свои награды в полной мере. Да вы садитесь, товарищи, садитесь... Приступим к награждению.

Вольф встречался с Грибачевым дважды: когда отличился на учениях в Рохи Сафед и когда получал последнее задание. С тех пор Генсек внешне почти не изменился, только стал вальяжней и уверенней.

— Генерал-лейтенант Аничкин... — торжественно начал начальник протокола.

Генерал, очевидно, тоже проходил инструктаж, только в другом месте. Он встал и строевым шагом направился к трибуне.

— Василий Федорович...

Здесь не было сцены, и Василий Федорович Аничкин оказался на месте раньше, чем начальник протокола закончил читать. Он стоял напротив Грибачева, и, глядя на напряженную генеральскую спину, Вольф сквозь дорогое сукно вдруг увидел, что между лопатками у него течет пот.

— За разработку перспективных видов ракетной техники награждается орденом «Знак Почета»!

Возникший сбоку референт мгновенно подал орден Генсеку, а тот привычно закрепил его на мундир.

— Поздравляю с наградой! — сказал Грибачев. Свита зааплодировала.

— Служу Советскому Союзу! — рявкнул генерал и, нарушая инструктаж, добавил: — Спасибо, Сергей Михайлович!

Вольф мысленно усмехнулся: Аничкин знает, что за такое нарушение его никто не накажет.

— Лейтенант госбезопасности Волков Владимир Григорьевич. За выполнение специального задания, имеющего значение для международного престижа государства...

Никто не вставал и не выходил.

«Тебя зовут, просыпайся!» — возбужденно закричал кот.

Вольф как током ударило: он настроился, что младшего по званию вызовут последним! И это его ждет Грибачев, удивленно взглядываясь в зал, это из-за него завертели головами генералы и полковники, это он опаздывает на награждение!

Вольф вскочил и быстро рванулся вперед.

— ...Награждается орденом Красного Знамени!

Он успел вовремя.

— Лейтенант Волков для награждения прибыл! — отчеканил он, тоже нарушив инструкцию.

Но Грибачев не обращал внимания на мелочи: он широко улыбался, и сейчас улыбка казалась совершенно искренней.

— Здравствуй, Владимир Григорьевич, здравствуй, боец! А ты ведь сделал большое дело, очень большое! — Генсек взял орден и принялся крепить к мундиру. Выполняя инструкцию, Вольф задержал дыхание и отвернул лицо в сторону.

— Они ведь тебя увольнять хотели, но я сказал: пусть служит. Кожу испортили, не беда: главное — ты дела не испортишь.

Грибачев быстро завинтил гайку, отошел на шаг и полюбовался своей работой.

— Такой молодой, а вся грудь в орденах, — сказал он, обращаясь к сидящим в первом ряду.

Потом по очереди повернулся к Рябинченко и Вахрушеву:

— Это ведь ваш боец! Какой молодец, а?

Министр и председатель оживленно кивали и улыбались лейтенанту, как лучшему другу.

— Пожелаем ему еще многих наград!

Маршал, генералы и полковники зааплодировали. «Нет уж, лучше больше не надо», — подумал Вольф и стал по стойке «смирно».

— Служу Советскому Союзу!

— Я часто привожу тебя в пример, боец, — сказал Грибачев. — Надо бы нам переговорить, хочу узнать мнение масс. Надеюсь, не потерял мои телефоны?

— Никак нет, Сергей Михайлович.

— Тогда звони! — Грибачев энергично потряс его руку.

Рябинченко и Вахрушев обменялись многозначительными взглядами.

Когда обласканный Вольф возвращался на место, изумленные генералы и полковники с первого ряда не сводили с него глаз. И не только из-за сверкающих на груди орденов. Один взгляд был особенно пристальным. Выделив из общей массы лицо, Вольф узнал заместителя начальника по боевой подготовке рохи-сафедской бригады спецназа майора Шарова. Теперь тот был в форме полковника. Шаров едва заметно подмигнул и улыбнулся:

— Полковник Гребенюк...

Награждение шло своим чередом.

— Генерал-лейтенант Раскатов...

Вольф насторожился и всмотрелся в лицо очередного награждаемого. Высокий, крупнотелый, большеголовый, грубые черты лица, неприятный — большой и пухлый рот. Точно. Бывший командир бригады в Рохи Сафед. На груди блестела Золотая Звезда, которую он получил за акцию особой роты в Борсхане. Сейчас Грибачев прикрепил к мундиру Красное Знамя. «За умелое руководство важной боевой операцией». Когда Шарову вручили Красную Звезду «за проведение важной боевой операции», Вольфу стало ясно: кто, как всегда, рисковал жизнью, а кто в очередной раз урвал за чужой риск более высокую награду.

Церемония завершилась, и сопровождающие провели девять офицеров и генералов в фуршетный зал. В огромном помещении были накрыты десятки столов. Самый длинный предназначался для награжденных — здесь собрались все: и из общего, и из секретного списка, и лауреаты.

«Первый стол», — подумал Вольф. «Точняк», — хихикнул кот, соглашаясь. А может, кот это и подумал.

«Первый стол», впрочем, состоял из двух половин: за дальней расставили награжденных, за ближним расположились их начальники: руководители Академии наук, министерств и ведомств. Последними подошли Рябинченко и Вахрушев. Военные и гражданские генералы оживленно общались между собой и иногда обращались к награжденным, но те, под гнетом субординации и чинопочитания, держались скованно. Мордатый генерал Аничкин, который наверняка ведрами пил кровь из подчиненных, на безобидную реплику министра обороны закашлялся, покраснел и промямлил что-то невнятное.

И за «первым», и за остальными столами ничего не ели и не пили, очевидно, ожидая какого-то сигнала. Гости переминались с ноги на ногу, почти все, кроме привилегированных особ, чувствовали себя неловко и напряженно. Остро пахнущая копченая колбаса, аппетитно слезящаяся ветчина, валованы с красной и черной икрой, бурые сморщенные маслины и гладкие зеленые оливки, нежные сыры, нарядные бутылки с водкой, коньяком и шампанским притягивали голодные взгляды, дразнили и заставляли сглатывать слюну.

«Ты хавки с собой набери, когда еще так пожрать придется», — пропищал кот. Вольф не обратил на него внимания.

Сигналом к трапезе стало появление Грибачева. Он поднял узкий бокал с шампанским и произнес тост в честь героев сегодняшнего дня, но сам пить не стал, а только пригубил. Вольфа мучила жажда, и он выпил свой бокал залпом. Потом еще один. Закуски быстро разбирали, без толкотни удалось дотянуться до бутерброда с сыром, который мгновенно проскочил в желудок и только разжег голод.

Со всех сторон раздавался звон ножей и вилок о фарфоровые тарелки, скрип скручиваемых пробок и хлопки шампанского.

Грибачев поднял тосты за родину и партию, пожелал награжденным счастья и новых достижений на благо самой лучшей в мире страны и ушел. Через несколько минут ушел Рябинченко, следом Вахрушев, за ним президент Академии наук и другие руководители — по цепочке, направленной сверху вниз. Как только уходил более важный начальник, менее важный тут же утрачивал к происходящему интерес и тоже «линял», затем наступала очередь следующего...

Может, оттого что с уходом небожителей обстановка стала менее строгой, может, под влиянием выпитого, но постепенно в зале становилось все оживленней. Громче стали разговоры, чаще звучал смех, звонче соприкасались бокалы.

— Давай выпьем, лейтенант, — подошел к Вольфу облученный подводник. У него на кителе сверкал второй орден Красной Звезды.

— Я вижу, тебе тоже за шкуру залилось, за просто так столько наград не дают. Выпьем за то, что живы остались. Да нет, водку!

Официанты подносили закуски и новые бутылки. После нескольких рюмок водки Вольф ощутил приятное расслабление. Как будто лопнули и свалились путы условностей и обязательств, наложенных ограничениями инструкций, да и самой обстановкой Кремлевского дворца. Он прошел через все круги тюремного ада и остался жив, а еще раньше с боем взял дворец диктатора в Борсхане и тоже остался жив, а еще раньше спасся при десантировании, когда Серегин навалился вдруг на его парашют. Есть чему радоваться!

— А чего ты в перчатках? — спросил вдруг подводник. — Обгорел, что ли?

— Вроде того, — кивнул Вольф. — А где ваш товарищ?

— Вон там. Он на меня обиделся, не подходит. А чем я виноват? Это ж не я его увел...

Капитан-лейтенант продолжал что-то говорить, но Вольф уже не слушал. Взяв рюмку с водкой, он прошел ближе к главной части «первого стола» и нашел полковника Шарова. Тот стоял рядом с генералом Раскатовым, который оживленно болтал с другими генералами. Шаров держался индифферентно: в беседу старших не встревал, молча пил водку и с аппетитом закусывал. Казалось, он не обращал никакого внимания на происходящее. Но это только казалось. Когда

Вольф приблизился, Шаров скользнул по нему косым взглядом и, улыбнувшись, повернулся навстречу.

— Товарищ полковник, лейтенант Вольф представляется по случаю награждения орденом! — четко доложил Вольф, вытянувшись в струнку. Строевую стойку портила только рюмка, которую он держал на уровне солнечного сплетения.

— Здорово, Волк! — улыбнулся полковник. — Я вижу, ты не стал заниматься спокойной работой!

Шаров провел пальцем по трем орденам Вольфа. История двух из них была хорошо известна полковнику.

— Как и вы, товарищ полковник!

Вольф в свою очередь тронул награды полковника. Тот же комплект: Красное Знамя и две Красных Звезды. Лейтенант помнил только Знамя: за штурм дворца в Борсхане.

Они обнялись. Ордена стукнулись друг о друга. Свободное поведение Шарова и Вольфа привлекло внимание старших начальников.

— Знакомьтесь, товарищи, этот герой служил у меня в бригаде, — торжественно произнес Раскатов. Генералы смотрели с недоумением: лейтенант не представлял для них никакого интереса. Раскатов, понизив голос, стал что-то объяснять.

Вольф отвел Шарова в сторону.

— Как живы-здоровы, товарищ полковник?

— Главное, что живы! Вот эта Звездочка за Узбекистан. Помнишь Московский отряд? А сегодняшняя за... в общем, за одну операцию, пока не могу говорить... А ты как?

— Тоже жив пока... У меня теперь операции другие: полгода — как скотина среди диких зверей, по краю ходил...

— Понимаю, братишка, понимаю! Давай выпьем за то, чтобы за краем не оказаться!

Звякнули рюмки, полилась в гортань теплая, будто безградусная, жидкость.

— А как... полковник Чучканов? — напряженным голосом спросил Вольф.

Шаров дернул щекой.

— Чего им сделается... Раскатов выше ушел, его на свое место поставил. Начальник главка спецназов, генерал... Он за Раскатова держится, я — за него. Мы с ребятами дело сделаем, они награды получат. В этот раз, правда, Чуче не дали. Ходит с надутой мордой, сам увидишь.

— А он что, тоже здесь?

— Да, среди приглашенных. С женой.

— С Софьей Васильевной?!

— Ну да. С кем же еще?

Вольфа будто жаром обдало. Сердце колотилось, как перед сигналом к атаке. Он не слышал, что говорил Шаров, да и вообще ничего не слышал: разговоры вокруг превратились в неясный раздражающий гул. К нему приблизился Раскатов и еще три генерала. Вытянутые вперед рюмки и улыбки на лицах свидетельствовали, что обычный лейтенант и лейтенант — личный знакомый Генерального секретаря — просто несоизмеримые фигуры. Они что-то говорили: извивались их губы, двигались подбородки, шевелились языки, но звуковой фон не менялся: тот же бессмысленный, однообразный и утомляющий шум... Наплывали крупными планами генеральские лица, они деформировались, как в кривых зеркалах комнаты смеха, но смеяться Вольфу не хотелось. Чужие руки хлопали по погонам, трогали награды — это усиливало раздражение.

Звякнуло стекло: напрягшиеся пальцы сломали ножку рюмки, и она разбилась о паркет. Вольф понял: его раздражает невозможность делать то, что хочется. Он отстранил Раскатова, протиснулся между плотными фигурами генералов и, как сомнамбула, пошел по залу. Невзрачные люди, обступив столы, жадно ели и некрасиво пили. Мужчины, изображая галантных кавалеров, чокались с заурядными женщинами, которые наверняка не делают зимой педикюр, потому что его не видно под закрытой обувью. Взгляд поисковика сканировал гостей, но логика бойца специальной разведки подсказала, что Софье не место в этой серой массе, она никогда не присоединится к голодной застольной толпе...

У дальней стены выстроился длинный ряд стульев на гнутых золоченых ножках, на них сидели и вокруг стояли люди. Вольф направился туда, вглядываясь в лица равнодушных к бесплатной выпивке и закуске гостей. Крашеная блондинка со слабыми волосами, полный генерал с лицом больной жабы, похожая на испуганную птичку генеральша...

Он пролистывал лица, как страницы скучной книги, пока не наткнулся на лик коротко стриженной улыбчивой брюнетки с широко распахнутыми глазами, точеным носиком и четко очерченным ртом...

Зал сразу затянулся пеленой, ненужные и неинтересные люди расплылись и потеряли очертания, как незадолго перед этим слились в безобидную невнятицу ненужные и отвлекающие звуки. Остался только один прозрачный овал вокруг Софьи Васильевны. Она сидела в свободной позе, положив ногу на ногу и поставив на колено бокал с шампанским. Аккуратная — волосок к волоску прическа, загадочное мерцание зеленых глаз, улыбка, демонстрирующая миру ровные жемчужные зубки... На ней было сильно декольтированное красное платье, откровенно обнажающее белые плечи с едва заметными веснушками. Несмотря на приличное расстояние, Вольф прекрасно различал детали — прозрачный овал увеличивал, как линзы бинокля, а может, это делали огромные, широко распахнутые глаза под ключицами. Он отчетливо видел крохотную родинку на шее, бриллиантик в мочке прижатого к голове ушка, ямочку на подбородке, не отросшие волоски под туго натянутыми отблескивающими колготками... Новые туфли, как всегда, на высоченной шпильке, матово блестели, но он рассмотрел сквозь черную кожу туго сжатые колодкой маленькие пальчики с розовым лаком на ноготках.

Внутри включился механизм самонаводящейся зенитной ракеты. Мимо проходил мутный официант, Вольф одним движением снял с подноса четкую бутылку, оклеенную серебряной фольгой.

Под высоким потолком ярко светили тысячесвечовые люстры, отражаясь в лаке узорчатого паркета. По паркету целеустремленно и стремительно рубил строевым шагом атлетически сложенный блондин с волевым лицом, в парадной форме офицера воздушно-десантных войск: мундир цвета морской волны, белая рубашка, черный галстук, отутюженные брюки с голубым кантом, потерявшие крахмальную упругость белые перчатки и черные полуботинки, уверенно попирающие видавший виды пол Кремлевского дворца. Блестел парашютный значок с цифрой «60» под голубым куполом, отливали рубиновой эмалью три боевых ордена, золотились на золотых же однопросветных погонах маленькие лейтенантские звездочки. Левая рука привычно давала отмашку в такт шагам, правая, словно противотанковую гранату, сжимала непредусмотренную уставом бутыль шампанского.

Необычный марш привлекал всеобщее внимание — закрывались рты, челюсти переставали жевать, лица гостей с заинтересованным недоумением поворачивались в сторону лихого лейтенанта. Гул голосов постепенно смолкал, тем отчетливей выделялся чеканный шаг десантника. Он уже подходил к цели, и коротко стриженная брюнетка тоже стала поворачивать к нему аккуратную головку.

— Бах! — железные пальцы одним движением сорвали витую проволочку, пробка улетела к потолку, белая пена выплеснулась на паркет.

На красивом лице отразилось изумленное узнавание: меньше всего ожидала Софья Васильевна встретить *здесь* влюбленного солдатика из пустыни Рохи Сафед.

Бум! Колено лейтенанта ударилось о кремлевский паркет, рядом стукнуло донышко бутылки, белые перчатки легли на щиколотку Софьи Васильевны и высокий каблук ее «лодочки», еще одно движение, и изящная дорогая туфелька оказалась в руке молодого офицера. Струя шампанского полилась в нее, словно в хрустальный бокал, брызги и пена летели во все стороны. Недоумение на лице Софьи Васильевны сменилось восторгом.

— За самую лучшую женщину в мире! — хрипло произнес Вольф и, обливаясь, выпил из импровизированной шампанницы.

«Ну ты ваще...» — сказал кот, то ли одобряя, то ли осуждая.

Наступила немая сцена. Такого чопорно-официальный Кремлевский дворец еще не видел. Вольф сорвал белую перчатку и протер мокрую туфельку изнутри. Синие зэковские перстни выделялись здесь еще контрастнее, чем обычно. Сановитые гости попятились, расширяя круг. Он погладил спрессованные покрасневшие пальчики и надел туфельку обратно. Софья Васильевна с торжеством оглядывала других женщин.

— Что здесь происходит?! — раздался трубный голос коренастого генерала в новеньком парадном мундире. В руке он держал тарелочку с бутербродами и рюмку коньяка. — Отвечай, Софья, что ты делаешь?!

— Я?! — удивилась Софья Васильевна. — Я ничего не делаю. Сижу и жду, когда ты принесешь бутерброды.

Это была чистая правда. Волк встал на ноги и оказался лицом к лицу с Чучкановым. За последние годы тот еще больше раскабанел.

— Софья Васильевна просто сидит, — подтвердил Волк. — А я за нее выпил. Ватка с помадой — ведь это совсем не то, правда?

Генерал всмотрелся.

— Ах, это ты! Опять?

— Да, это я. Вам ведь не удалось подставить меня под «Дождь». Поэтому я жив.

— К тому же пьяный!

— А в бубен? — спросил Вольф, прикидывая, где под слоем жира находится точка солнечного сплетения.

«Окстись, босяк, — предостерег кот. — Здесь ловить нечего. Повяжут!»

— Что? — Чучканов растерянно смотрел на татуированную руку Вольфа с вытянутым указательным пальцем. — Ты кто?

— Конь в пальто! — остроумно ответил Вольф и с трудом натянул мокрую перчатку. — Мы с Софьей уходим. Пошли, Софья!

Он взял женщину за руку, но та высвободилась. Вольф растерялся.

— Пойдем, Софья, мы должны жить вместе! Я ждал этого много лет...

— Вы пьяны, лейтенант, — Чучканов шагнул вперед, оттесняя тушей Вольфа от своей жены. — Покиньте зал. Кто-нибудь, позовите охрану!

— Сам покидай! — Вольф сильно толкнул генерала, тот с трудом удержался на ногах, но тарелка упала и со звоном разбилась.

Все-таки Чучканов был десантником. Хорошим или плохим — другой вопрос. Но когда принесенные жене бутерброды разлетелись по полу, он повел себя как хороший, не думающий о последствиях, безбашенный боец: без лишних слов, с маху ударил дерзкого лейтенанта в ухо. Вольф успел присесть и ткнул-таки пальцем в нужную точку, но не пробился сквозь жир. Пришлось добавить крюк слева. Генерал завалился набок и грузно рухнул на лаковый узорчатый паркет.

— Прекрати! Что ты делаешь! — закричала Софья.

— Пойдем со мной! Ты моя!

Вольф снова попытался взять ее за руку и вновь безуспешно. Тогда он наклонился, сдернул ладное женское тело со стула и перебросил через плечо. Софья визжала и колотила по мощной спине кулачками. Не обращая ни на что внимания, лейтенант пошел к выходу. Собравшиеся вокруг гости поспешно расступались. Ногой он распахнул дверь и вышел в огромный, тоже затянутый пеленой вестибюль

«Слева! — тревожно предупредил кот. — И справа! Их много, не уйти!»

— Товарищ лейтенант, отпустите женщину! — раздался уверенный голос слева. Это была не просьба, а приказ. Жесткий приказ, облаченный в вежливую форму.

— Немедленно отпустите женщину! — послышался такой же голос справа. Жесткость и здесь выпирала сквозь вежливость, как шипы кастета сквозь наброшенный для маскировки платок.

— Ты что, оглох?! — зловеще прошептали сзади, без всякой дипломатии. — Или думаешь, с тобой тут шутки шутят?!

Вольф так не думал. Он уже знал, что первым ударит тот, кто сзади. Между лопаток или в поясницу, так, чтобы наверняка обездвижить и вывести из строя. Он остановился и осторожно поставил Софью на пол.

— Извини... Кажется, я сделал глупость. Но я давно хотел забрать тебя...

— Как «забрать»? Разве я вещь? — Софья раздраженно поправляла прическу. Зеленые глаза были широко распахнуты, щеки раскраснелись. Вольф не мог оторвать от нее взгляда. Сердце колотилось у самого горла. Софья перехватила его восхищенный взгляд и улыбнулась.

— А вообще интересно... Меня еще никогда не похищали!

— Пройдемте с нами, товарищ лейтенант! — сильные руки взяли Вольфа под локти.

Пелена рассеялась. Вокруг стояли крепкие молодые люди в одинаковых костюмах. Шесть или семь — наверное, вся дежурная смена Девятого управления. Не очень много для опытного бойца специальной разведки.

— Без грубостей! — рыкнул Волк. — Немедленно отпустить!

— Осторожно с ним, — негромко сказал кто-то, и руки разжались. Связываться с героем-десантником охране явно не хотелось.

Вольф оглянулся. Команду подал Сергей Иванович — давешний сопровождающий.

— Нехорошо, Владимир Григорьевич, — Сергей Иванович скорбно покачал головой. — Вы ведь не в казарме и не в пивной на Арбате. Вы хоть понимаете, где находитесь?

— Сейчас мы ему объясним, — сказал старший охранник. — Пройдемте, лейтенант!

Вольф криво улыбнулся и высокомерно оглядел всех.

— Это вы, товарищи, не понимаете, с кем разговариваете! — значительным тоном произнес он. — Я лично знаком с Сергеем Михайловичем Грибачевым. Вот, глядите!

Чтобы залезть в нагрудный карман, пришлось снять перчатки. И когда татуированные пальцы поочередно поднесли визитную карточку Генерального секретаря к лицам окружающих его людей, их удивленные взгляды нервно перебегали с фамилии «Грибачев» на синие тюремные перстни и обратно. Но здесь, в Кремлевском дворце, фамилия перевешивала. Строгие лица охранников постепенно смягчались. И Сергей Иванович стал доброжелательней, как в начале вечера.

— Все свободны, — кивнул он охране. — Будем считать, что инцидент исчерпан. Вам нужна машина, Владимир Григорьевич?

Вольф огляделся. Охранники разошлись, Софья медленно, явно чего-то ожидая, шла ко входу в зал. Он побежал следом и взял ее за руку.

— Поедем со мной!

— Сумасшедший! Что у тебя на пальцах?

— Татуировки. Такое было задание. Поедешь?

— А как же Николай Павлович? Зачем ты его ударил? Да еще так сильно!

— Наоборот, я сдержал руку. Сейчас он оклемается, тут наверняка есть хорошие врачи. Поедем!

Софья Васильевна колебалась.

— Но как забрать шубу: мой номерок у Николая Павловича...

— Я заберу!

По Вольфу было видно: если Софья захочет, он заберет и Царь-колокол с Царь-пушкой в придачу.

— Ну хорошо... Только ненадолго...

Вольф резко обернулся. Сергей Иванович стоял в прежней позе и терпеливо ждал.

— Да, нам нужна машина! — громко крикнул он, и голос эхом отразился от высоченного потолка Кремлевского дворца.

* * *

Черный тяжелый «ЗиЛ» из кремлевского гаража особого назначения долго раскачивался на колдобинах и, наконец, остановился у обшарпанной панельной пятиэтажки. В отгороженном толстым стеклом пассажирском салоне раздавались приглушенные стоны.

— Здесь? — раздался из переговорного устройства недовольный голос водителя.

Вольф с трудом оторвался от влажного горячего рта Софьи и вынул руку из влажной горячей промежности. Резинка трусов щелкнула.

— Сумасшедший, ты мне размазал губы... — тяжело дыша, произнесла она.

— Здесь, товарищ прапорщик, — Вольф нажал кнопку, опуская звуконепроницаемую перегородку. — Спасибо.

— Не за что, — совсем другим тоном отозвался водитель. Всю дорогу он считал, что везет простого «летеху», которому посчастливилось не по чину влезть в правительственную машину. Но обычный «литер»-десантник не может знать звания шофера спецавтомобиля. Только сотрудник Системы, знакомый с табелью о рангах...

Под тусклой лампочкой у подъезда лузгали семечки три подвыпивших аборигена. Вытаращив глаза, они рассматривали, как из диковинного лимузина вышли лейтенант в парадном мундире и шикарная дама в норковой шубке. Необычная пара зашла в замызганный подъезд, семечная шелуха хрустела у них под ногами.

— Ни фига себе... Кто это?

— Не знаю... Сроду здесь таких тачек не бывало!

Сплевывая и покачивая головами, аборигены смотрели вслед габаритным огням «ЗиЛа». На третьем этаже громко хлопнула дверь.

В прихожей не горела лампочка. Вольф включил свет в комнате, схватил Софью в охапку и прямо в шубе бросил на незастеленную тахту. Вжикнув «молниями», стянул замшевые сапоги, запустил руки под короткую юбку и, повозившись, спустил колготки. Вывернувшись наизнанку, прозрачный нейлон соскочил с маленьких ступней. Не сдержавшись, Вольф поцеловал натруженные покрасневшие подошвы. Они пахли кремом. У Вольфа закружилась голова, сердце готово было выпрыгнуть из груди.

— Давай, быстро, давай! — лихорадочно шептал он, расстегивая тугие пуговицы шинели.

— Сумасшедший! — Раскинув полы манто, Софья подтянула юбку и стащила трусики. Голые белые ноги и подстриженный мех лобка беззащитно выглядели на грубом фоне шубы, и этот контраст еще сильнее разжигал желание.

Последняя пуговица, отлетев, звякнула о старый паркет. Вольф упал вперед. Парадная шинель и норковая шуба не давали телам соприкоснуться, но самые чувствительные их части все же удалось соединить, и разряды страсти пронизали любовников, как удары тока пронизывают привязанного к электрическому стулу заключенного, заставляя его биться, корчиться, стонать и кричать.

Когда все кончилось, Вольф обессиленно свалился на пол. Софья лежала с закрытыми глазами и тяжело дышала.

— Когда-то... мне приснилось... будто я делала это в глубоком снегу, — прерывистым голосом проговорила она. — На раскинутой шубе... Не раздеваясь, конечно, так, слегка заголившись.... И те снежинки попадали на тело, и я вздрагивала...

— С кем? — насторожился Волк. — С кем ты это делала?

— Не помню. Со сном.

— А это действительно был сон?

— Конечно. Почему ты спросил?

— Уж больно подробные впечатления. Детали обычно забываются.

— А я необычная. Я инопланетянка. — Софья открыла глаза и улыбнулась. — Правда, правда! Однажды мы с подружками пошли к гадалке. Она посмотрела на мою ладонь и не стала гадать. Сказала, что у меня линии не как у всех людей. Неземные линии!

Волк снял наконец жесткую шинель, сбросил мундир и грубые полуботинки. Софья тоже ловко вывернулась из шубы, одернула платье, привычным жестом поправила волосы.

— Только не бросай шубу на пол, лучше повесь. Плечики найдутся?

— Да. Выпить хочешь?

— Если что-то вкусное...

Вольф замешкался.

«Намарцифаль водяру с апельсином, сахара сыпани, все будет классно», — посоветовал кот.

Да, это хорошая мысль!

— Я сделаю вкусный коктейль.

— Ну, давай свой коктейль.

Вольф принес бокал с бледно-желтой смесью для Софьи и полстакана водки для себя. Чокнувшись, они выпили.

— Как ты жила это время? — хрипло спросил Волк.

Софья пожала плечами. Она сидела на тахте, поджав ноги, Волк опустился на пол и положил ладони на круглые, гладкие колени.

— Обыкновенно. Привыкала к Москве. Потом мы переехали на другую квартиру, было много хлопот с ремонтом. А ты куда пропал?

— Я?!

Между полетом с «московским отрядом» в Ташкент и командировкой в тюрьму Волк много раз созванивался с

Софьей и назначал ей свидания. Она соглашалась и не приходила.

— Я действительно чуть не пропал без тебя. Какая у тебя нежная кожа на коленках... Будто светится изнутри...

— Ой, ты целовал мне ноги, а я даже помыться не успела! Мне так неловко...

— Ничего... Полгода я целовал ватку с твоей помадой. А ватку вытащил из мусорного ведра, еще там, в Рохи Сафед...

— Перестань! — Софья гортанно рассмеялась. — Ты такой придумщик... А расскажи-ка, что это у тебя на пальцах? Ты ведь обещал!

— Обещал? Когда?

— Ну там, в Кремле. Кстати, зачем ты так ударил Николая Павловича? Ты прямо зверь!

В ее голосе не было осуждения, скорей восхищение.

Вольф встал.

— Можно, я приму душ?

Когда он встал под упругие теплые струи и стал намыливаться, молчавшие до сих пор картинки загалдели.

«Чего это он во всей сбруе на бабу полез, — недовольно протянул черт. — Так я об нее и не потерся...»

«Тебе одно на уме!» — обиделась русалка.

«Ща потремся, обкончаемся», — размечталась женщина на кресте, и даже голос у нее был не такой грубый, как обычно.

«Аж пять раз! — саркастически сказал пират. — Баба нас как увидит, так и опять бечь кинется!»

«Не болтай под руку, — предостерег его кот. — Может, обойдется».

Вольф подумал, что ситуация повторяется. Точно так же он мылся в квартире Лауры, а потом разразился скандал.

Но на Софью татуированное тело Вольфа оказало прямо противоположное воздействие.

— Ух, ты! Что это? — Зеленые зрачки расширились, пальчик с острым ноготком обвел глаза под ключицами, поцарапал черта, потом русалку... Точно так царапала его кожу Александра Сергеевна. Ее тоже возбуждали татуировки.

— Это татуировки.

— Иголкой кололи? Наверное, больно? А зачем?

— Для дела. Я ведь все это время сидел в тюрьме.

Софья рассмеялась:

— В тюрьме? И за это тебя пригласили в Кремль и наградили орденом!

— Именно так.

— Интересно...

— Не очень. Там нет кислорода и такая влажность, что трудно зажечь спичку. Зэки стоят в очередь к двери, чтобы лечь на пол и сквозь щель подышать воздухом из коридора. А ночью могут удавить или вогнать гвоздь в ухо.

— Ужасно... Это все ужасно... Бедный Волчик...

Все больнее царапая кожу, наманикюренный ноготь принялся обводить распятую на кресте женщину, потом рука скользнула ниже.

— У меня никогда не было татуированного мужчины. Это так заводит... Ты похож на зверя... Да-да, не спорь...

Проснулись они около полудня.

— Что-то у меня язык болит. Порезала, что ли... Но чем? Посмотри!

Софья высунула розовый язычок, он действительно был поцарапан.

«Ну, ты и мудила! — выругал кот пирата. — Баба так старалась, нас всех облизывала, а ты не мог финку убрать!»

— Я ему эту финку... — в сердцах сказал Вольф.

— Что?! — удивилась Софья.

— Сейчас я тебя полечу! — Вольф приблизился к ее лицу.

— Времени нет. Надо бежать домой.

— А что ты скажешь мужу?

Она округлила глаза.

— Правду, конечно. Что ты увез меня на другой конец Москвы, я убежала, кругом ночь, пришлось ночевать у подруги.

— Что ж, очень правдоподобно!

Вольф приник к сочному яркому рту. Софья пыталась освободиться, но больше для вида.

Потом он смотрел, как она одевается. Привычно втиснулась в трусики, аккуратно натянула колготки, разгладила каждую складочку, удовлетворенно осмотрела обтянутые блестящим нейлоном ноги и сунула их в сапоги, вжикнула «молниями». Одетая снизу и голая от пояса, она прошлась по комнате, улыбнулась застывшему, как статуя, Вольфу.

— Вам, мужчинам, тяжело приходится! Тебя вот искололи всего, а Шарову пол-ягодицы каким-то взрывом оторвало. Во-о-от такой шрамище, как звезда!

Она соединила большой палец с указательным и сквозь получившееся колечко, как сквозь монокль, посмотрела на татуированную статую. Красные ногти отливали перламутром.

— Откуда ты знаешь?! — Волк подскочил к полуголой женщине и в последнюю секунду сдержался, чтобы не закатить ей пощечину. — Откуда, отвечай!

Софья выпятила губку.

— Да что тут странного... В пустыне мужики часто ходили в одних плавках. Да и без плавок тоже...

Вольф два года прослужил в пустыне, но не видел мужиков, расхаживающих в голом виде по военному городку. И шрам на заднице Шарова не видел, хотя не раз бывал с ним в боевых командировках. Но порыв злости прошел, осталась только ревность. Бить Софью уже не хотелось. Хотелось убедиться во вздорности своих подозрений. Он погладил белую грудь, взялся за крупные розовые соски.

— Скажи честно, где ты рассматривала жопу Шарова?

— Нигде. Если честно, мне Надя рассказывала...

Софья подалась навстречу, сильнее прижимаясь к его ладоням.

— Какая Надя?

— Библиотекарша. Помнишь, у нас в школе, в пустыне?

Она возбуждалась, и голос становился напряженным.

— А она откуда знает?

— Ну, знает, наверное... — Софья облизнула пересохшие губы.

— Откуда?!

— Вот ты ее и спроси... А я тут ни при чем...

Софья прикрыла глаза. Веки у нее трепетали, соски затвердели. Он продолжал ласкать нежную грудь и покручивал розовые кнопки то вправо, то влево, словно ручки настройки рации в поисках какой-то очень важной волны.

— Я тебя спрашиваю! Не строй из себя гимназистку! Помнишь тропу разведчика? Тогда, ночью, когда мы только вернулись из командировки? Помнишь, как мы с Сержем тебя с двух сторон обработали?

Зеленые глаза недоуменно распахнулись.

— Ты что, Володя? Какая тропа разведчика? Когда рота вернулась, меня вообще не было в пустыне, я уезжала к маме!

— А домик на детской площадке? Избушка на курьих ножках? Помнишь, что ты там с Сержем делала?

— Не говори ерунды...

Глаза снова закрылись, Софья облизала губы:

— Какая избушка, какой Серж... Я тебя хочу...

Женское начало в Софье брало верх над всем остальным. Она умела подчиняться мужчине, и это умение оказывалось важней всего. Не то чтобы Волк ей поверил, просто мучившие его сомнения мгновенно улетучились, их уже не надо было взвешивать и анализировать, они стали неважны. По крайней мере, сейчас.

— То-то же... Давай, быстро становись на колени!

Она мгновенно выполнила команду, круглые светящиеся коленки стукнулись о потертый линолеум, влажные губы призывно раскрылись... Все началось заново: вначале Волк довольствовался обнаженной частью Софьи, потом, рыча, сорвал сапоги, колготки и трусики... Все началось заново.

День подходил к концу, когда Софья наконец оделась полностью и принялась застегивать шубу.

— Я тебя провожу, — сказал Вольф.

— Не надо, я возьму такси.

— Это тебе. Небольшой сувенир...

Он вложил в мягкую ладошку полученные от Сержа алмазы, свернул податливые пальцы в кулачок, закрывая подарок. Но она тут же раскрыла ладонь, камни отсверкнули колючими бело-зелеными лучиками.

— Ничего себе небольшой...

Софья смотрела с каким-то новым выражением. Тщательно накрашенные губы округлились.

— Почему ты это делаешь?

— Я так хочу. Но их еще надо огранить.

— Я знаю. Спасибо...

Приподнявшись на цыпочки, она поцеловала его в небритую щеку. Сердце Волка снова учащенно забилось.

— Ты записывал мой телефон... По-моему, там ошибка. Проверь последние цифры — восемьдесят восемь...

Вольф заглянул в записную книжку.

— Черт, у меня семьдесят семь! Как ты узнала?

— Интуиция. Звони, когда захочешь. Николая Павловича целые дни нет дома.

— Обязательно позвоню! И буду звонить каждый день. Я еще неделю в отпуске...

* * *

Но на следующий день отпуск закончился. Ровно в восемь утра задребезжал старенький телефонный аппарат.

— Что ты наделал, Володя? — тревожно спросил Петрунов. — Здесь поднялся такой переполох, будто ты взорвал бомбу в Кремле!

Вольф сладко зевнул:

— Ерунда. Ничего я не взрывал. Слегка поссорился с одним знакомым. На личной почве.

— Какая, к черту, «ерунда», какая «легкая ссора»! Дело на контроле у председателя, в одиннадцать тебя вызывает Вострецов! Назначено служебное расследование! Имей в виду, закрутилась очень серьезная карусель, на моей памяти еще такого не было! Быстро приезжай, тебя ждут в отделе внутренней контрразведки...

Весь день Вольф писал рапорта, объяснения и отвечал на вопросы.

— Да, на фуршете после награждения я употреблял спиртные напитки в компании Генерального секретаря Грибачева, председателя КГБ Рябинченко, министра обороны Вахрушева... Нет, это имеет значение и должно быть записано в протоколе... Да, я опьянел, потому что не ел целый день, а у фуршетного стола было много народа, и я достал только один бутерброд... С сыром. Согласен, это не имеет значения. Да, я поссорился с полковником, нет, уже генералом, Чучкановым... Исключительно на личной почве... Он ударил меня, я уклонился и машинально ударил в ответ... Это рефлекс, меня специально учили так реагировать на удар. Нет, это имеет значение! Бытовая ссора, вот что произошло... Я не помню, из-за чего. Никакую женщину я тоже не помню. И этого не помню. Нет, действительно, тем более все, чего я не помню, не имеет значения. Если надо ответить за Чучканова, то я готов! Все остальное не имеет значения.

Сотрудники внутренней контрразведки привыкли разоблачать «кротов», а не протоколировать драки в Кремле. Они закаменевшими пальцами выписывали фамилии высших должностных лиц и морщились, выясняя рутинные подробности обычного бытового скандала.

Генерал Вострецов кипел от ярости. Если бы Вольф подрался где-нибудь на улице, он бы стер его в порошок, но обстоятельства происшедшего и круг очевидцев сковывали начальника контрразведки по рукам и ногам. К тому же неизвестно было, чем закончится столь непростое дело. Обласканному Грибачевым герою могут простить и помятую генеральскую физиономию. Поэтому он откладывал прием то на час, то на два и вызвал Вольфа уже в конце рабочего дня.

Хотя обстановка так и не прояснилась, начальник Управления КР взял себя в руки и держался по-отечески: строго, но доброжелательно.

— Вы отдаете себе отчет в том, что совершили? Что за гусарские выходки в Кремлевском дворце! Шампанское из женской туфли, драка из-за женщины! Вы бы еще саблей стали махать!

— Саблей не обучен, товарищ генерал! — Вольф зафиксировал стойку «смирно». — Ножом разведчика — другое дело, это я умею! А драться из-за женщины лучше, чем из-за сигареты или кусочка сала.

— Кстати, она законная жена генерала Чучканова! — Вострецов повысил голос.

— Пока да.

— Что значит «пока»?!

— То, что я собираюсь на ней жениться.

Генерал вскочил с высокого кожаного кресла:

— Час от часу не легче! Ты что, не можешь жениться без

скандалов? Брак с Лаурой Маркони привел к тому, что тебя отчислили из Высшей школы! И чем он закончился? Недавно ты подал рапорт о разводе! А ведь разводы в нашей системе карьерному росту никак не способствуют! И тебе все это объясняли, разъясняли, уговаривали не делать глупостей! Теперь ты затеваешь новый скандал? Неужели нельзя выбрать невесту из свободных женщин с гражданством Советского Союза?

От отеческого тона ничего не осталось. Сейчас начальник Управления устраивал обычный разнос проштрафившемуся подчиненному.

Вольф набычился:

— Это мое личное дело.

Вострецов угрожающе нагнулся, оперевшись кулаками о стол:

— Ошибаешься! У чекиста нет личных дел! Потому что иноразведки ищут любые промашки в жизни сотрудника, чтобы использовать их для вербовочных подходов! Чистота личной жизни — залог его безопасности и упешного выполнения служебного долга!

— Но ведь человек живет не для того, чтобы выполнять служебный долг, — в сердцах сказал Вольф. Ему показалось, что он повторяет чужие слова, но чьи именно, он не вспомнил. Впрочем, чьи бы они ни были, но явно противоречили кодексу чекиста и всей системе чекистской идеологии.

Вострецов побагровел:

— А для чего?! Для сладкой жизни? Чтобы жениться-разводиться?

— У меня сладостей в жизни было немного. Вряд ли найдется желающий, чтобы я с ним поделился...

Генерал снова выпрямился, обошел стол и остановился прямо напротив Вольфа. Их взгляды встретились.

— На что ты намекаешь?! Какой желающий? Чем поделился?

Мало кто выдерживал пронзительный взгляд Вострецова. Он относил это на счет врожденного гипнотизма, свойственного военачальникам и иным сильным личностям. Возможно, это объяснялось проще: служебной зависимостью. Потому что в глаза начальникам он так не смотрел. Но

Вольф, хотя и был подчиненным по службе, взгляда не отвел.

— Я не намекаю, товарищ генерал. Я прямо говорю: вряд ли кто-то позавидует моей жизни. Я всегда выполнял приказы, всегда ходил по краю. Конфетками и шоколадками меня не закармливали.

— Какие там шоколадки! Председатель лично дал команду тщательно разобраться. Ты понимаешь, чем это пахнет?

— Хуже, чем в тюремной камере, ничего пахнуть не может, — Вольфу надоело стоять навытяжку, и он вновь принял расслабленную позу.

— Хватит напоминать о своих подвигах! — раздраженно сказал Вострецов, возвращаясь на свое место. — Ты добровольно вызвался на задание и награжден за него. Но это не дает тебе права устраивать кулачные бои в Кремле!

— Виноват.

— Виноват...

Вострецов заглянул в какие-то бумаги, недовольно прихлопнул их ладонью.

— Ты-то виноват, а вот я при чем? Сергею Михайловичу наверняка доложили... А если нет, то обязательно доложат. Как мне объяснять разложение личного состава?

— Не могу знать, — мрачно ответил Вольф.

— Вот то-то! Как дать генералу по физиономии, ты знаешь... Ладно, иди. Я доложу председателю. Он решит, какое заключение подготовить...

Несмотря на то что рабочий день закончился, озабоченный Петрунов ждал в кабинете.

— Ну что?

Вольф пожал плечами:

— Сказал, доложит председателю, а тот решит, какое заключение готовить...

— Да уж решит, это точно...

— Позвонить можно?

— Какой разговор! Садись на мое место, чтоб удобней...

Александр Иванович вскочил, уступая кресло.

— Конечно, надо звонить, самое время! Если Грибачев не вмешается, они тебя точно выгонят!

— Да сидите, к чему эти церемонии...

Примостившись на краешке стола, Вольф набрал номер. Петрунов завороженно следил за каждым его движением.

— Да-а, — певуче откликнулась Софья.

— Увидимся прямо сейчас? Я по тебе соскучился...

Петрунов в сердцах сплюнул, постучал согнутым пальцем по лбу и вышел из кабинета, сильно хлопнув дверью.

* * *

— У него остался синяк и припухлость вот здесь, — Софья показала на свою скулу. Именно в это место и должен был прийтись удар. — Николай Павлович просто вышел из себя. Он написал рапорт, хотя Костик его отговаривал. Сказал, что ты личный знакомый Грибачева и лучше с тобой не связываться. Но Чучканов закусил удила...

— Какой Костик?

— Ну, Константин Павлович. Раскатов.

— А...Тот, который присылал тебе генеральские букеты в Рохи-Сафед? Почему ты его так ласково называешь?

— Ой, ну какая разница! — Софья допила свое шампанское. — Костик или Константин Павлович... За глаза как только людей не зовут!

Они сидели в новом кооперативном кафе «Козерог» — уютном подвальчике недалеко от площади Дзержинского. Волк жадно ел жареное мясо и пил водку. Софья лениво ковырялась во фруктовом салате.

— Ты трахаешься с ним?

— Что за глупости? — возмутилась она. — Я его референт, у нас хорошие отношения, только и всего... Во всяком случае, он дал полезный совет. Для тебя полезный.

— Мне плевать. Кожу они с меня не сдерут, гвоздь в ухо не загонят.

— Что? Какой гвоздь?

— Ерунда. Давай еще выпьем. А где сейчас твой благоверный?

— В командировке. Они с Раскатовым вместе поехали. Дня на четыре.

— Очень хорошо. Тогда ты поедешь ко мне. На все четыре дня.

— Только на четыре? — Софья лукаво улыбалась. — Потом я тебе надоем?

— Нет. Я хочу на тебе жениться.

— Что?

— Же-нить-ся. На те-бе. Хо-чу.

— Ты опьянел!

— Да, немного. Но говорю по-трезвому.

— А Николай Павлович?

— Разведешься. Он старый и толстый, хотя и генерал.

— А я молодая?

— Конечно!

Софья загадочно прикрыла веки, улыбка исчезла.

— Месяц назад мне исполнилось тридцать восемь.

— Сколько?!

— Тридцать восемь. Я старше тебя на тринадцать лет. Вот такие пироги, дружок.

— Ерунда, — растерянно пробормотал Вольф. — Полная ерунда... Какое это имеет значение... Мы поженимся, и все будет хорошо!

— Да. Сейчас я молодая генеральша, а стану лейтенантской старухой. Действительно, очень хорошо. Ты сделал мне очень выгодное предложение.

У Софьи испортилось настроение. У Вольфа — тоже. Он долил себе водки, а ей шампанского.

— Ну, по части выгоды я действительно не очень... И предлагаю тебе не из-за выгоды. От сердца предлагаю. А не согласишься — украду и увезу на край света. Мне без тебя жизни нет... Давай выпьем, чтобы все у нас сладилось!

— Что ж, давай, — Софья смотрела с каким-то новым выражением. — Ты бешеный, ты и вправду можешь украсть... А вообще мне никто не говорил такого...

Грубая татуированная рука стиснула нежную узкую кисть, Софья поморщилась.

— Поедем ко мне.

— Нет. Николай Павлович может звонить. Я должна быть дома.

Лицо Волка окаменело. Софья рассмеялась.

— Но ты можешь быть вместе со мной.

Вольф просиял.

«Ты как мальчик, в натуре», — укоризненно сказал кот.

* * *

— Ты... трахаешься... с Раскатовым? Честно...

— Если... честно... да...

Горячее распластанное тело Софьи ритмично билось под ним, из приоткрытого рта с размазанной помадой сильно пахло спиртным. Перед тем как лечь в постель, они еще выпили, и Вольф незаметно влил водки в бокал с шампанским. Алкоголь и секс сыграли роль сыворотки правды.

— Давно?

— Да...

— Как... это... было? В первый раз?

— Ухаживал... цветы... дарил... Потом... взял... в командировку... А вечером... пришел... в номер... Так и пошло...

— А с Шаровым?

— Нет... Только несколько раз... Давно...

— А с Серегиным?

— Один раз...

— А еще с кем?

Откровенные признания Софьи возбуждали Волка. Он трудился изо всех сил, но до финиша было еще далеко.

— Ты их не знаешь... Ой... Ой... Ой!

Вольф несколько раз почти подлетел к потолку, как на качелях. Потом упругое тело обмякло.

— А муж знает?

Софья лежала неподвижно и обессиленно молчала. Волк будто споткнулся на бегу. Ему нужен был допинг.

— Отвечай, сука! Муж знает?! — тяжелая ладонь хлопнула по мягкой щеке. Хотя он и сдерживался, голова Софьи мотнулась по подушке. Она открыла глаза, приходя в себя.

— Ой, ну что ты делаешь...

— Отвечай, муж знает?!

— Нет, ты что... Может, догадывается...

— Рассказывай! Рассказывай дальше!

— Ой... Ну про что еще рассказывать. — Под натиском Волка Софья стала оживать, медленно подаваясь ему навстречу. Пока медленно.

— Про необычный секс... Быстро!

— Однажды мы были у Костика на даче... Ну, у Раскатова... Он повел меня показывать дом... Чучканов остался внизу, с его женой, а Костик стал ко мне пристраиваться...

— Как «пристраиваться»?

— Так... Сзади... Поднял юбку и...

— И что дальше? Давай, говори, быстро!

— И все... Сделал, что хотел... Ой, давай быстрее, давай...

Она снова зажмурилась. Приподнявшись на руках, Волк жадно рассматривал бледное мраморное лицо, прекрасное, как у античной статуи. Только губы выделялись кроваво-алым пятном. Он опустил голову и сильно поцеловал, так что их зубы соприкоснулись. Волк ощутил привкус крови.

— А ты не боялась?

— Боялась... От этого было еще острей... Давай, давай, ой, ой, о-о-й!

Острые зубки вцепились Волку в ухо, острые ногти разодрали спину. Но он ничего не чувствовал, все ощущения сосредоточились сейчас в одном месте, где набухал огненный шар ограниченного пока наслаждения.

— Видишь, какая ты сука!

— Да, да, я сука, сука! Давай, делай меня!

Софья обхватила его ногами и сильно сжала, будто хотела раздавить. Сильные движения таза подбрасывали Волка, словно он во весь опор скакал на лошади.

— Скажи, что мне делать!

— ...меня...

— Громче!

— ...меня!

Ограничения лопнули, и шар прорвался. Волк зарычал. Софья тоже кричала, будто вышедший в первый рейд салага неправильно пырнул ее ножом.

— Тише, тише, — Волк зажал ей рот и тут же был укушен в ребро ладони. — Тише, я сказал! — Он снова хлестнул ее по лицу, коротко стриженная голова вновь мотнулась по подушке, но теперь в другую сторону.

— Ну что ты делаешь! — возмутилась Софья. — Меня еще никто не бил...

— Врешь!

— Откуда ты знаешь?

— Знаю. Ты просто выпрашиваешь трендюлю. И наверняка получала ее.

Софья засмеялась. Глаза у нее порочно блестели.

— И ты мне поверил?

— Что?

— Неужели ты поверил в то, что я болтала? Это все чушь, выдумки. Элемент секса. Острая приправа. Ты хотел получить ее — и ты ее получил! Отпусти, я пойду мыться! А вообще это здорово: ты такой бешеный, весь татуированный, как уголовник, грубый циничный секс... Мне понравилось. И не было больно, как с Шаровым, ты гораздо нежнее... Некоторые пары имитируют изнасилования, связывают друг друга... Раньше я этого не понимала, а теперь думаю, это интересно...

— Какой Шаров, если ты все придумала?!

— Про него нет. А все остальное — действительно придумала!

Софья вскочила и босиком направилась в ванную.

— А какие это «некоторые пары»? — спросил Вольф в голую спину. — Где ты их видела?

Софья на миг обернулась.

— На видике. У нас есть несколько конфискованных кассет. Там и с бананами и по-всякому...

В ванной зашумел душ. Но Волк еще видел изящное нагое тело, крутой изгиб бедер, мощный белый зад, стройные икры и маленькие ступни... В груди у него горел жгучий напалм любви. Он причинял боль и давал счастье. Если бы из-за Софьи пришлось избить министра обороны маршала Вахрушина или председателя КГБ генерал-полковника Рябинченко, Волк бы сделал это не задумываясь.

* * *

— Факты подтвердились. Он сам признает, что ударил генерала Чучканова, но утверждает, что тот начал первым. Думаю, это не имеет значения...

Председатель сидел за огромным столом и медленно листал тонкую папку материалов служебного расследования, вшитых в красную коленкоровую обложку. Сегодня он был в штатском: темно-синий костюм в чуть заметную полоску, почти белая, едва отливающая голубоватым оттенком сорочка, то ли черный, то ли глубоко-синий галстук. Если бы не дорогая, тщательно подобранная одежда, не огромный кабинет и стол, не почтительная поза стоящего навытяжку генерала Вострецова, генерал-полковник Рябинченко не производил бы впечатления одного из самых могущественных людей страны. Маленький человечек со сморщенным, словно от лимона, лицом.

— Почему вы так думаете? — не поднимая головы, спросил он.

Вострецов на миг осекся.

— Ну как же... Кремлевский дворец, самое главное место нашей родины, святая святых, можно сказать... И вдруг — гусарщина какая-то: шампанское из обуви, драка... Лейтенант избивает генерала... По-моему, этого достаточно...

— М... да... Пожалуй... Хотя... Как посмотреть... Лейтенант — наш герой, участник ряда специальных операций, связанных с риском для жизни и имеющих исключительное политическое значение, — Рябинченко говорил очень тихо, продолжая листать красное досье.

Вострецов с трудом разбирал слова, больше по тону понимая смысл произносимого.

— Он личный знакомый товарища Грибачева. Сергей Михайлович очень высокого мнения об этом бойце, ставит его в пример всем. В том числе и мне с Вахрушиным. Значит, мы должны им гордиться и поддерживать его в трудную минуту...

Вострецов молчал. Вольфу всегда везло. Справка в личном деле о знакомстве с Грибачевым была для него палочкой-выручалочкой в любых ситуациях. Неужели и сейчас поможет?

— Но...

— Вы знаете, что портреты лейтенанта Волкова висят во всех казармах Советского Союза, от Кушки до Сахалина?

— Нет, этого я не знал, — потупился Вострецов. — Это меняет дело...

Рябинченко закрыл досье, задумчиво барабаня пальцами по красной обложке.

— Может, меняет, а может, и нет... Ведь герой обязан вести себя соответственно тому доверию, которое ему оказали!

— Так точно, — приободрился начальник контрразведки.

— И если он не оправдал доверия, то виноват не только он. Где командиры? Где воспитательная работа? Кто-то должен ответить за то, что герой превратился в обыкновенного хулигана?

Вострецов снова опустил глаза. Председатель, напротив, рассматривал его в упор.

— Вы готовы понести ответственность за промахи и недостатки в политико-воспитательной работе с подчиненными?

— Но... Непосредственную работу с Волковым осуществлял подполковник Петрунов...

Рябинченко сморщился еще сильнее, и начальник контрразведки понял, что допустил ошибку.

— Конечно, я не снимаю с себя вины, так как отвечаю за все происходящее в Управлении...

— Вот и хорошо. Если наказывать лейтенанта, значит, надо наказывать и вас.

Вострецов скорбно кивнул. Дело поворачивалось таким образом, что он бы не удивился, если бы наказали не Волкова, а его самого.

— Но если генерал Чучканов ударил его первым, то за что наказывать Волкова? Он совершенно правильно говорит, что привык отвечать ударом на удар, мы сами его этому научили! Тогда в чем же он виноват?

Вострецов молчал. Председатель сам колебался, затрудняясь в выборе решения. Как бы не ошибиться с советом...

— Но нельзя забывать про партийную принципиальность, — продолжил Рябинченко. — Строгая оценка действий каждого коммуниста является нашим святым долгом. Без оглядки на лица и прочие заслуги...

— Волков беспартийный, товарищ генерал-полковник, — вставил вконец сбитый с толку Вострецов.

— Как так?! — Рябинченко вскинул брови. — Как он мог беспартийным попасть к нам на службу?!

— В порядке исключения, товарищ генерал-полковник. В связи с известными вам обстоятельствами.

— Неожиданный поворот. Очень неожиданный!

Пальцы председателя сильней забарабанили по обложке досье.

— И как вы оцениваете его идейный уровень?

— С этим очень плохо, — снова приободрился начальник контрразведки. — Сейчас Волков разводится со своей итальянкой и собирается жениться на жене генерала Чучканова...

— Той самой?!

— Да, из-за которой возникла драка. Естественно, это вызовет очередной скандал. К тому же некоторые высказывания Волкова несовместимы с идеологией чекиста.

— Даже так? Какие же?

— Он отделяет свою личную жизнь от служебной, считает, что руководство не может вмешиваться в его личные дела. Больше того, ставит личное выше служебного!

Лицо председателя внезапно разгладилось. Такое случалось только в минуты сильного гнева. Повод для этого был: в Систему проник еретик! А с еретиками разговор один — костер! Невзирая на любые связи и заслуги.

— Что же вы мне раньше не доложили?!

— Этот разговор произошел только вчера.

Председатель отбросил красное досье на край стола.

— Это меняет дело в корне! Ваши предложения?

Вострецов несколько секунд колебался.

— Думаю, следует без шума перевести его в МВД и убрать из Москвы. Пусть работает у себя на родине — в Тиходонске.

Председатель задумался. Лицо его постепенно снова сморщилось. Это был хороший знак.

— Что ж, предложение разумное, дельное и взвешенное. Я его поддерживаю. Сформулируйте заключение, и я доложу наши выводы Сергею Михайловичу! Думаю, он нас поддержит. Если, конечно... Кстати, как ведет себя наш герой? Нервничает, волнуется, переживает, раскаивается?

Начальник контрразведки развел руками:

— Не могу знать. Он не появлялся на службе.

— Вот как... — Рябинченко озабоченно свел брови. — Может, он в это время добивается приема у товарища Грибачева?

— Не могу знать, товарищ генерал-полковник.

— Скорей всего, так и есть. Что еще можно делать в его положении? Только жать на все рычаги, использовать все связи и возможности.

* * *

— Я была комсоргом и носила в райком членские взносы... А он завел меня в заднюю комнату, там стояли знамена, много знамен... Посадил на стол, как раз на знамя... Потом я смотрю, а на многих знаменах такие белесые пятнышки...

— А дальше что?

— Один раз он повел меня в какой-то дом, я думала, там у него квартира... А он привел на чердак, наклонил на подоконник и пристроился сзади...

— Видишь, какая ты сука!

— Да, да... Давай, я уже не могу...

Три дня они не выходили из квартиры. Чучканов звонил по нескольку раз в разное время суток, удивляясь, что супруга безотлучно сидит дома. Софья щебетала с ним как ни в чем не бывало. Запасы продуктов были съедены, положение спасала огромная связка желто-зеленых бананов. Они ели их с утра до вечера, запивая шампанским. И с утра до утра занимались сексом. В том числе с использованием бананов, как на конфискованной пленке, будто невзначай поставленной Софьей.

Волк уже еле переставлял ноги, Софью тоже качало, будто на палубе идущей в штормящем море яхты.

— Тебе не надоели бананы? — спросил Вольф, когда они в очередной раз оторвались друг от друга.

— Не-а, — лукаво улыбнулась Софья. — А тебе не надоели мои сказки? Я как Шехерезада — могу рассказывать тысячу и одну ночь.

— Для сказок они очень правдоподобны.

— Тогда считай, что это научная фантастика.

— А где же реальность?

Софья снова улыбнулась.

— Реальность в том, что завтра приезжает Николай Павлович.

— Значит, мне пора убираться?

Вольф прошелся по комнате. Новая генеральская квартира была светлой, просторной, дорого обставленной. В зале висел красивый ковер ручной работы, на нем — кривой кинжал в ножнах, украшенных красными и зелеными камнями. И ковер, и кинжал — из Борсханы. Из взятого штурмом дворца. Волк незаметно пощупал плотную шерстяную ткань и нашел то, что искал: небольшие, аккуратно заштопанные дырочки. Следы автоматной очереди. Или он, или Серж прострочили ковер из ППШ. Шаров привез трофей Чучканову, предварительно приведя его в порядок. Не исключено, что пришлось застирать брызги крови, а может, небольшие капельки остались, просто их не видно на красном фоне. А кинжал и был в отличном состоянии. Его сняли с убитого африканского принца. Если в отделке рубины и изумруды, то он стоит целое состояние...

— Ну почему так грубо? Мы прекрасно провели время. У меня совершенно нет сил. Это первый раз в жизни.

Софья надела короткую ночную рубашку и присела перед трюмо, прихорашиваясь. Волк подошел сзади и обнял ее за плечи. В маленькой хрустальной вазочке лежали четыре неограненных алмаза.

— А еще два откуда? — спросил Волк.

— Что? Ах, это... Николай Павлович подарил. Хочу колье заказать...

— Я могу достать много таких камней, — неожиданно для себя сказал Волк.

Софья засмеялась.

— Ты что, владелец алмазных копей?

— Нет. Но если ты захочешь... Короче, ты ни в чем не будешь нуждаться.

— Если что? — зеленые глаза внимательно изучали его через зеркало.

— Я сказал — выходи за меня замуж.

— Ах, ты опять об этом...

Резкая трель телефона разорвала напряженную тишину.

— Да-а, — сказала в трубку Софья, и тут же лицо ее изменилось. — Кого?! Волкова?

Она испуганно посмотрела на Волка, отставив трубку в сторону, словно взведенную гранату. Он протянул руку.

— Да.

— Есть новости, Володя, — голос Петрунова был невеселым.

— Как вы узнали номер?

— Он остался в памяти. Я уже два дня не могу тебя найти. Решил попробовать...

— Что за новости?

— Неважные. Ты переведен в МВД. В Тиходонское управление. Через неделю должен приступить к работе. Ты меня понял?

Волк помолчал.

— Понял. Чего тут непонятного.

Он положил трубку.

— Неприятности? — Взгляд у Софьи был тревожным. — Как они тебя нашли? Надеюсь, они не будут больше сюда звонить? Представляешь, если вдруг у Николая Павловича спросят Волкова?

Волк покачал головой. Сначала медленно, потом все сильнее, будто отгонял наваждение.

— Я уезжаю в Тиходонск. Поедем со мной.

— Ты серьезно?

— Да. Поедем!

Софья аккуратно припудрила носик.

— Но тебе надо вначале устроиться, обосноваться...

— Но ты согласна?! — Волна радости захлестнула его с головой. — Отвечай, ты согласна?

— Ну... В принципе, да.

— Ура! — Волк схватил Софью в охапку. — Я позвоню через месяц... Или два... И ты приедешь ко мне. Да?

— Конечно, — сказала Софья и по-матерински поцеловала его в щеку.

Часть третья

В ТИХОДОНСКЕ СТРЕЛЯЮТ ЧАСТО

Глава 1

ЧЕРНОВАЯ РАБОТА

За шесть лет Тиходонск почти не изменился. Те же выщербленные улицы, обветшавшие купеческие дома, вечные тополя вдоль Магистрального проспекта, опыляющие весной весь город противным летающим пухом, забивающим глаза, носы, автомобильные радиаторы и провоцирующие мальчишек поджигать невесомые белые кучки, охотно вспыхивающие с резким сухим треском, как порох.

Только улицы стали уже, дома ниже, Магистральный короче... Весь город будто съежился, покрылся налетом провинциальности. И шикарная двухкомнатная квартира родителей превратилась в тесное убоговатое жилье, в котором и жить-то по-настоящему нельзя — разве что посмотреть телик и переночевать в промежутке между трудовыми буднями. Только вид из окна по-прежнему радовал. Это, конечно, не панорама Юго-Запада столицы с балкона шестнадцатого этажа, но неспешно плывущие по Дону баржи и сухогрузы, стремительно летящие над волнами «Метеоры», бескрайние просторы Задонья расслабляли зачерствевшую душу, ласкали взгляд и радовали сердце.

Вольф сделал родителям сюрприз и приехал без предупреждения. Бурная радость встречи сменилась ужасом, когда Генрих и Лизхен увидели татуировки.

— Это **они** тебя изуродовали! — не спросил, а констатировал отец, вложив большую, чем обычно, ненависть в слово «они».

— Кто?! Кто это сделал?! — убивалась мать. — Зачем? У Володеньки была такая гладкая кожа...

Она зарыдала. Лицо Генриха застыло, каменно напряглись желваки.

— Успокойся, мам, — Володя обнял мягкие вздрагивающие плечи. — Так было надо по работе. Это все можно свести. Успокойся.

— Правда? От этой гадости ничего не останется? — мать перестала всхлипывать.

— Ничего. Почти ничего. Да. Почти.

— А по какой работе? — Она вытерла покрасневшие глаза. — Ты ведь все это время служил в армии?

— Гм... Не совсем. Последнее время пришлось работать в милиции. Сейчас я перевелся сюда.

— Так ты милиционер?! — оторопела Лизхен. Генрих криво усмехнулся и многозначительно покачал головой.

— Но почему ты ничего не писал, не рассказывал?

— Не мог. Не имел права.

Строгие казенные обороты привычны для граждан советской России. Мать успокоилась окончательно.

— А жена? Когда она приедет?

— Мы развелись.

Генрих хмыкнул. Но Лизхен не обратила на это внимания.

— В жизни всякое бывает, обойдется. Главное, что можно убрать этот ужас. Слава богу! Я прямо испугалась, как тебя увидела. Ой, заболталась... Помойся, отдохни, я сейчас быстро накрою на стол...

Мать уже не готовила немецкие блюда, отец перестал быть трезвенником и даже перешагнул черту умеренного потребления. Он опрокидывал большие стопки одну за другой, почти не притрагиваясь к отварной молодой картошке, свежим котлетам и зелени. Вольф, наоборот, пил мало, но с жадностью налегал на забытую домашнюю еду. Лизхен, подперев пухлым кулачком подбородок, наблюдала с тем умиленным выражением лица, которое было бы у любой матери в подобной ситуации.

— Ты стал таким большим, совсем взрослым... Конечно, жаль, что с женой расстались... Я все хочу внуков понянчить... Может, успею еще... У тебя на примете-то никого нет?

— Почему, есть, — кивнул Владимир. Он не любил говорить с набитым ртом, но сейчас не стал соблюдать это правило. — Только она старше меня...

— Подумаешь! — мать махнула рукой. — И я старше Генриха на два года. Даже на два с половиной! А у вас какая разница?

— Тринадцать лет.

— Тринадцать?!

— И она замужем.

— Вот те на! А кто муж-то?

— Генерал.

Генрих снова хмыкнул:

— От генерала небось не уйдет! — и опрокинул очередную стопку.

— Уйдет. Как только осмотрюсь здесь, позвоню, и она приедет. Примете невестку?

Мать разулыбалась:

— Конечно! Не разместимся разве в таких хоромах? Заселяйтесь в твою комнату и живите! Места хватит.

«Хватит ли?» — подумал Вольф. Если всю жизнь прожить в коммуналке, то изолированная двухкомнатка действительно покажется дворцом. Но Софья привыкла к просторным командирским квартирам. Вряд ли ей понравится тесниться вчетвером на тридцати двух метрах. А ночью? Она так кричит и стонет, что перепугает родителей. Нет, надо будет снимать жилье. Но где взять деньги? Да и вообще... Вот так бросить Москву, привычный образ жизни, обеспеченный быт генеральской жены и очертя голову приехать в какой-то Тиходонск?.. Сейчас это казалось совершенно невероятным!

— О чем задумался, сыночек?

— Да так... О жизни. Как она сложится...

Владимир отправил в рот последний кусок и сыто отвалился на спинку стула.

— Ой, я сейчас чай принесу! — мать убежала на кухню.

— Значит, Вольдемар, ты прибыл разрабатывать наших ментов? — Генрих испытующе смотрел на сына в упор. — Что же они сотворили, если прислали сотрудника аж из Москвы?

— Ты хорошо освоил служебный лексикон, отец. Только я не затем приехал. Меня выгнали из Конторы. И теперь я действительно лейтенант милиции.

Отец понимающе кивнул:

— Значит, не можешь сказать. Ладно. Дело такое...

Генрих опрокинул еще одну стопку.

— Ты стал много пить.

— Да. Раньше не пил совсем, и все окружающие считали меня идиотом. Помнишь, даже избить хотели, ты тогда заступился с этим своим лысым другом... А теперь пью, и меня считают нормальным. Хотя это тогда я был нормальным, а не сейчас. Просто мир вокруг нас ненормален. Он всегда так и говорил.

— Кто?

— Иоганн... Он хотел переделать мир в нормальный. А я засадил его за решетку. Это очень большой грех. Очень. Он снится мне по ночам. Мертвый. Подходит ко мне и наставляет палец. Мертвый, представляешь? Наверное, его уже нет в живых...

Владимир покачал головой:

— Жив, жив. Не могу сказать, что совсем здоров, но его уже выписали из больнички. Устроился неплохо, ходит в авторитетах...

У отца отвисла челюсть.

— Ты... Ты...

— Да. Я его видел.

— Там?!

— Да, там. Где же еще?

На лице Генриха проступило выражение озарения.

— Это из-за него тебя так разукрасили?

— Точно.

— И что они от него хотели?

Владимир замялся:

— Этого я сказать не могу.

Генрих вздохнул:

— Значит, ты тоже причинял ему вред. Это рок нашей семьи! Из-за нас должен страдать бедный Иоганн!

— Не такой уж он бедный, — буркнул Владимир.

В словах отца был резон. Из-за него Иоганн сел в тюрьму, из-за него получил заточку в бок.

За столом наступила напряженная тишина.

— Почему вы такие грустные? — спросила Лизхен, занося чайник.

* * *

Волка оформлял на службу лично начальник отдела кадров Тиходонского УВД подполковник Уварин.

— У нас это первый случай. — Дородный сорокапятилетний мужчина с пшеничными усами перелистывал личное дело Вольфа с такой осторожностью, будто отдельные листы могли быть смазаны контактным ядом отсроченного действия. На лице ясно читалось выражение недовольства. — Да и вообще я никогда не слышал про переводы из КГБ...

— Ни одного случая за последние двадцать лет, — тихо дал справку капитан-инспектор, почтительно стоящий по левую руку от начальника.

— Вот-вот, — вздохнул подполковник. — Да еще эта чехарда с фамилиями... То Вольф, то Волков, что все это значит?

— Там есть обоснование, — смиренно пояснил Владимир. — Я служил в режимной части, немцев в нее не брали, а я подходил по всем статьям... Вот и сделали временно Волковым. А потом эта фамилия попала в наградные листы, так и остался на ней. В деле есть меморандум.

— Где?! Ничего здесь нет! — Уварин потряс папку так, что растрепались страницы. — Половина листов изъята! Где они? В местном Управлении КГБ? Что это значит? «Действующий резерв»? То есть вы работаете и на них, и на нас?

— Никак нет, товарищ подполковник, — с солдатской четкостью ответил Вольф. — Из Комитета я уволен.

— Ну-ну, — угрюмо пробурчал подполковник. — Только майор Мусин из УКГБ звонил час назад. Просил, чтобы вы зашли к нему, в тридцать второй кабинет.

— Странно, — искренне удивился Владимир.

— Очень...

Словно спохватившись, Уварин попытался изменить выражение лица и перейти на более дружелюбный тон.

— Правда, и из оставшихся материалов видно, что вы верой и правдой послужили Отечеству. Три боевых ордена — это не хухры-мухры... Особо отмечается ваша боевая подготовка и военный опыт... При переводе вам присвоено звание старшего лейтенанта, это тоже высокая оценка...

Попытка не удалась. Гримаса недовольства вернулась на место.

— Но эта ваша роспись! Она вообще не лезет ни в какие ворота! Ну, бывают армейские или флотские татуировки: якорь, пропеллер, надпись «ВДВ»... И то мы рекомендуем выводить их. А тут натуральные тюремные наколки! Я еще не видел милиционеров, похожих на зэков!

Вольф пожал плечами. Он уже не изображал смирного прилежного солдата. Он снова стал самим собой.

— По соображениям государственной безопасности я не имею права обсуждать эту тему. Шкуру я снять не могу. Мой послужной список, думаю, говорит сам за себя. Так же, как и государственные награды.

Подполковник поморщился. Вопрос о зачислении дерзкого новичка на службу вместе со всеми его татуировками решен в Москве. В этом вопросе он бессилен. Можно было только показать, кто здесь кому подчинен.

— Забывайте про госбезопасность. У нас другой масштаб, здесь в почете рутинная работа. Не за ордена и медали. Повседневный, скромный труд по предупреждению и раскрытию преступлений. Нам нужны пахари!

Уварин запнулся, уставившись в очередной лист. На лице отразилась целая гамма эмоций.

— Вы в самом деле лично знакомы с товарищем Грибачевым? И можете связываться с ним в любое время?

Владимир пожал плечами:

— В любое вряд ли. Ночью как-то неудобно...

— Ну а днем?!

— Днем я ему звонил...

Подполковник озабоченно почесал затылок. С одной стороны, справок о контактах принимаемого на службу лица с руководителем государства ему еще видеть не приходилось. С другой — если в кандидате заинтересован хоть самый маленький начальник, в кадры обязательно кто-то позвонит и замолвит словечко. А раз этого парня выперли из Комитета, к тому же сослали из Москвы в Тиходонск, значит, он никому не нужен. Какие бы справки ни находились в его деле и какими бы орденами он ни был награжден. Следовательно, обходиться с ним можно как угодно. Хотя и не перегибать палку. Надо держать ухо востро. А включить заднюю передачу никогда не поздно.

— Ну-ну... На какую должность вы претендуете?

— Претендую? Да у меня вообще нет никаких претензий.

— Ваш опыт оперативной работы для нас не подходит. В контрразведке своя специфика, в милиции — своя... Боевые навыки — это, конечно, важно. Но у нас перестрелки случаются не так часто. Хотя сейчас положение изменилось. В городе действует опасная вооруженная банда, она уже убила несколько человек... В патрульно-постовую службу для начала пойдете?

— Пойду... Мне не выбирать...

Подполковник захлопнул личное дело.

— Ну, если так... Начнете с должности командира взвода. А дальше посмотрим.

— Мне не выбирать, — повторил Владимир.

— Тогда можете идти. Приступайте к работе.

Когда Владимир вышел, Уварин протянул личное дело инспектору.

— Держи, Веселов. Готовь приказ: комвзвода в Центральный райотдел. И имей в виду, с этим парнем надо быть чрезвычайно осторожным. Намекни аккуратно Баринову. Начальник райотдела должен быть в курсе.

— Есть, товарищ подполковник, — четко ответил инспектор, привычно зажимая папку под мышкой.

— И вот еще что... Когда он уйдет, выйди следом и посмотри: зайдет ли он к «соседям».

УВД и УКГБ находились в одном здании: от входа до входа — сорок метров.

— Проследить? — задание для кадровика было явно непривычным. Он заметно растерялся.

— Что тут следить? — раздраженно сказал начальник. — Просто выйди и посмотри. Хочешь — купи себе мороженое на углу. Погуляй немного на свежем воздухе — в сторонке, разумеется. Или перейди на другую сторону. Как в кино. Потом придешь и доложишь.

— Есть, товарищ подполковник!

* * *

Майор Мусин оказался худощавым, подтянутым человеком, в стандартной комитетской униформе — недорогом строгом костюме и белой сорочке с галстуком. Он встретил Владимира как старший брат: сердечно пожал руку, радостно улыбался, расспрашивал о семье. Словом, с точностью следовал правилам оперативной психологии, предписывающей обязательно располагать к себе собеседника.

— Ваше личное дело поступило к нам, — наконец приступил он к делу. — Точнее, его большая часть. Надо сказать, не часто приходится видеть такие материалы. У нас в области всего три человека с подобным опытом. У одного — это еще опыт военных лет. — Майор улыбнулся еще шире. — Я буду вас курировать, если появятся какие-то вопросы, проблемы, трудности — обращайтесь без стеснения.

— Курировать?! Я же уволен и переведен в другое ведомство!

— Это ничего не значит. Комитетчики бывшими не бывают. В случае необходимости мы вам поможем, а если понадобится — вы нам!

— Я? Каким образом?

— Положение дел в милиции теперь входит в сферу наших интересов. Я буду вам признателен за любую информацию.

Старший лейтенант милиции Волков встал.

— Приятно было познакомиться. Но я уже не служу в Конторе. А функции агента-осведомителя выполнять не собираюсь. Я приехал сюда работать. В Центральном РОВД, командиром взвода патрульно-постовой службы. Если вас заберут в вытрезвитель, наверное, я смогу помочь.

— Да-да, конечно, — кивнул Мусин. — Это дело сугубо добровольное. Но вы мне можете звонить в любое время. Я готов помогать коллеге без всяких условий.

— Спасибо, — кивнул Владимир. — Кстати, я поселился у родителей, это тесно и неудобно. Вы могли бы помочь с квартирой? В Москве обещали, что этот вопрос будет поставлен.

— Совершенно точно, — Мусин кивнул. — Вопрос есть.

Но, к сожалению, квартир нет. У нас самих длинная очередь. Честно говоря, я и сам ожидаю уже пять лет. Не исключено, что со временем...

— Спасибо, я все понял, — сказал Волков и попрощался.

* * *

— Он заходил к «соседям», пробыл там пятнадцать минут, — доложил Веселов, явно довольный собой. — Потом вышел и направился в сторону центра...

— Молодец, молодец, Джеймс Бонд, — без улыбки похвалил подчиненного Уварин и нетерпеливо указал ему на дверь. — Достаточно, свободен.

Когда инспектор вышел, Уварин снял трубку прямого телефона.

— Наши подозрения подтвердились, товарищ генерал. Только что московский гость сходил на инструктаж к своим коллегам.

— Гм... Вот так открыто, у всех на виду? — в голосе начальника Управления слышалось сомнение. — Где же конспирация? А без конспирации какое это, к черту, оперативное внедрение? Что-то тут не то...

— А чем проще, тем лучше. Тем более новые времена, новые методы...

— Значит, надо работать по линиям служб, наводить порядок в подразделениях. Этого мы вычислили, так могут еще пятерых тайно заслать. Смотрите, чтоб все было в ажуре!

Команда относилась ко всем заместителям, но принял ее к исполнению подполковник Уварин.

— Есть, товарищ генерал! — ответил он с той же четкостью, которую недавно изображал Вольф и старательно демонстрировал Веселов. Потому что готовность выполнить любой приказ начальства — залог продвижения по службе. Причем гораздо более весомый, чем честность, мужество и оперативное мастерство.

* * *

В тряском «уазике» было жарко, воняло бензином и машинным маслом. За открытыми окнами проплывали улицы вечернего Тиходонска. Богатяновка — знаменитое место, все равно что Молдаванка в Одессе. «На Богатяновской открылася пивная...» Завернули на Лысую гору: пустырь со старыми, приговоренными к сносу домишками, почти все жители уже отселены, скоро здесь поднимется коттеджный поселок... А пока пустующие остовы богатяновских завалюх притягивают бомжей, бродяг и местных пьяниц. ПМГ-12 прокатилась по агонизирующему поселку, но ничего подозрительного обнаружить не удалось. Возле одного из немногих жилых домов сидела на лавочке безразличная ко всему старушка.

— Здравствуйте, бабушка! — приоткрыл дверцу старший лейтенант Волков. — Милиция давно проезжала?

— Так мы не вызывали, — удивилась она. — Последнее время тихо, слава богу. А вот третьего дня ночью и песни пели, и орали, будто режут кого... У нас все равно телефон-автомат поломан — как вас вызывать...

— А сами не приезжают?

— А чего ж им приезжать, коли не звоним, — еще больше удивилась старушка. — Бывало, и накручиваем целый день — все равно не едете...

— Спасибо, бабуля...

Волк с лязгом захлопнул дверцу. Лысая гора входила в маршрут ПМГ-6. Сегодня патруль должен был трижды проконтролировать здесь обстановку. Выругавшись, он записал результат в журнал. Круглов явно неодобрительно покряхтел.

— Бензина мало дают. Если ездить везде, на четверть смены только и хватит!

— Да? А девчонок катать вам бензина хватает? Кстати, давай на набережную!

На набережной веяло прохладой, пахло рекой, у пивбара «Рак» выстроилась небольшая, строго сосредоточенная очередь. Пакгаузы знаменитого тиходонского купца Парамина, хотя и взятые под охрану государством, но не ремонтируемые, а потому успешно продолжающие разрушаться.

— Ну-ка, давай медленней...

Острым взглядом Волк прочесал кусты, посветил фарой в темные углы.

— Поехали.

Панорамный кинотеатр «Шторм», когда-то большая редкость, один из шести в Союзе. На маленького Вольфа произвели неизгладимое впечатление красные ковровые дорожки, торжественный оркестр в вестибюле, выдаваемые у входа в зал картонные очки с розовыми квадратиками целлулоида, делавшие экранное цирковое представление выпуклым и объемным. Сейчас он заброшен: потускнел, осел, покрылся пылью. Группа курсантов расположенного рядом мореходного училища лихо поет под гитару. Напротив, у причальной стенки, пришвартована парусная шхуна, на которой те же курсанты ходят на судоводительскую практику.

Дальше злачные места: ресторан «Речной», бар, шашлычная... Вдали мелькнула милицейская машина.

— Давай к восьмому! — приказал Волков.

Круглов с явной неохотой пошел на сближение, машины стали борт к борту. Кроме патрульных, в ПМГ-8 сидели две девушки. Шатов молодцевато выскочил наружу, подошел, доложился по форме:

— Товарищ старший лейтенант, за время дежурства никаких происшествий не произошло. Старший экипажа сержант Шатов!

— Кто в машине? — строго спросил Волк.

— Потерпевшие. У них сумочку выдернули. Ищем по горячим следам...

— Что ты несешь? Если грабеж, то почему не доложил дежурному, если ищете — почему стоите на месте? А сейчас я у них спрошу, кто у них что вырвал и кто вставить хочет!

Шатов увял и опустил голову.

— Быстро выгоняй их и неси службу, как положено!

Волк достал контрольный журнал, но раскрывать не стал. Слишком много недостатков — это мина, заложенная под зад самому себе.

— Давай наверх!

ПМГ-12 стала карабкаться по крутому подъему. Печатный переулок. Сколько помнил Волков, здесь всегда текла вода. Зимой и летом, осенью и весной. В рации раздался странный треск, потом треск повторился. Как будто кто-то переложил трубку с места на место. Или дважды провел ногтем по микрофону. Волк бы не обратил на это внимания.

«Слышь, маякует! — сказал кот. — Небось передает другим, что ты сегодня зверствуешь!»

— Это Шатов остальных предупреждает? — спросил Волк. Круглов едва заметно улыбнулся.

— Пусть предупреждает! Я пришел во взвод не на один день. И контроль будет постоянный! Так всем и передай!

Патрульный автомобиль вывернул с Печатного переулка на Магистральный проспект. Два центровых квартала — знаменитый Брод. Воспетые известным поэтом красивые женщины в открытых сарафанах, девушки в мини-юбках, шумные подростки с завязанными на впалых животах полами клетчатых рубах, солидные «взросляки», выбравшиеся сюда по старой памяти. Конечно, сейчас здесь не так многолюдно, как десять лет назад, но все равно гораздо оживленней, чем в других местах. Пьяных не видно, ничего подозрительного не происходит. Вот и ПМГ-5. Машина медленно ползет, прижимаясь к тротуару, патрульные фильтруют взглядами гуляющую публику. Словом, несут службу, как положено. Волков взглянул на часы и сделал отметку в контрольном журнале.

— Скала — Двенадцатому, — с хрипом и треском прорвался сквозь эфир голос дежурного. — Скала — Двенадцатому...

Старший лейтенант Волков отстегнул тяжелую трубку, вдавил тангету.

— Двенадцатый на связи.

— Где ПМГ-4? По Левому берегу уже две заявки, а они не выходят на связь!

Волков взглянул на часы.

— Минут сорок назад были на маршруте. Где сейчас, не знаю. Я нахожусь в районе моста, могу подъехать.

— Заречная, пять, заправка, оттуда позвонил мужчина, заявил грабеж.

— Вас понял.

Круглов, не дожидаясь команды, включил проблесковый маяк и дал газ.

— Обедать поехали, сто процентов.

— Если так, почему Сергеев не доложился?

— А чего докладываться? Там всех делов минут на двадцать.

Волков выругался:

— Что вы за люди?! Сколько раз повторять: нельзя выходить из-под контроля, нельзя оставаться без прикрытия! А вдруг на них напали и перестреляли обоих?

Круглов усмехнулся и покрутил головой:

— Да что мы — в Афганистане? За восемь лет службы я всякое видел. Напивались, дрались, оружие теряли... Но никаких нападений никогда не было! А вы вторую неделю, и все как на войне!

— Как не было нападений? А «Призраки»? В городе орудует опаснейшая банда! Налеты, стрельба, трупы! Это что, не война?

Сержант поморщился.

— «Призраки» на инкассаторов нападают. За деньгами охотятся. Это совсем другое дело...

— Сегодня на инкассатора, а завтра на ПМГ! Надо всегда рассчитывать на худшее!

Волков в сердцах взялся за рацию:

— Четвертый, я Двенадцатый, прием! Четвертый, я Двенадцатый, прием!

ПМГ-4 не отвечала.

Оставаться без прикрытия нельзя! Уходить со связи нельзя!! Терять управление группами нельзя!!!

Эти аксиомы ему накрепко вбил в голову майор Шаров, и весь последующий боевой опыт их неоднократно подтверждал. Если связь с группой потеряна, все остальные по тревоге ищут ее, чтобы выяснить причину!

— Пятый, Шестой, Седьмой, Восьмой, ответьте Двенадцатому! — властно скомандовал Волк. В его голосе появились такие нотки, что Круглов удивленно покосился на нового замкомвзвода.

— Пятый на связи!

— Шестой на связи!

— Седьмой на связи!

— Восьмой на связи!

Волк замешкался, но только на мгновение.

— Внимание всем! ПМГ-4 не выходит на связь! Объявляется боевая тревога! Всем группам... отставить! Всем машинам прочесать зону патрулирования ПМГ-4 с целью обнаружения и оказания помощи экипажу! Я иду на Заречную пять, к заправке...

Эфир недоуменно трещал и шелестел.

— Не понял?

— Сняться с маршрута?!

— С чего тревога-то?

— Какую помощь? Шашлык хавать вместо них?

— Выполнять приказ! — рявкнул Волк.

Круглов качал головой. Лицо его выражало крайнюю степень неодобрения. Наверняка такие же лица и у других патрульных. Им это непривычно. Но если пойти на поводу и принять их правила игры, то недолго превратиться в такого же безответственного разгильдяя.

«Уазик» несся по мосту. Горящий тысячами огней город остался сзади, на высоком правом берегу, внизу плескалась отблескивающая в лунном свете река, впереди чернело Левобережье, прошитое редкими блестками фонарей.

— Двенадцатый, я Скала, что у вас происходит? — вмешался дежурный.

— Ничего. Ищу ПМГ-4.

— Маршруты не оголять! Запрещаю снимать патрули с маршрутов!

— Пятый, Шестой, Седьмой, Восьмой, выполняйте приказ! — повторил Волк.

Мост закончился, машина нырнула в темноту. Синие вспышки отражались на окружающих Южное шоссе деревьях. Если ехать пятнадцать часов подряд, попадешь в Баку. Но перед дальней дорогой лучше заправиться. Справа тускло светились желтые лампочки бензоколонки. Здесь царило запустение: ни одной машины, наверное, и бензина нет — конец квартала, фонды выбраны.

От диспетчерской навстречу «уазику» бросился человек в белой, забрызганной кровью тенниске.

— Скорей, почему так долго? — возбужденно кричал он, прижимая платок к разбитому лицу. — Их двое, побежали вон туда!

— В машину, быстро! — скомандовал Волк, чувствуя, как просыпается в нем охотничий азарт. — Опишите одежду, приметы...

Потерпевший быстро запрыгнул на заднее сиденье.

— Ты там кровью все не испачкай, — пробурчал Круглов, хотя испачкать что-либо сзади было невозможно — только испачкаться.

Машина, дребезжа, набрала скорость. Пустынная дорога, по обе стороны длинные серые заборы — промзона. Здесь негде спрятаться, можно только бежать вперед.

— Ни за что, сволочи, без всякого разговора — сразу в морду, — возмущался терпила[1]. — У меня всего-то три рубля и было, даже бутылку белой не купишь. Ну, попросили бы по-хорошему...

— А ты бы отдал? — спросил Круглов.

Мужчина помолчал и хлюпнул носом:

— Хрен им!

— То-то, — удовлетворенно сказал сержант. И тут же встрепенулся: — Вот они!

Впереди, прижимаясь к серому забору, кралась серая тень.

— Он один! — рассмотрел Волк. — Давай!

Круглов включил маяк и сирену. Тень бросилась бежать, но «УАЗ» вскоре поравнялся с преследуемым, осветив его фарами.

— Он? — спросил Волк, хищно раздувая ноздри.

— Вроде он, — не очень уверенно ответил терпила. Но тут же поправился: — Точно он! Рубашка в клеточку...

Волк распахнул дверь:

— Стоять! Стоять, я сказал!

Вместо того чтобы выполнить команду, преследуемый нырнул в звездообразный пролом и скрылся в темноте.

— Стоп! — скомандовал Волк и, выпрыгнув из машины, бросился следом.

— Осторожно, у него может быть пика! — предостерег вслед Круглов.

В проломе торчали изогнутые арматурины, Волк с трудом увернулся от острых прутьев. Преследуемый мчался к

---

[1] Терпила — потерпевший *(профессиональный сленг)*.

глубокой тени, отбрасываемой громадой склада. Волк побежал следом. Если грабитель скроется из виду, его не найти.

— Стой! Стой, стрелять буду!

Готовый к бою пистолет уже сидел в руке.

— Стоять, стреляю!

Он поднял ствол вверх. В ночной тиши оглушительно ударил выстрел, вспышка разорвала темноту, как разряд молнии. Палец вдавил спуск еще раз. Снова гром и молния. Беглец упал, будто небесный огонь сразил его наповал. Волк оглянулся — не выстрелил ли Круглов на поражение. Сзади никого не было. Что это с ним? Он подбежал к лежащему вплотную. Тот лежал ничком и вздрагивал всем телом.

— Руки вперед! Руки, чтоб я видел, ну!

Задержанный вытянул руки.

— Ну чего я сделал? — плачущим голосом затянул он. — Я живу тут в поселке, два шага осталось. За что меня в вытрезвитель?

— Оружие есть?

— Да какое оружие, откуда...

Волк ощупал лежащего. Под рубашкой и брюками скрывалось только костлявое тело. Остро ощущались запахи пота и перегара.

— Вставай, пошел вперед!

Серый, как тень, небритый мужичонка выполнил команду. Когда они подошли к машине, терпила бросился навстречу, замахиваясь:

— Ах ты гад, попался...

Но занесенный кулак растерянно опустился.

— Это не он...

— Как не он?! Ты же его опознал!

Потерпевший опустил глаза:

— Показалось... Темно ведь.

— Ты что, совсем офонарел! — рявкнул Круглов. — Мы его чуть не убили, а ты теперь заднюю включаешь?!

Но терпила только тряс головой:

— Извиняйте, обознался. И по росту не подходит, и по лицу...

Волк понял, что влип в историю. Списать два патрона

без официального рапорта не удастся. А за незаконное применение оружия по головке не погладят...

— Давай, показывай карманы, — Круглов вышел из машины. — Деньги есть?

— Да откуда...

Действительно, карманы задержанного были пустыми.

— Ну что? — Волк отозвал сержанта в сторону. — Этого придется отпускать, а терпилу везем в отдел.

— Вы чего, командир! — Водитель вытаращил глаза. — Наоборот! На фиг нам нераскрытый грабеж? А за стрельбу отчитаться надо! Он ведь на территорию склада проник? Проник. Считай, покушение на кражу. Но это уже как следователь решит — его дело. А мы задержали и доставили, свое дело сделали. И все в ажуре!

Волк с сомнением пожал плечами. Хотя это действительно был выход. Стрельба на охраняемой складской территории при задержании проникшего туда постороннего выглядит вполне оправданной.

— Ты зачем на склад полез? — между тем строго спросил Круглов. — Что украсть хотел?

— Да семьей клянусь — и в мыслях не было... Испугался просто, думал, в вытрезвитель заберете.

— Ладно, разберемся, лезь в машину!

Заперев заднюю дверь, сержант подступился к потерпевшему.

— Пил сегодня?

— Нет... Так, днем кружку пива...

— Понятно. Значит, мы тебе поверили, а ты нас с пьяных глаз под монастырь подвел? Из-за тебя чуть человека не застрелили! Знаешь, как это называется?

— Так я же не нарочно, не по злобе... Ошибся...

— Ошибся... — милиционер-водитель впился взглядом в лицо терпилы, будто определяя его истинный умысел. Как профессиональный актер он умело выдержал паузу, доведя напряжение сцены до кульминации. Потерпевший превратился в каменное изваяние. Теперь он чувствовал себя виноватым, и ему уже не хотелось жаловаться, не хотелось искать грабителей, не хотелось писать официальных заявлений и изобличать злодеев в суде. Больше всего ему хотелось выпутаться из всей этой истории.

— Хрен с тобой! — Круглов великодушно махнул рукой. — Топай домой и больше не ошибайся.

— Ладно, ладно, спасибочки, — ожил бывший потерпевший. — До моста довезете?

Но сержант уже утратил к нему всякий интерес.

— Обойдешься. Такси вызови. Поехали, командир!

«УАЗ» с ревом и треском развернулся. Одинокая фигурка в белой тенниске медленно брела по пустынной улице.

— Двенадцатый, я Четвертый, — донесся из рации голос Сергеева.

Волк мгновенно схватил тяжелую трубку:

— Где были, Четвертый? Почему ушли с маршрута?

— Колесо пробил. Пришлось заехать в один гараж к знакомому.

— Почему не доложили? Не отвечали на вызовы?

— Рация барахлит. Контакт отходит. Я сколько раз говорил, чтоб починили...

Ясно было, что Сергеев врет. Но формально придраться не к чему. Хорошо бы высказать ему все, что накопилось, но нельзя засорять эфир руганью. Ладно, потом разберемся...

— Пятый, Шестой, Седьмой, Восьмой — возвращайтесь на маршруты! — скомандовал Волк. Ему пришлось повторить команду, только тогда экипажи вразнобой и с явной неохотой доложили о выполнении.

— Про ПМГ-4 никто даже не спросил. Похоже, искать Сергеева они и не думали, — пробурчал Волк, ни к кому не обращаясь.

Круглов хмыкнул:

— А чего его искать? Маленький, что ли... У ребят вроде как перерыв получился, вот и заехали в какую-нибудь шашлычную.

— У вас что, так принято выполнять приказы? — изумился Волк. В специальной разведке за подобное распиздяйство виновников размазали бы по плацу перед строем.

— Двенадцатый, я Скала, — прохрипела рация. — Доложите обстановку!

— ПМГ-4 обнаружена...

— Понято, — без удивления сказал дежурный. Судя по всему, он и не сомневался в благополучном исходе поисков.

— Задержан неизвестный, проникший на складскую территорию. При этом произведено два предупредительных выстрела.

— Понято, — безразличие в тоне Скалы исчезло. — Что с грабежом на Заречной?

Волк молчал. Рука, будто ослабев, разогнулась под весом трубки. Соврав сейчас, он примет правила скверной игры. Очень скверной игры.

— Не подтвердился, — тихо подсказал Круглов.

— Вас не слышу, — прохрипела Скала.

— Не подтвердился, — громче сказал сержант.

Когда все играют не по правилам, дураком выглядит тот, кто их соблюдает. К тому же он обречен на проигрыш. И все же...

Волк взвесил трубку на ладони и протянул ее водителю. Тот несколько удивился, но трубку взял.

— Грабеж не подтвердился, — солидно произнес он. — С задержанным следуем на базу.

— Понято, — прежним будничным тоном сказал дежурный. Смены собеседника он не заметил. Или сделал вид, что не заметил.

* * *

— А чего было мудрить? — Выпятив нижнюю челюсть, Сергеев глубоко затянулся «Примой». — Дал бы ему два патрона — и все дела!

— Да я бы дал, — Круглов длинно сплюнул. — Только про него ведь говорят, что комитетский... А за неучтенные боеприпасы можно сразу на нары загреметь! Хотя, по-моему, мужик нормальный. Правда, на дисциплине повернутый да на бдительности. Учил быстро пистолет доставать. Я ему все говорю: не на войне ведь!

— Нормальный... Дыма без огня не бывает, — мрачно сказал сержант Ивонин — старший ПМГ-6. — Только появился, сразу прессовать стал. Не нравится мне все это.

Экипажи взвода патрульно-постовой службы курили во дворе райотдела, дожидаясь начала спортивной подготовки. В глубине ощетинился колючей проволокой глухой забор изолятора временного содержания, справа стояла небольшая очередь в вещевой склад: там шла летняя выдача формы.

— И мне не нравится, — Круглов выбросил окурок в железную банку. — Раньше была жизнь как жизнь, а теперь каждый день замполит вызывает и выпытывает: как там Волков? Что сказал да что сделал? И весь маршрут под увеличительным стеклом! И сам он требует, чтоб все, как положено.

— Ничего, перемелется, — скривив губы, процедил Сергеев. — Молокососу деваться некуда — станет играть по нашим правилам...

До сих пор правила устанавливал Сергеев. Он был самым старшим во взводе — тридцать два года и пользовался непререкаемым авторитетом.

— А правда, что у него фамилия другая? — неожиданно спросил напарник Сергеева, низкорослый крепыш Долин. — Вроде настоящая засекречена...

— Болтают, наверное, — отмахнулся старший сержант Шатов, командир восьмой машины. — Он на меня тоже наезжал. За то, что девчат посадил.

— Чего там «болтают»! — прервал его старший ПМГ-5 Волосов. — Он живет рядом со мной. Отец — Генрих Вольф, немец. Работал в горкоммунхозе, сейчас в исполком перешел. Так что настоящая фамилия у него и есть Вольф! Окончил военное училище, служил в армии, потом что-то не сладилось — перешел к нам.

— А наколки тоже из армии? — спросил Огородников, водитель ПМГ-8. — Нет, это зэковская роспись! Я пять лет проработал в конвойном взводе, насмотрелся. Настоящий Расписной...

— Точно, Расписной! Говорят, он был уголовником, отсидел в тюрьме почти десять лет, — понизил голос Ивонин. — А потом выполнил какое-то особое задание, которое контролировали с самого верха. И вот... Судимости сняли, наградили, взяли к нам...

— Такое разве бывает? — усомнился Круглов.

— Когда секретные дела, всяко бывает, — уверенно сказал Ивонин.

— Чушь все это, — сказал всезнающий Волосов. — Участкового Пронькина знаете? Он свояк с Веселовым из отдела кадров. Так вот, Веселов рассказывал, что наш командир ни в какой тюрьме не сидел. Награды у него за войну. И еще...

— За какую войну? — перебил Сергеев, который воевал в Афганистане и очень ревностно относился к конкурентам. — Если бы он побывал «за речкой», мы бы с ним давно нашли общий язык...

— И еще! — повысил голос Волосов. — Он лично знаком в Грибачевым.

Наступила тишина.

— Что?

— Чего?

— С кем?

— С Грибачевым. Генеральным секретарем ЦК КПСС. И может звонить ему в любое время. Только не ночью.

— Ты чего такое болтаешь, Леха?

— Не хотите — не верьте. Я никого убеждать не собираюсь.

— Идет! — крикнул Долин.

Из здания райотдела вышел Волков и быстрым упругим шагом направился к курящим. Большинство поднялись, некоторые принялись лениво оправлять форму. Сергеев продолжал сидеть. Три пуговицы рубашки были расстегнуты, но он не пытался устранить нарушение.

Командир подошел вплотную и с полувзгляда оценил обстановку. Он и так был «на взводе», откровенное разгильдяйство подчиненных настроения не улучшило.

— По машинам! — резко скомандовал Волк. — Все на Левый берег, к Голубому озеру. Там и проведем спортподготовку.

— Чего так далеко забираться, командир? — лениво спросил Сергеев. — Стадион рядом, посидим на травке, в журнале запись сделаем — и все дела!

— К Голубому озеру! — жестко повторил Волк. — Шатов, заедешь в поликлинику, возьмешь врача, я договорился.

Патрульные переглянулись.

— Врача-то зачем?

— На случай травм. Так положено!

— Да у нас отродясь на спортподготовке травм не было, — сказал Шатов.

— Сегодня будут! — отрезал командир взвода.

* * *

Голубое озеро пряталось между лесополосами, со стороны Южного шоссе грунтовка выводила на дикий пляж, противоположный берег зарос камышом, и людей здесь никогда не было. Поставленные кругом желто-синие машины смотрели тусклыми исцарапанными стеклами фар на выстроенных в центре милиционеров.

Волк медленно шел перед строем.

— Подтяни живот, Долин!

— Шатов, как ноги стоят!

— Сергеев, застегнуться!

— Так ведь жарко, командир! — огрызнулся Сергеев. — А мы не на войне. И уже не по первому году работаем, вроде научились... Чего вдруг нас переучивать?

Волк вынул из-под форменной рубашки фотографию.

— Научились, говоришь? — зловеще спросил он. — Вот, посмотрите, чему вы научились!

Он поднес карточку к лицу Сергеева, потом Ивонина, потом Волосова... Патрульные с недоумением рассматривали обычный обзорный снимок места происшествия: лежащий на спине мужчина в белой тенниске с черными пятнами на груди и животе. Таких картин каждый повидал в изобилии. Никто не понимал, чем их хочет удивить новый командир. Только Круглов вздрогнул и отшатнулся.

— Узнал?!

— Это тот... вчерашний?

Волк молча спрятал снимок в нагрудный карман.

— Этот труп на совести всех вас! Сергеев с Долиным самовольно покинули маршрут и не оказали своевременную помощь человеку, пострадавшему от грабителей! Остальные экипажи не выполнили приказ и не принялись за поиски ПМГ-4, в результате маршрут оставался оголенным длительное время! И, наконец, Круглов оставил потерпевшего в безлюдном месте, очевидно, он снова встретился с преступниками и они его убили!

— А вы, командир, ни в чем не виноваты? — с издевкой спросил Сергеев.

У Волка заиграли желваки.

— Виноват. Я не пресек нарушений, в результате чего стало возможным все, что случилось.

— Тогда мы все одинаково плохие. Какой смысл выяснять, кто хуже? Тем более в городе через день кого-то убивают. При чем здесь мы?

— Нет, приятель, не все одинаковые. Хуже тот, кто ничего не понял и не сделал никаких выводов. Я, например, сделал.

— И какие же?

— Я разъясню, что командует взводом старший лейтенант Волков, а не Сергеев и не Круглов, — это раз! И научу вас нести службу, как положено!

— Молод еще нас учить, — пробурчал себе под нос Сергеев, но все услышали.

— Разговоры окончены! — отрезал Волк. — Кто хочет учиться службе — два шага вперед шагом марш!

От него исходили волны уверенности и силы, а также отчетливая волна агрессии. И взгляд чуть прищуренных глаз не сулил ничего хорошего. Мощное угрожающее биополе ударило в спаянный милицейский строй, и оказалось, что он не такой монолитный, как казалось на первый взгляд.

После некоторой заминки вперед шагнул Волосов, за ним Шатов, потом их напарники — Малов и Огородников. Остались неподвижными Сергеев с Долиным, Ивонин со Смыковым и Круглов. Под тяжелым гипнотизирующим взглядом Волка Круглов тоже сделал два шага вперед.

Волк кивнул:

— Хорошо. Вы пятеро — отойдите в сторону. А я с остальными отрабатываю рукопашный бой! Тема десятая: бой против нескольких противников. В нашем случае — я один против четверых. Начали!

Еще не закончив фразу, Волк без замаха хлопнул Сергеева раскрытой ладонью по лицу, как бы на откате тыльная сторона ладони угодила в ухо Долину. Хлесткие хлопки напомнили приглушенные глушителем выстрелы. И эффект оказался похожим: Сергеев опрокинулся на спину, его напарник упал ничком. Мгновенно переместившись в сторону, Волк ткнул пальцем в солнечное сплетение Смыкова, а локтем заехал в челюсть Ивонину. Еще два тела повалились на траву и раскинулись в беспомощных позах. Все произошло мгновенно. Оставшиеся на ногах патрульные ошалело переглянулись.

— Вот так выполняется эта тема, — обращаясь к ним, пояснил Волк. — Вопросы?

Вопросов не оказалось.

— Круглов, приведи из машины врача! — скомандовал Волк, и сержант бегом бросился исполнять приказ.

— А мы приступаем к выполнению марш-броска через лес, дистанция — три километра в один конец. За мной — бегом марш!

Комвзвода бросился в лесополосу, не оборачиваясь, чтобы убедиться, что подчиненные следуют за ним. В этом не было необходимости: пятый и восьмой экипажи старательно бежали следом, вскоре их догнал и Круглов.

Сухие ветки цеплялись за одежду, царапали руки, норовили выколоть глаза. Надо было уклоняться, подныривать, закрывать лицо и при этом сохранять темп. Лесополоса закончилась, теперь пришлось бежать, увязая в мягкой пашне. Командир несся с прежней скоростью. Патрульные оскальзывались и падали, постепенно переходя на шаг...

На полуторакилометровом рубеже Волк остановился, взглянул на секундомер и неодобрительно покачал головой. Подчиненные сильно отстали. Волосов и Огородников бежали медленно, как марафонцы на финише изнурительной дистанции, Шатов и Малов брели, еле переставляя ноги, а Круглов упал ничком и остался лежать, уткнувшись головой в сухую колючую траву.

— Никуда не годится! — рявкнул Волк. — Вы даже не приблизились к нормативу! Придется с вами много работать! А сейчас... Обратно — бегом марш!

— Не получится, командир... Сдохли... Дыхалка села... — еле выговорил Волосов и опустился на землю. Остальные тоже не могли стоять на ногах, даже говорить не могли, только разевали рты, жадно хватая горячий степной воздух.

— Ладно. Тогда я один. А вы возвращайтесь, как можете. Но помните — время идет!

Волк в прежнем темпе побежал обратно, легко перепрыгнув через беспомощное тело Круглова.

— Здоровый... лось...

— Да уж...

— А как... он... четверых... уложил?

— Вот тебе и Сергеев... Одни понты...

— А что Сергеев? — Волосов постепенно отдышался и пришел в себя. — Командир Волков, а не Сергеев. И у него не побалуешь...

— Точно. Не надо было на рожон лезть....

— Пошли обратно, у него секундомер включен...

Подняв Круглова, патрульные двинулись обратно, стараясь переставлять ноги как можно быстрее.

* * *

— За рукопашный бой оценка неудовлетворительная. За кросс — неудовлетворительная. При такой физической подготовке взвод не способен выполнять должностные обязанности. Будем усиленно заниматься, пока не уложитесь в нормативы!

Волк снова шел вдоль строя. Патрульные имели потрепанный вид, многие еле держались на ногах. Сергеев мрачно ощупывал голову.

— Какая это рукопашка? Дал неожиданно по башке — и все дела! Так и я могу...

— Давайте попробуем еще раз, — охотно согласился Волк. — Тема семь: бой с одним противником. Я и Сергеев.

— Мне сейчас не до того... Башка трещит, наверное, сотрясение.

Волк остановился против старшего ПМГ-4:

— Доктор сказал, что все нормально. Но можно перенести на другой раз. Давай завтра. Или послезавтра. Или через неделю. Когда захочешь. А сейчас — застегни пуговицы!

Волк в упор рассматривал сержанта. Строй замер, всякое шевеление прекратилось.

— Сержант Сергеев, застегнуться!

После небольшой заминки Сергеев медленно застегнул ворот. Волк пошел дальше.

— Договоримся так: каждый занимается физкультурой в свободное время. Через неделю повторим испытание. Ясно?

— Так точно, командир! — ответили патрульные.

Перед Волком стоял совсем не тот строй, что час назад.

* * *

Тиходонск — город маленький. Хотя жителей в нем около миллиона, все друг друга знают. Конечно, в этом утверждении есть доля преувеличения, но Волк много раз убеждался, что в целом оно справедливо. Как-то в субботу он отправился в ДФК[1]. Сокращая дорогу через Майский парк, обратил внимание на дородную женщину с властной осанкой, прогуливавшую на поводке нервную белую болонку. Почти сразу он узнал Елизавету Григорьевну — директора своей школы. Когда-то судьба маленького Вольфа полностью находилась в ее крепких руках.

— Здравствуйте, Елизавета Григорьевна!

Женщина смерила его оценивающим взглядом.

— Здравствуйте...

— Не помните меня?

Она пожала плечами:

— Наверное, учился? Всех не упомнишь...

— Вольф. Владимир Вольф. Я часто бывал у вас в кабинете.

Лицо Елизаветы Григорьевны изменилось. Сквозь привычную маску надменности и высокомерия отчетливо проглянула настороженность.

— Вольф? Да-да... Конечно, помню... Вы, кажется, работаете в органах? Кто бы мог подумать...

Болонка требовательно затявкала, но Елизавета Григорьевна не обратила на нее внимания.

— Мы слышали, как вы арестовали Константина Константиновича... У вас ведь были с ним плохие отношения,

---

[1] ДФК — Дом физической культуры.

правда? Ни один урок рисования не обходился без скандала... А потом этот арест... Странно!

Внимательный взгляд ощупывал бывшего ученика с головы до пят и, наконец, уперся в татуированные руки.

— А... А это что?!

— Чо, чо! Не въезжаешь? — блатным голосом сказал Волк. — На зоне топтался, вот и нарисовали! Уроки твои я в гробу видал...

Он расстегнул пуговицы на рубашке и распахнул ворот.

— Во, гляди, какие у нас уроки рисования! Красиво?

— Ой! — директриса попятилась. — Так ты сидел? Если честно, это меня не удивляет!

Вольф застегнулся.

— Странно, Елизавета Григорьевна. И то, что я работаю в органах, вас не удивляет, и то, что я уголовник, — тоже вас не удивляет! Значит, вы считаете, что в органах могут работать уголовники?

Когда-то директриса сплетала обычные слова в клейкую губительную сеть, из которой маленький Вольф выбрался с большим трудом. Сейчас подросший и поднаторевший в политическом сыске Волк набросил такую же сеть на нее.

— Нет-нет, я совсем не то имела в виду...

— А что вы имели в виду?

— Ну... Я просто не так сформулировала... Я ошиблась...

Впервые Вольф видел властную Елизавету Григорьевну растерянной и испуганной.

— Очень хорошо. Тогда не надо повторять всякие сплетни. Вы же государственный человек.

— Вообще-то я уже на пенсии, — словно оправдываясь, сказала она, но Вольф уже шел своей дорогой.

В боксерском зале ничего не изменилось: те же желтые облупленные стены, высокий, давно не беленный потолок, пахнущий потом и азартом квадрат ринга. Даже ведро и швабра в углу были теми же, которыми он когда-то делал влажную уборку. Этой шваброй Зуб пытался убить Пастуха, а маленький Володя не выпускал ее из рук, несмотря на то что железные пальцы блатного передавили ему горло. Семен Григорьевич тогда подоспел вовремя, и нокаутирующий удар вмиг восстановил порядок. Может, тогда волчонок понял, что кулак сильней, чем закон.

— Вы к кому? — раздался сзади низкий уверенный голос. Вольф обернулся. Рывкин тоже не изменился. Такой же подтянутый и аккуратный, только некогда густой ежик волос изрядно поседел и поредел.

— Не узнаете, Семен Григорьевич? — по-мальчишески застенчиво улыбнулся Волк.

Хотя заматеревший и получивший специальную подготовку Волк мог победить в спарринге любого, на тренера он по-прежнему смотрел снизу вверх.

— Да вроде нет... Хотя...

— Помните, как Борисов с Пастуховым сцепились? А я влез между ними, Зуб меня чуть не задушил... Если бы не вы...

На суровом лице проявилось узнавание.

— Теперь вспомнил. У тебя немецкая фамилия. И обе руки ведущие.

— Точно! Володя Вольф. Только теперь я Волков.

— Да? Что так?

— Долго рассказывать. Как у вас тут дела?

— Да как... По-всякому. Стучим понемногу. Интереса к боксу у молодых поменьше стало. Раньше в секцию по конкурсу брал, а сейчас всех подряд приходится.

Рывкин внимательно осмотрел могучую фигуру Вольфа.

— Вижу, спортом занимался серьезно?

— Приходилось.

— Боксом?

— В основном военно-прикладные виды. Как другие тренеры поживают?

Семен Григорьевич вздохнул:

— Прошков уже никак не проживает — под машину попал. Может, и не под машину. Нашли на Левом берегу с травмами, сказали — несчастный случай. А там кто знает... Выпивал он, правда, сильно. Мог и попасть.

— А Валерий Иванович?

— Лапин частную секцию открыл. Сейчас ведь разрешили. Вроде дела идут неплохо.

— А Рогов?

— Уехал. Дочка подросла и всю семью увезла в Израиль.

— А разве он?..

— По жене.

— А-а-а...

Вдруг лицо Рывкина исказилось, будто он увидел змею.

— А что это у тебя на руках?!

Вольф вспомнил, что когда-то тренер выгнал из секции двух пацанов, которые по глупости накололи на тыльных сторонах ладоней свои имена. «Я честному боксу учу и нормальной жизни, — сказал он тогда. — А если у вас такие наклонности, значит, вы на другое нацелены и мне учить вас нечему!»

Он почувствовал неловкость и чуть не спрятал руки за спину.

— Так в жизни вышло. В армии... А ребята наши как?

Но настроение у Рывкина было испорчено.

— По-разному. Что я, слежу за ними? Ладно, у меня времени нет, прощевай!

Вольф вышел на улицу с неприятным осадком. Зайдя в аптеку, купил вытянутую ампулу хлорпикрина и пачку лезвий. Дома он заморозил палец и срезал первый перстень — квадрат с крестом внутри.

«Эй, ты что?! Опять за старое?! А ну бросай это дело!» — надрывался кот.

«Говорил я, что рано или поздно нам каюк!» — закричал черт.

В рисованном мире началась паника.

— Не бойтесь, я только руки очищу, — сквозь зубы прошептал Вольф. Заморозка помогала мало, и приглушенная боль наполнила все его существо. Рану он засыпал толченым стрептоцидом и забинтовал. Так, по старинке, его научил Потапыч. Палец долго болел, на нем остался безобразный шрам. В течение трех месяцев он свел марганцем два остальных перстня. От химических ожогов тоже остались шрамы.

Но еще больше шрамов было на сердце. Он все-таки снял квартиру и позвонил Софье.

— Я уже устроился, жду тебя, приезжай.

— Ты что, всерьез? — удивилась она. — Не будь мальчишкой. Пошутили — и ладно. Будешь в Москве — звони, обязательно встретимся.

— Но я не шучу. И ты вроде не шутила...

— Ой, я сейчас не могу разговаривать! — Софья положила трубку.

Больше она на звонки не отвечала.

* * *

Начальником Центрального райотдела был подполковник Баринов, известный в милицейской среде под прозвищем Барин. Возможно, виной тому была фамилия, а возможно, фактура: высокий, плотный, с бульдожьим лицом и злыми круглыми глазами, он действительно походил на барина-самодура, способного сечь крепостных на конюшне или травить собаками.

Он держался надменно и соблюдал дистанцию с подчиненными, но однажды Волков увидел выходящего из кабинета Барина Сергеева. Это показалось очень странным: по субординации патрульный вызывается к руководству через командира взвода. Да и какие дела могут быть у подполковника с сержантом?

С Волковым Барин вел себя настороженно, чтобы не сказать осторожно. Собирал информацию обо всех его поступках, но при личном общении не выдавал своей осведомленности.

— Показатели несения службы заметно улучшились, дисциплина тоже укрепилась, — доброжелательно сообщил он после очередного развода. Экипажи уже заняли свои места в машинах, но Баринов позвал командира взвода к себе в кабинет явно не для того, чтобы похвалить за достигнутые успехи. И точно...

— Впрочем, сейчас речь не об этом, — тон начальника стал жестче. — Вы знаете, что задержан подозреваемый по делу «Призраков»?

— Слышал, — равнодушно сказал Волков. — Но это не входит в мою компетенцию, потому подробностями не интересовался.

— Это хорошо. Сейчас все суют нос не в свои дела. Ваша задача — перевезти его из ИВС в Степнянскую тюрьму, —

продолжил Баринов, внимательно рассматривая Волкова. — Задача обычная, но... Дело уж больно громкое. И ставки высокие... Сообщникам надо обрубить концы. Они могут попытаться отбить задержанного. Или убить. Одним словом, напасть на конвой.

— Есть конкретная информация? — подобравшись, спросил Волк.

Барин покачал крупной головой:

— Только предположения. Точнее, версия уголовного розыска.

— А информация о перевозке... Какова вероятность утечки?

— Ноль процентов.

Волк едва заметно усмехнулся. Но Барин заметил усмешку.

— Именно ноль. Мне поручено организовать перевозку, но дата и время не определены. Я только что принял решение, и ты, старший лейтенант, первый, кто его услышал.

— Тогда выполнять задачу надо немедленно, пока информация не расползлась.

— Верно, — кивнул Барин. — Но не исключено, что «Призраки» наблюдают за ИВС и могут вычислить нужный конвой.

— Два предложения. Разрешите?

Начальник кивнул:

— Имитировать загрузку арестованных в три машины. Подставные направить в Степнянск, настоящую — в Тиходонский СИЗО. А оттуда пусть этапируют плановым конвоем, раз такое дело.

Барин поморщился.

— Три машины — это слишком! А насчет нашего СИЗО — правильно. Пусть оттуда сами везут куда хотят. И сами за это отвечают.

— Хотя бы две машины. Но объект-дублер в таких ситуациях необходим!

— Ну... Ладно, — поколебавшись, Барин махнул рукой. — В конце концов, ты ведь спец по особым операциям. Ведь так?

— Не знаю, — Волк пожал плечами. — Повторяю боевую

задачу: я забираю арестованного из ИВС и отвожу в СИЗО. Прямо сейчас.

— Выполняйте! — подтвердил Барин.

— Мне нужно усиление: автоматы с полным боекомплектом и бронежилеты.

Начальник удивленно поднял брови:

— Разве недостаточно людей со штатным оружием? Для усиления с вами поедет капитан Марин из уголовного розыска.

— Ему я тоже дам автомат и жилет, — непреклонно повторил Волк.

Баринов неодобрительно покачал головой:

— Вы что, собираетесь воевать?

— Конечно. Если нападут, я буду воевать и должен победить. В этом и состоит моя задача.

Барин посмотрел со странным выражением лица, подвигал бульдожьей челюстью и щелкнул тумблером на пульте селектора, соединяясь с дежурным:

— Сейчас зайдет старший лейтенант Волков, выдайте ему, что он скажет. Нет. Автоматы и бронежилеты.

Через несколько минут Волк с Кругловым и Волосов с Маловым вошли в дежурную часть. Капитан Марин уже ждал там, обсуждая что-то с начальником смены майором Чекиным. Помдеж сержант Гвоздикин сидел за пультом и, криво улыбаясь, тоже вставлял реплики. Когда зашли патрульные, разговор оборвался на полуслове.

— Автоматы и бронежилеты нам, — Волк обвел рукой экипажи ПМГ. — И инспектору тоже.

Марин изумленно присвистнул:

— Я же говорил, а ты не верил! — буркнул Чекин и, звеня связкой ключей, принялся отпирать оружейку. Потом сказал, обращаясь уже к Волкову:

— У нас ведь не войсковая часть. Автоматов всего два, а жилетов три... Я и не помню, когда ими пользовались.

— Тогда мне, Круглову и инспектору!

— Ну, я-то обойдусь, — сказал Марин.

— Если обойдетесь — идите пешком! В машине все будут в средствах защиты.

— Ни фига себе, заявочки! — сказал Марин. Но спорить не стал.

Чекин плюхнул на лавку тяжелые жилеты в зеленых чехлах, потом вынес автоматы. Волк привычно надел глухо позвякивающую кирасу, подгоняя по фигуре, подтянул ремешки. Потом быстро снарядил патронами два магазина.

— А где третий?

— У нас боекомплект — шестьдесят патронов, — сказал Чекин.

— Ну, два — так два. На четыре минуты хватит... Если подам сигнал тревоги — немедленно подтягивайте городской резерв.

— Что-то я не пойму, чего это Расписной затевает, — пробурчал дежурный, когда Волк вышел. Но тот и так не отвлекался на ерунду.

— Пошли! — приказал он патрульным. Круглов первым направился к выходу. В неловко сидящем бронежилете, держащий автомат, как палку, он походил на огородное пугало. Следом двинулся Марин в зеленом жилете поверх светлого летнего костюма. Вид у него был ненамного лучше.

— Приготовьте оружие заранее, — посоветовал Волк. — Из-под броника его не достать.

Но инспектор пропустил совет мимо ушей.

Оставшись одни, Чекин и Гвоздикин многозначительно переглянулись. Сержант многозначительно покрутил пальцем у виска.

— А он действительно вольтанутый!

Дежурный кивнул:

— Пожалуй...

Во дворе райотдела толклась разношерстная публика. Посетители паспортного стола, свидетели и потерпевшие, вызванные в ГАИ водители, мятые бомжи... Они курили, вполголоса что-то обсуждали, спорили, нервничали, проводили время, ожидая решения своих вопросов. Каждый из них видел глухой забор ИВС с колючей проволокой и блеклыми синими воротами. Каждый мог быть агентом «Призраков».

ПМГ-12 и ПМГ-5 проехали через двор и въехали в синие ворота. Волк понимал, что затея с объектами-двойниками провалилась. Если в двенадцатой машине три человека в бронежилетах и с автоматами, а в пятой — два в обычном снаряжении, то какой это, к черту, дубль?

Когда ворота закрылись, капитан Марин вошел в ИВС и вскоре вывел худого мужика с желто-синим испитым лицом. По виду он явно не тянул на особо опасного преступника. Круглов привычно проверил наручники и посадил его в клетку.

— Из-за этого хмыря вся канитель? — разочарованно протянул Волосов.

«Ты не смотри, что он такой терханый, чую: зверюга! — озабоченно предупредил кот. — Руки у него по локоть...»

— Выезжаете первыми, идете на Восточное шоссе и берете курс на Степнянск, — сказал Волк. — Через два километра разворачиваетесь и возвращаетесь на маршрут. Задача ясна?

— Так точно, — кивнул Волосов.

— А вы куда же? — спросил его напарник.

— Выполняйте!

Машины выехали в обратном порядке. Волк внимательно смотрел по сторонам. Как будто ничего необычного. Они пересекли двор и выкатились на проспект Маркса. Пятая машина, ревнув сиреной, пересекла автомобильный поток и ушла влево, двенадцатая повернула направо.

— Круглов, контролируй свою сторону. А вы, товарищ капитан, смотрите сзади.

— Ага, — саркастически сказал Марин. — И с воздуха тоже. Не бойся, все под контролем. Только клифт твой под мышками жмет...

Капитан вольготно развалился на заднем сиденье. Волк презрительно улыбнулся:

— Про клифты сейчас все уже забыли. Говорят кижма или лепень, — подколол он опера.

Марин никак не отреагировал, только скривился.

Старый облезлый «Москвич» резко высунулся из подворотни, перегораживая дорогу. Волк напрягся. Но «Москвич» поспешно сдал назад, седой старичок за рулем изобразил жест извинения.

От Центрального райотдела до тиходонского следственного изолятора всего шесть кварталов. Около двух километров по центру города. Восемь минут неспешной езды в плотном транспортном потоке. С точки зрения начальника РОВД Баринова, дежурного Чекина, инспектора ОУР Марина, милиционера-шофера Круглова, экипажа ПМГ-5, словом, всех, действия командира взвода старшего лейтенанта Волкова в лучшем случае — махровая перестраховка, а в худшем — полный идиотизм! И отношение у всех соответственное...

Но они — все они! — никогда не воевали.

Впереди остановился грузовик. ПМГ-12 стала обходить его слева. Волк напряженно смотрел вправо-вверх — на стекло кабины. За ним вислоносый пожилой водитель спокойно прикуривал папиросу. Второй квартал заканчивался. Автомобиль свернул вправо, по трамвайной линии. На булыжной мостовой ПМГ подбрасывало. Остро воняло мужицким потом, как в камере.

Потрепанная «копейка» вынырнула откуда-то сбоку и пошла впереди в полутора десятках метров.

«Шухер! — тревожно пропищал кот. — Кажись, это стремная тачка!»

Сквозь затонированное стекло ничего видно не было.

— Круглов, обрати внимание на переднюю машину, — неожиданно для себя сказал Волк. — Держи дистанцию и будь готов обойти!

Сержант бросил на него короткий взгляд. Так смотрят на больных.

Справа начался неогороженный пустырь с развалинами сносимых домишек. Здесь собирались строить современную девятиэтажку. Волк перевел ищущий взгляд с кучи мусора на бульдозер, затем на развалины. Ничего подозрительного он не заметил.

«Там тоже стремно! — пискнул кот. — Береги шкуру!»

Что-то звякнуло, из ветрового стекла вывалился неровный кусочек. Багажник «копейки» резко надвигался. Круглов выматерился, резко выкручивая руль. По кузову несколько раз ударили железной палкой, с пустыря донеслись звуки хлопков, в черном проеме от выбитого окна Волк засек струйку дыма. Началось! И уже не имело никакого значения, что до СИЗО четыре минуты езды, что кругом люди и машины, что стоит белый день, что... Круглов не сумел разминуться, и ПМГ-12 влипла в «копейку». Раздался звук сминаемого железа. Волка бросило вперед, поручень больно врезался в грудную клетку. Он не обратил на это внимания.

«Беги, щас шмалять начнут! — истошно закричал кот. — Рви когти на фиг!»

Тревожно загудели колокола на спине — монах ударил в набат. Время замедлилось, отдаляя надвигающуюся опасность. Было ясно: сейчас зеркальное заднее стекло «копейки» разобьют струи кинжального огня... В упор с такой дистанции — верная смерть!

— Круглов, уходи! Марин, прикрой!

Волк нажал скрипучую ручку двери, резко распахнул ее и выпрыгнул наружу, словно бросался в зияющую бездну из десантного «АН-12». Но бездны не было — обычный мир, только замерший, будто кто-то нажал кнопку «пауза» на видеомагнитофоне. Окаменевший мужчина с поднятой ногой, застывший в беге подросток, присевшая от страха девушка, превратившийся в статую дородный толстяк... Под подозрительным дымком чернел треугольник маски и торчал ствол какого-то незнакомого оружия. В воздухе веерно застыли три конические, с отрезанными вершинами пули...

В прыжке Волк сдвинул предохранитель, а падая на землю, ударил прикладом по брусчатке. Затвор по инерции отошел в заднее положение и с лязгом вернулся обратно, дослав патрон в патронник. Кнопку «пауза» отпустили. Мужчина опустил ногу, подросток побежал, девушка пронзительно закричала, толстяк с неожиданной прытью спрятался за столб, пули хлестко ударили по обшивке ПМГ-12. В следующую секунду Волк послал короткую очередь в замеченный дымок и перекатился через спину, осматриваясь и выбирая удобную позицию. Из «копейки» почему-то не стреляли. Из ПМГ-12 — тоже. Зато с пустыря сразу ударили три или четыре ствола. Били очередями, причем все целились в Волка. По брусчатке рядом с головой защелкали пули. Он перекатился под бордюр и всем телом вжался в шершавый гранит. Хотя он укрылся только наполовину, в таком положении попасть в лежащего человека без специальной тренировки практически невозможно: прицел автоматически выбирается выше или ниже цели. Действительно, точки попаданий сдвинулись на метр вперед. Он видел полоски рикошетов и почему-то желтые брызги отлетающих вверх пуль.

— Сейчас заткнетесь, суки!

Волк положил на бордюр автомат и, управляясь только правой рукой, открыл огонь, мастерски отсекая по два патрона. Ду-дух! Ду-дух! Ду-дух! Стрелял не целясь, на звук. В проем окна, в сваленные бетонные плиты, в кучу строительного мусора. Огонь нападающих сразу потерял былую интенсивность.

Круглов пытался расцепиться с «копейкой», у него ничего не выходило. Двигатель «уазика» надрывался, но «копейка» зацепилась бампером за буксировочный крюк и дергалась вместе с ним.

— Марин, займись машиной! — крикнул Волк, целясь в открывшуюся за плитами фигуру.

— Ду-дух!

Фигура исчезла.

— Машиной займись! Машиной!

Его никто не слышал. Дураки! В «копейке» скрывалась смертельная угроза. Волка подмывало полоснуть по салону длинной очередью. Но вдруг там не «Призраки», а случайно влипшие в историю люди? Чем тогда оправдываться? Интуицией? Не-ет, интуицию к делу не пришьешь...

Задняя дверца «копейки» распахнулась, оттуда выскочил безоружный человек и бросился бежать. Через секунду за ним последовал водитель. С Волка будто камень свалился: одна угроза исчезла. Он сосредоточился на пустыре, отыскивая цели. Но и здесь обстановка изменилась: трое нападавших уходили, причем двое тащили еле переставляющего ноги третьего. На головах у них были надеты черные капюшоны. Волк приподнялся, но новая серия выстрелов тут же прижала его к мостовой. Ага, четвертый прячется за бульдозером, прикрывая остальных... Волк пустил длинную очередь в ответ, затвор лязгнул вхолостую — кончились патроны. Перекатившись на бок, он стал нащупывать запасной магазин. Четвертый побежал вслед за уходящими. Волк быстро перезарядился, но бандиты уже скрылись из виду. Он встал, подкрался к «копейке», осторожно заглянул внутрь. На заднем сиденье лежал необычного вида автомат. Странно... Почему они не стреляли?! Платком он придвинул оружие и сразу заметил, что затвор застрял в среднем положении. Перекос патрона!

Волк вернулся к изрешеченной ПМГ-12. Круглов прятался за капотом, выставив перед собой «АКМ».

— Цел?

— Рядом с головой, рядом прошла, в сантиметре... Нет, ближе, кожу обожгло...

Сержант был бледен и заикался. Руки дрожали, автомат ходил ходуном.

— А чего не стрелял?!

— За малым мозги не вышибло... За малым... Нет, просто Бог сохранил...

Медленно открыв простреленную дверь, Марин с трудом вылез наружу.

— Ни фига себе! — Он отряхивал бронежилет, будто стряхивал капли воды. Но никаких капель на зеленой ткани не было: только три круглых отверстия на уровне легких. Но, судя по всему, титановые пластины не пробило.

— А ты чего не стрелял?!

Волку хотелось избить обоих. В специальной разведке с ними так бы и поступили.

— Достать не мог... Из чего стрелять-то? Пистолет под пиджаком, а сверху эта фигня... Не долезешь... Ну и фигня...

— А этот, зэк, живой? — Волк обошел машину, заглянул в зарешеченное стекло. Он обратил внимание, что в заднюю часть кузова попало больше всего пуль. Но задержанный был цел. Скрючившись, он сидел на полу, жадно хватая ртом воздух. Из-под двери просачивалась желтая жидкость.

— Обоссался, бандюга? Как людей убивать, так ничего, а когда тебя захотели — в штаны?!

Вокруг машины собирались любопытные.

— Все живы-здоровы! — подвел итог Волк. — Круглов, чего ждем? Молоток есть? Отцепляйся от этой таратайки и вперед! Мотор вроде целый?

— Надо наших вызвать... А пока место охранять...

— Так вызывай! Могли бы и сами приехать, не каждый день тут такая стрельба!

— Да, точно, нельзя уезжать... — поддержал сержанта Марин. — Надо группу ждать...

— Умники, вашу мать! — выругался Волк. — Прозрели!

Он нервно прошелся взад-вперед, отогнал напирающую толпу зевак, чтобы скоротать время, осмотрел машину. Двадцать шесть попаданий — восемь в переднюю часть, восемнадцать — в заднюю. Похоже, что основной мишенью был обоссавшийся арестант. Стреляли из нескольких видов оружия — бронзовые пули небольшого калибра частично застряли в обшивке, зато стальные шарики пробивали борт насквозь и сейчас катались по салону. Похоже, что «Призраки» действительно вооружены самоделками.

— Ни фига себе! — Марин выковырял такой же шарик из своего жилета. — От подшипника! Миллиметров девять, не меньше! У меня аж ребра прогнулись...

Волк презрительно усмехнулся. В Борсхане пуля из ППШ угодила ему в пластину, закрывающую сердце.

— Не гони волну! В детстве я такими шариками из поджига стрелял!

Послышался вой сирен. Подпрыгивая на брусчатке, к месту происшествия неслись шестая и восьмая машины. За ними ехал микроавтобус опергруппы.

Арестованный все-таки попал в СИЗО. Только «простая» доставка продлилась четыре часа.

* * *

— Если бы не Волков, нас всех бы побили!

— Да не в нем дело, просто у них автомат заело!

— Автомат... Его передернуть можно. А когда он вылетел, как на крыльях, да стал мочить... Я такого никогда не видел... У них очко тоже не железное, бросили волыну и сорвались...

— Просто повезло, вот и все...

— А ты там был?! Вот то-то! Тогда не болтай!

В дворовой курилке напротив ИВС Круглов спорил с Сергеевым, взвод внимательно слушал. Обычно тон задавал старший ПМГ-4, но сейчас выходило по-другому.

— Можешь у Марина спросить: если бы не бронежилет, ему бы кранты! А он не хотел надевать, его командир заставил! Так кому повезло?!

Сергеев раздраженно бросил окурок на землю.

— А почему он вообще бронежилеты взял? Ты когда-нибудь эту железяку надевал? Или кто-нибудь в ней выезжал на маршрут? Интересно получается: взял защиту, а тут как нарочно, нападение! Вот он и вышел в герои!

— Так что, выходит, он знал, что нападут? — вмешался Шатов. — Ты это хочешь сказать?

Сергеев достал новую сигарету.

— Знал, не знал... Ничего я не хочу сказать! Откуда у него такая роспись? Если он и правда из блатных, а потом к нам перекинулся, то всякое может быть...

— Херню ты несешь! — сказал Ивонин и встал. — Противно слушать.

— Точно, — поднялся следом Волосов. — Идем лучше в машинах подождем.

Взвод направился к машинам. Сергеев остался с напарником, но по виду Долинского чувствовалось, что он тоже не прочь уйти.

— Раскудахтались, — сказал Сергеев. — Я пошутил, неясно, что ли?

На скулах у сержанта играли желваки. Его авторитет во взводе опустился до нулевой отметки.

* * *

Тиходонск жил обычной вечерней жизнью. Были совершены две нераскрытые квартирные кражи, задержаны два хулигана и один грабитель. По традиции пьяных патрульные не забирали, а вызывали спецмашину медвытрезвителя.

— Скала, я Двенадцатый, иду вниз по Богатому спуску, все спокойно, — доложился Волков.

— Ну чего, теперь вас небось наградят? — поинтересовался Круглов.

— Премию выписали, шестьдесят рублей, — нехотя ответил Волков. — Да Барин обещал внеочередное звание. Вроде и представление подписал.

— Негусто, — вслух рассуждал Круглов. — Если бы Барин или Уварин в той переделке побывали, тогда и ордена бы не пожалели...

— Мне своих орденов хватает, — буркнул старлей.

— Скала Двенадцатому, — прохрипела рация. — Придонская, восемь, бытовое, с ножом. Квартира три, Ветлугин. Вы ближе всех.

— Поехали, — ответил Волков, и через минуту Круглов свернул в немощенный проулок.

Почти все дома на Богатяновке строились еще до революции и, очевидно, из ненависти к царскому режиму советской властью не ремонтировались. Нравы здесь были простыми: мужики в сатиновых семейных трусах или выношенном до дыр трико курили возле покосившихся развалюх, лениво разговаривали, настороженно вглядываясь в крадущуюся милицейскую машину. Обилие татуировок и характерных поз «на корточках» выдавало специфический жизненный опыт. Почти все были пьяными.

Восьмой дом оказался треснувшей по фасаду кирпичной двухэтажкой, парадное щерилось выпадающими кирпичами, как рот неимущего ветерана труда расшатанными зубами, сизая от времени, но еще крепкая дверь была наглухо заколочена. Наверху нелепо торчал вверх ногами домовой фонарь со смытыми дождями неразличимыми буквами. Когда-то околоточный полицейский, а потом участковый рабоче-крестьянской милиции штрафовал домовладельца, если в нем не горела лампочка или нельзя было разобрать название улицы.

— Пошли со двора, — предложил Круглов.

В длинной темной подворотне они разобрали несущиеся из двора крики. Волк побежал, подсвечивая себе мощным аккумуляторным фонарем. Круглов бежал рядом.

Маленький квадратный дворик, железные лестницы вдоль стены, сохнущее на веревке белье...

Пьяный мужик, громко матерясь, колотил в дверь.

— Не выйдет, сука, всех спалю! — сипло орал он.

— Ветлугин! — рявкнул Волк, наставляя фонарь. — А ну прекратить!

— Идите на хер! — не задумываясь, отозвался Ветлугин. В его руке блестел кухонный нож.

— Давай пристрелим! — азартно зашептал Круглов, расстегивая кобуру.

— Кончай! — прикрикнул Волков.

«А зря, — вмешался кот. — Есть шпалер — мочи живоглота!»

Волк поднялся по гулким ступеням, ослепил хулигана ярким лучом света, поймал вооруженную руку и выкрутил вялую кисть. Нож звякнул об лестницу.

— Ну, чего с тобой делать?

Дверь открылась.

— Как «чего»? Забирайте и сажайте! Не видите: он чуть Ирку не убил! — закричала маленькая растрепанная женщина.

— Какую Ирку?

— Какую, жену свою! Хорошо, она к нам забежать успела! Ира, иди, скажи милиции...

Ира была в порванной ночной рубахе, из прорехи которой то и дело выскакивала сморщенная грудь. На скуле наливался синяк.

— Да я, это... Я ничего, — мямлил Ветлугин, щуплый мужичок в выцветшей клетчатой рубашке. — Она сама с Петькой шуры-муры завела! Я и проучил...

— Сейчас заберем, — пригрозил Круглов.

— Я ж ничего и не говорю — забирайте, — охотно соглашался Ветлугин.

— Заявление писать будете? — спросил Волков у Иры.

— Вы его лучше так заберите. Пусть посидит до утра, и все.

— У нас не гостиница. Не хотите писать, сами и разбирайтесь!

— Так я и не возражаю... — снова согласился Ветлугин.

— Еще раз приедем, дам тебе в рыло! — предупредил Круглов и забросил нож на крышу.

Патрульные пошли обратно к машине.

— Надо было его отмудохать до потери пульса, — сказал водитель. — Иначе они ничего не понимают!

— Ты его и застрелить хотел...

— А это еще лучше!

— Чего ж ты в «Призраков» не стрелял?!

— А там меня парализовало от страха, — честно отозвался напарник.

От дощатой будочки сильно воняло сортиром, подпирающая веревку палка упала, и белье цеплялось за землю. Старший лейтенант милиции Волков подумал, что весь уклад жизни Богатяновки и ее обстановка располагали к тому, чтобы пьянствовать и совершать преступления. Но вслух произносить это было нельзя.

Они сели в подменный «уазик», еще более раздолбанный, чем их родной, направленный в ремонт. Скорей всего, ремонт сведется к тому, что пулевые пробоины грубо залатают и закрасят желтой краской. Гулко хлопнули дверцы. Командир взялся за рацию.

— Скала, я Двенадцатый, Придонская, восемь, разобрались на месте.

— Вас понял, — отозвался дежурный. И тут же добавил: — Там какая-то ерунда на Южном КП. Поезжайте разберитесь.

— Что за ерунда?

— Гаишники остановили фуру, а наши не дали ее досмотреть.

— Какие «наши»?

— Откуда я знаю? Передали, милиция, — неопределенно ответил дежурный и отключился.

— Странно... Ну поехали, посмотрим.

Круглов заерзал на продавленном сиденье.

— Да чего там смотреть? Это разве наше дело? Пусть начальство разбирается!

— Нам же передали, — возразил Волков. — Вдруг это ряженые? Какие-то аферисты в форме!

Водитель посмотрел на него со странным выражением и вздохнул:

— Ну поехали, раз так...

Двигатель он завел с явной неохотой, а потом выбрал маршрут и скорость таким образом, что дорога заняла в два раза больше времени.

Боится, что ли? После той перестрелки он два дня вообще был в шоке. Но чего бояться? Пока вроде и нечего...

Когда они выехали на мост, навстречу попалась ПМГ-4 с

включенным проблесковым маячком. Куда это гонит Сергеев? Следом на приличной скорости шел «КамАЗ» с длинным, затянутым тентом прицепом. Круглов вздохнул и увеличил скорость.

На контрольном пункте ГАИ все выглядело обыденно и спокойно.

— В чем тут дело? — спросил Волков у лениво щелкающего семечки сержанта.

— Да ни в чем, — равнодушно отозвался тот.

— А чего дежурному звонили?

— А-а-а... По ошибке. Молодой не разобрался...

Из здания поста выбежал красный и взъерошенный гаишник. Он действительно даже на вид был молодым. Салагой.

— Товарищ старший лейтенант, я гражданин, я при исполнении, меня нельзя на три буквы посылать! — возбужденно обратился он к Волкову.

— А кто послал?

— Останавливаю азербайджанский грузовик для проверки, а ко мне подлетает ПМГ и сержант — такой здоровый, орет: не видишь, транспорт под сопровождением! И загнул в три этажа!

— Подожди, подожди, а где эта ПМГ?

— Да вот, пошла в город, — гаишник махнул рукой в сторону моста. — А транспорт мне так и не дали проверить...

— Иди, не гони волну, — флегматично сказал сержант. — Без тебя разобрались.

В дверях поста появился круглолицый лейтенант с обветренным лицом и пшеничного цвета усами.

— Петров! А ну, быстро ко мне! — приказал он. — Кто у нас старший смены: я или ты? Иди готовь лучше сводку!

Салага понуро поплелся в бетонную будку.

— Ко мне вопросы есть? — спросил Волков.

— Никаких, коллега! — бодро ответил старший смены. — Разве что могу арбузами угостить. Хочешь? Петров, вынеси пару арбузов!

— Не надо, я их не ем, — ответил Волков и сел в машину.

— Зачем отказались, командир? — упрекнул Круглов. — Арбуз, наверное, астраханский, сахарный.

— Чего у них здесь, бахча? С машин снимают...
— Ну и что?
— А то! Понос от них будет.
Круглов даже притормозил.
— Почему понос?
Не обращая внимания на сержанта, Волков вызывал ПМГ-4. Наконец Сергеев отозвался.
— Доложите, где находитесь! — приказал Волков.
— В райотделе, сдаю задержанных. Напишем рапорта, подпишем протоколы — и вернемся на маршрут.
Объяснение было правдоподобным. Не правдивым, а именно правдоподобным. Потому что десять минут назад ПМГ-4 сопровождала грузовую фуру, ни о каких задержаниях в эфире не сообщалось. Но Сергеев должен понимать, что это сообщение легко проверить...
Когда сдавали смену, Волков просмотрел журнал задержанных. Его подозрения подтвердились.
— А кого Сергеев привез около двадцати одного? — оторвавшись от записей, спросил он.
Майор Чекин отвел глаза в сторону.
— Двух пьяных. Дрались возле моста. Начальник приказал отпустить. То ли чьи-то родственники, то ли еще что...
— Давайте я материалы заберу, для внутреннего учета, — настаивал Волков.
Чекин развел руками:
— Да кому они нужны? Разорвали все, в корзину бросили.
И это объяснение было правдоподобным. Но Волк в него не поверил. Тем более что в корзине для бумаг, кроме сигаретной пачки и нескольких окурков, ничего не было.
Сам Сергеев сопровождение фуры отрицал.
— Там на посту молодой завелся, да ранний, — пояснил он. — Обирает водил только так. А я заехал к ребятам за арбузом да полаялся с ним немного. А потом поехал в город. Фура? Не знаю. Мало ли какие машины сзади меня едут!
Эта версия тоже была правдоподобной.
— А откуда у гаишников арбузы? — спросил Волков.
Сергеев пожал плечами:
— Не знаю. Наверное, подарил кто-то.
И в такое объяснение тоже можно было поверить. При

желании. И если изображать из себя круглого идиота. И если все вокруг тебе подыгрывают и тоже изображают из себя круглых идиотов. Но зачем они это делают?

О происшествии Волков подал рапорт майору Трофимову — заместителю Баринова. Но дело кончилось ничем.

— Начальник сказал — скандалов в коллективе не раздувать, — пояснил через несколько дней майор. — Так что ты бы лучше забрал рапорт.

— Давайте! Мне что, больше всех надо?

На глазах Трофимова Волк демонстративно разорвал рапорт в клочки.

О представлении на внеочередное звание капитана разговоров больше не было.

Глава 2
ЭРЗАЦЫ ЛИЧНОЙ ЖИЗНИ

В выходные дни деть себя было некуда. Он ходил взадвперед по единственной комнате съемной квартиры, подходил к окну и смотрел через широкую, вечно гудящую магистраль на унылое желтое здание следственного изолятора.

«Помнишь Абрама, который жил напротив тюрьмы? Да, а что? Да то, что теперь он живет напротив своего дома!»

Этот анекдот ему считали обязательным рассказать все, кто узнавал про новый адрес.

Наступила осень, с деревьев облетали желтые листья, дул холодный ветер, закрылась летняя площадка пивной «шапито», опустели пляж, набережная, парки. Куда идти?

С коллегами он практически не общался. Капитан Марин накрыл для него стол в благодарность за свое спасение, хотя прямо об этом не говорил. Пригласил нескольких оперов, они поели жареного мяса, выпили водки, потом стали исподволь задавать разные невинные вопросы. Мол, в каких частях служил, да в какие годы? И какое отношение эти части имели к КГБ? И кто это сделал ему такие натуральные зэковские наколки? Это ж сколько надо колоть — не год, не два... Когда ж успел, в какие годы его разрисовали?

«Привяжи метлу, они тебя расколоть хотят!» — предупредил кот.

Волк только улыбался. Разведдопрос — вот как это называется. Контрразведчики владеют этим методом гораздо лучше, чем сыскари.

Смеха ради он тоже задал несколько безобидных на первый взгляд, но хитрых, с двойным смыслом, вопросиков. Вначале сотрапезники отвечали легко, но потом поняли, переглянулись и по одному начали расходиться.

— Ну ты даешь, — сказал Марин, когда они остались одни. — Ты правда к нам внедрен, что ли?

— А ты как думаешь? — хитро улыбался Волк, раскачиваясь на стуле.

— Не знаю. С одной стороны, раньше такого не было, с другой — сейчас все по-новому... Но рапорт ты на Сергеева накатал зря. Не принято это...

— У кого не принято?

— В коллективе. Мы же должны друг за друга стоять. В КГБ ты ведь не писал на товарищей? А на ментов, значит, можно?

Попрощались они вроде нормально, но неприятный осадок у Волка остался. Марин во многом оказался прав. Он действительно не воспринимал службу в милиции как настоящую постоянную работу, а коллег — как своих товарищей. Наоборот, он чувствовал себя внедренным в милицейскую среду для выполнения специального задания. И окружающие воспринимали его именно так. Поэтому у него не было друзей.

В Москву он звонил все реже: Софья разговаривать с ним перестала — алёкала в трубку, будто не было слышимости, а потом отключалась. То ли рядом находился Николай Павлович, то ли просто не хотела пустопорожних переговоров.

А в доме рядом находился большой гастроном, и он стал все чаще заходить туда.

Тиходонск никогда не был голодным городом, хотя в годы застоя на полках было шаром покати: только пачки соли да кильки в томате. По сравнению с московскими магазинами — пустыня. Масло, мыло, водка, сигареты — все по талонам, как в войну. Но жители Тиходонска не бедствовали. Выручали скудные продовольственные пайки на предприятиях, огороды да дачные участки, богатый южный базар, многочисленные «несуны», разворовывающие мясокомбинат, колбасный и консервный заводы и продающие отборное мясо, овощи и колбасу прямо с доставкой на дом. Но был и еще один ручеек продуктов, он тек через знакомых продавщиц Люсь, Тань и Зин, которые имелись едва ли не у каждой третьей хозяйки и у каждого второго хозяина.

Конечно, надо было поздравлять хозяек прилавков с праздниками, дарить маленькие сувениры и переплачивать сверху цены товара, но к этому все привыкли. Но в последнее время появился лозунг: «Навести порядок в торговле». Обэхээсники проводили рейды, устраивали контрольные закупки, пэпээсники время от времени перекрывали черный ход и ловили ловкачей с пакетами и свертками.

Тогда-то Волков и познакомился с Ниной Зайцевой из колбасного отдела. Они задержали пожилого солидного мужчину с полной сумкой «московской», «сервелата», бастурмы и других невиданных деликатесов. Когда запахнет жареным, виновницы прячутся в подсобках или бегут рыдать и каяться в кабинет к директору. А Нина выбежала следом — в сиреневой мохеровой кофточке, короткой черной юбке, блестящих колготках. Картинка! Ее круглые карие глаза возмущенно блестели, светлые волосы слегка растрепались — как будто тоже от возмущения.

— Да что ж это такое, товарищ старший лейтенант, неужели я не могу своему доктору товар без очереди отпустить? Он же не спекулянт какой, его весь город знает, в воскресенье день рождения отмечать будет. Можете проверить!

Волков и до этого обращал на женщину внимание, когда заходил как покупатель. Видел ее часто — да каждый день видел, в первую или во вторую смену. Она была самой сноровистой продавщицей, все мелькало в ее руках, очередь двигалась быстрее, чем у любой другой ее товарки. И не хамила покупателям, вела себя скромно, а тут вон как разбушевалась!

— У вас паспорт с собой? — спросил старший лейтенант у задержанного. В отличие от Нинки он стоял с обреченным видом, как пойманный при переходе границы шпион.

— Есть... Вот он...

Дрожащая рука протянула паспорт. Волков проверил дату рождения и штамп места работы. Слова Нинки подтверждались.

— Что ж, гражданин Чичеватов, поздравляю с наступающим юбилеем. Ради такого случая обойдемся без протокола. Можете идти.

Подхватив сумку, доктор убежал. Круглов удивленно выпятил губу и пошел к машине. Чтобы пунктуальный командир отпустил задержанного без протокола — такого еще не случалось!

— А последнее время просто жизни не стало от всех этих проверок! — по инерции возмущалась Нина. — Мне тоже жить надо... Есть люди, которым нельзя отказать, а есть такие горлохваты... Орут, скандалят! Одна грозилась волосы вырвать, представляете? А директор еще и мне внушение сделал: чтоб больше, говорит, я этих дебошей тут не видел, сама со своими клиентами разбирайся где хочешь...

Нина вдруг улыбнулась.

— Ой, чего-то я развоевалась. Наверное, красная стала, да? — Она кокетливо вскинула глаза. — Я когда волнуюсь, всегда краснею. А вы ведь в нашем доме живете? Я вас видела в гражданке... Заходите, я чего-нибудь вкусненького подберу.

Она пошла к двери черного хода — неторопливо, легко, бедра ритмично покачивались. И мысли давно лишенного женской ласки Волка приняли определенное направление. Ему даже показалось, что ноги у Нины такие же, как у Софьи. Он тут же одернул себя: такого просто не могло быть! Но, по крайней мере, похожи...

Он стал заходить в гастроном каждый день, подгадывая именно ее смену, они перекидывались ничего не значащими словами, вместо жирной и невкусной красногорской колбасы Нина незаметно заворачивала любительскую или нежный, слезящийся прозрачными каплями окорок.

— Может, я вас провожу как-нибудь после работы? — однажды спросил он.

— Проводите, — многозначительно прищурилась женщина, и это прозвучало как обещание.

«Что ж — Нина так Нина», — думал Владимир, направляясь вечером к гастроному. Почему-то у всех его коллег жены были или продавщицами, или парикмахерами, или медсестрами, или воспитательницами. Средние внешние данные, среднее образование. Одним словом, среднее звено. Конечно, ни одна из этих женщин не могла сравниться с Софьей Васильевной, но королева его грез растворилась в небытии, иногда Волк думал, что ее вообще не существует: только обрывки снов и игра воображения.

Было без пяти восемь, гастроном вот-вот должен был закрыться. Собственно, он уже и был закрыт — пока что не на замок, а на швабру, вставленную изнутри в дверные ручки. Но милиционера издалека заметила уборщица и тут же гостеприимно распахнула двери.

— Заходите, заходите! — натужно пропела она хриплым голосом. — Для вас мы всегда открыты!

Нинин прилавок был уже убран, и ее самой тоже не было видно. Но прежде чем Волк начал поиски, она сама вышла из подсобки.

— О, товарищ лейтенант! Быстро вы прибыли по вызову!

— Разве был вызов? Скорей договоренность. Вот и зашел проводить...

— Правильно, — усмехнулась Нина. — Очень с вашей стороны любезно, что хотите девушку проводить по темноте.

В руках у нее была небольшая хозяйственная сумка. Едва они вышли из гастронома, она переложила сумку в левую руку, а правой взяла под руку Волка. Он тут же почувствовал, как она прижалась к нему бедром, и не стал отодвигаться. Между ними будто пробежал высоковольтный разряд, наэлектризовав кожу и одежду.

— Куда пойдем? — спросила Нина.

— Ко мне в гости, — ответил Волк. — Если вы не против.

— К хорошему человеку завсегда рады. Была бы против — не стала бы...

Нина не уточнила, чего бы она не стала делать, но по телу Волка пробежали мурашки. Кот, пират, черт и другие обитатели рисованного мира встрепенулись.

«Гля, бабу закадрил! Наконец-то!»

«Интересно, даст она ему?»

«Должна...»

«Да, раз домой согласилась...»

«Это еще ничего не значит, — возразила русалка. — Может, она просто в гости согласилась, без последствий».

«Заткнись, шалава, — грубо оборвала ее женщина с креста. — Хватит из себя целку корчить!»

Волк шел быстро, почти волоча женщину за собой. Приличия и условности исчезли с того момента, как отпал предлог «проводить по темноте». Впереди была простая и ясная цель — неприличная, горячая и влажная.

Он не помнил, поцеловал ли хотя бы Нину, как только закрылась за ними дверь его квартиры. Навалился медведем прямо в прихожей, не зажигая света принялся лихорадочно шарить по упругому телу.

— Невтерпеж? — хохотнула она. — Кровать-то хоть есть у тебя? Да-а, лейтенантик, давно ты женщины не видал!.. Ха-ха... Да подожди ты, из армии вернулся, что ли? Или из тюрьмы?

— Откуда ты знаешь про армию? Или тюрьму?

— Да уж плавали, знаем!

— Давай прямо здесь...

— Зачем? Мы же не в подъезде. Давай с чувством, с толком...

В борьбе они добрались до кровати, Нина сама сбросила глухо стукнувшие об пол туфли, стянула колготки и трусики, а в юбке и кофточке опрокинулась на скрипнувшие пружины. При этом не переставала смеяться грудным, страстным, возбуждающим смешком:

— Давай, кавалер, давай, хватит в брюках путаться!..

Вскоре, откинувшись на плоскую подушку, Нина довольно протянула:

— Ох, и горяч ты! И нетерплячий какой! Правда, что ли, один до сих пор? Повезло мне...

Волк молчал. Происшедшее напомнило ему то, что полгода назад происходило в квартире московских Кузьминок. Но... Сравнивать Нинку и Софью было просто невозможно.

— Давай разденемся, — попросила она.

Честно говоря, Волку этого не хотелось. В темноте, в одежде, наскоро утолить голод — этого вполне достаточно. Сейчас ему хотелось, чтобы Нинка ушла. Или просто исчезла.

— Ну, что же ты? Не тяни резину. У меня в сумке и водка припасена, и закуска. А ведь завтра в первую, еще поспать надо будет...

Он в два движения снял пушистую мохеровую кофточку, а Нина привычно принялась расстегивать пуговки рубашки. От нее пахло любительской колбасой.

— О, какие на тебе рисуночки.... И здесь, и здесь... А вот тут есть? Это за них тебя Расписным зовут?

— Где ты это слышала? — вскинулся Волк. Но ответа не получил.

* * *

Под Новый год Генрих получил письмо от Иоганна. В конверт была вложена поздравительная открытка с целующимися птичками и коротким текстом: «Поздравляю, скоро освобождаюсь, непременно приеду в гости, сыну привет, с ним тоже обязательно хочу встретиться...» Обычное теплое послание старого друга. Или откровенная угроза? Генриху было явно не по себе, руки у него дрожали.

Владимир позвонил в Москву, Александру Ивановичу.

— Да, политиков сейчас повально выпускают, просто пачками, — подтвердил тот. — Мода такая пошла: признавать их узниками совести, да еще извиняться... Но ты не бери в голову: мстить он вряд ли станет...

— Разве? Вы его упекли на пятнашку руками отца, потом моими руками чуть не отправили на тот свет, теперь он пишет, что обязательно с нами встретится, и вы говорите, что мстить он не станет? А что он хочет — подарки нам купить? Что за ерунда!

Александр Иванович помолчал.

— Хорошо, я доложу Вострецову. Не волнуйся.

На этом разговор закончился. Владимир опустил голову. Вострецов не поедет в Тиходонск охранять их семью. И сотрудников не пошлет. В лучшем случае направит телеграмму в местное Управление: «Прошу обеспечить безопасность Генриха Вольфа и Владимира Волкова от возможных преступных посягательств...» А чекисты переправят бумагу в милицию. А там выяснится, что Волков сам милиционер и способен полностью обеспечить безопасность отца и себя. Круг замкнется, и никто ничего не сделает. Только разойдется новая волна самых нелепых и диких слухов.

Оставалось надеяться только на себя.

* * *

В разгар зимы к Владимиру неожиданно заявился Витька Розенблит — товарищ детских лет и сосед по гулкой загаженной коммуналке. Они несколько раз встречались в городе и говорили, что «надо бы пересечься», но, как часто бывает, на уровне разговоров все и оставалось.

Витька был все такой же толстый из-за неправильного обмена веществ, но за эти годы он успел окончить машиностроительный институт и сменил уже несколько конструкторских бюро и научно-исследовательских институтов. Держался он солидно, осанисто, носил всегда костюм с галстуком, папку из кожзаменителя и был похож на ответственного работника.

— Не мое все это, не мое, — жаловался он, босиком обходя квартиру и с интересом заглядывая во все углы. — Мне нужен масштаб, интерес...

Владимир молчал. Витька всегда был троечником и не любил работать.

— И матери тут скучно...

— Как у вас дома дела? — из вежливости спросил Волков. — Помню, Фаина Григорьевна с Караваевой насмерть ругалась...

— Да она повесилась, Надька-то, — буднично сказал Розенблит. — Напилась до чертиков и вздернулась. На поясе от халата, прямо в ванной. Мы ее комнату за собой закрепили. Да и вашу бывшую — тоже.

— Ничего себе! — удивился Владимир. — Твоя мамаша всегда мечтала в просторе жить, небось сейчас рада-радешенька! Три большие комнаты, огромные коридоры, кухня метров двадцать, да еще в центре...

— Что толку... Там сто лет ремонта не делали. И сейчас куда ни пишем — бесполезно. Сами ремонтируйте, — отвечают. А там потолки под четыре метра... — кисло сказал Розенблит.

— Так давай я тебе помогу, — оживился Владимир. — И сам, и бесплатной рабочей силой обеспечу, и материалы подсоблю. А вы меня в одну комнату пустите, по старой памяти. Вам зачем такая площадь?

Витька махнул рукой:

— Нет. Мы уезжать собираемся.

— Куда?

— В Израиль, куда ж еще... Сейчас вроде разрешать стали. Ты ведь в органах, как там насчет этого?

— Не знаю. Могу поспрашивать.

— Узнай все. Что и как.

Владимир усмехнулся:

— Только в Израиле тоже квартиру надо будет ремонтировать.

— Не... Там новые дают.

— Но через пять лет, через восемь, она уже новой не будет. Придется ремонт делать.

— А... Это еще когда будет... А ты не собираешься отчаливать?

— Куда?

— На историческую родину. В Германию.

— Чего мне там делать?

— Чего, чего... Нормальная страна, красивые города, ровные дороги, полные прилавки. Вот чего!

— А ты сможешь жить в нормальной стране? Ты ведь к ненормальностям привык.

— Ничего, научусь!

— Вряд ли. Страна не вокруг нас. Она внутри, вот здесь... — Владимир постучал себя по груди. — А если ты здесь не привык ремонт делать, то и там засрешь квартиру и будешь жить в привычном сраче.

Он подумал, что Фаина Григорьевна и в Израиле наверняка будет ходить в рваных домашних тапочках, как ходит в них всю жизнь. Но вслух этого не сказал.

— Не собираешься, значит? Зря...

Розенблит подошел к окну.

— Знаешь анекдот?

— Знаю.

— А правда, что у тебя на шишке птичка выколота?

— На какой шишке?

— Ну на болте!

— Что за ерунду ты несешь!

— Так все говорят.

— Кто «все»? Кто может знать такие вещи? Ты бы хоть подумал!

Розенблит усмехнулся:

— Это тебе надо думать. А то ты искал, искал — и нашел...

— Что нашел? — удивился Волков.

— Да не что, а Нинку эту, — пояснил Витька. — Нет, ну ты даешь! То сидишь один, как бирюк, то как найдешь — так первую блядь на весь район!

— Разве? — Владимир даже не обиделся на его слова. — А хоть и так — ну и что?

— Да ничего, конечно, — кому что нравится. Вон, песенку знаешь у Высоцкого — прям про нее: как Нинка соглашается, а ему очень хочется? Тем более все при ней, баба видная и долбится хорошо. Только про это тебе всякий мужик на Богатяновке расскажет. И она всякому расскажет, какой ты. Да уже и растрезвонила, паскуда...

Владимир почувствовал, как сердце у него заколотилось быстрее. Вот это действительно было лишнее. Ему совершенно безразличны были Нинкины моральные принципы, но вот ее болтливость... Действительно, когда он заходит в гастроном, продавщицы рассматривают его со всех сторон, шушукаются и хихикают. Да...

— Она к этому делу попросту подходит, — продолжал объяснять Розенблит. — По ментам специалистка, и знаешь, почему? Потому, говорит, что им спиваться не положено по службе, и у них по мужской части от этого порядок! К тому же их, ну то есть вас, проверяют постоянно.

— Резонно, — Владимир невольно улыбнулся.

— Ну, ее уже все менты и перепробовали. Или она всех — черт ее разберет. Факт тот, что про твои наколки уже весь Тиходонск знает — нравится тебе такой поворот?

— Да ладно, Витя, — сказал Волков. — Их ведь и так видно. Если рубаха расстегнута, если короткий рукав... Я, правда, даже летом шведок не ношу да под горло застегиваюсь.

Но шила в мешке не утаишь. И на тренировках раздеваюсь, и на пляже, и на медосмотре. Так что про мои картинки многие знают. А на болте у меня ничего нет, это брехня.

Розенблит подошел поближе и прищурился, превратившись из ответственного работника в мальчишку из коммуналки.

— А это правда, что ты — бывший вор в законе, потом тебя в КГБ завербовали, потом сюда направили со спецзаданием?

— Из Москвы в Тиходонск — со спецзаданием? — удивился Волков.

— А что? Всякое может быть, мало ли. У нас тут только кажется, что тишь да гладь, а место на самом деле крутое — уже сейчас, а потом и еще покруче будет, вот помяни мое слово. Здесь все дороги на Кавказ пересекаются и с Кавказа на Москву — тоже... А Тиходонск — ворота Кавказа. Сюда уже сейчас такие бабки закачиваются...

— Да ты стратег, Витюля! Только никакого задания у меня нет. А все это сплетни... Хрен им цена. Просто так жизнь повернулась. Не бойся меня и ни в чем не подозревай. Я такой же, как был.

— Да я и не подозреваю. Только непохож ты сам на себя. Изменился, а в чем — не пойму. Нас здесь двое, а ты вроде один. В своей компании.

А ведь верно. Волк уже привык, что он никогда не остается сам с собой. За ним постоянно наблюдают, его действия комментируют синие рисованные фигурки. Несмотря на противоестественность такого состояния, он уже привык к нему. Привык, что картинки заботятся о нем, предупреждают об опасности, позволяют лучше видеть и слышать. Они неоднократно спасали ему жизнь. И вместе с тем медленно, но верно приобретали над ним необъяснимую власть, и ничего нельзя было с этим поделать.

Нинке он ничего не сказал. Тем более что ей на наколки было плевать: она действительно обращала внимание только на мужские достоинства, и очень даже обращала — кричала чуть не в голос, так, что, наверное, слышно было у соседей, извивалась под ним и над ним, не стеснялась ничего...

А потом рассматривала их даже с интересом.

— А это что? — спрашивала, царапая лакированным ноготком по его груди точно так, как Софья и Александра Сергеевна. — А церковь для чего?

— Отстань, Нин, — отвечал он. — Что это, контурная карта тебе?

— Ха-ха, карта! — смеялась она его шутке. — Ну-ка, Антарктиду сейчас поищу...

Поиски Антарктиды или любой другой части света заканчивались в одном и том же месте. И они снова предавались тому, для чего она и приходила в тесную квартирку напротив Тиходонского следственного изолятора.

Нинка вполне устраивала его как любовница — страстная, похотливая, ненасытная. Добросовестное постельное животное. Они никуда не ходили — ни в рестораны, ни в театры, ни даже в кино. Ели свежую ветчину с мягким хлебом, пили водку и совокуплялись. Он привык к Нинке, и она ему нравилась. Легкая в общении, не занудная, на удивление бескорыстная. Однажды он купил ей к какому-то празднику большой косметический набор.

— Ой, это мне, что ли? — обрадовалась Нинка. — Спасибо, вот не ожидала!

— Почему же не ожидала? — удивился Владимир.

— Да так... Ты, Володь, вообще-то знаешь что — за подарок спасибо, но не обязательно это. Думаешь, я из-за подарков к тебе хожу?

— Ничего я не думаю. Но почему не подарить, если хочется? Чтобы приятное сделать?

— Да? Ну ладно. Только если еще что-то покупать будешь — так не бери дорогое, для приятности и дешевого хватит. А у меня дорогих вещей хватает, знаешь ведь, в торговле не бедствуют. Оценил, небось, какие у меня шмотки?

— Конечно, — соврал Владимир.

Он никогда не обращал внимания на платья, сумочки, сережки и колечки. И помнил из всей ее одежды только пуговицы, потому что замечал, долго ли надо их расстегивать...

— А серьги, видал, какие? Правда, к колечку подходят?

— Правда, — ответил Вольф не глядя.

— Ты б хоть посмотрел! — обиделась Нинка. — Думаешь, легко было подобрать? Кольцо-то старинное, теперь такого днем с огнем не найдешь. Мне Валька из комиссионки позвонила: беги, серьги есть как раз к твоему кольцу, я с обеда даже опоздала из-за них. А ты и не глянешь даже...

— Да гляжу, гляжу!

Кольцо действительно было красивым: тонкой работы, ажурное, с тремя сияющими камешками — средний побольше, крайние поменьше. И серьги под стать, хотя стиль неуловимо отличался. Софья никогда не надела бы их вместе.

— Сама Галина Семеновна, жена нашего директора — расфуфыренная вся, — Нинка прошлась по комнате, отставив зад и медленно покачивая бедрами. — Так вот, даже она увидела, аж перекосилась вся. И говорит мужу: у тебя продавщицы лучше меня упакованы!

Глаза у Нинки победно горели.

— Ты-то откуда знаешь, что она мужу сказала?

— Так он мне сам и передал!

— Странно. Наверное, он тебя трахает.

— Прям-таки! Что, меня все трахают? Если каждому давать, поломается кровать! Вот ты лучше скажи, как ты ко мне относишься?

— Как? — Он задумался.

Появление Нинки придало Волку спокойствия, но в общем-то мало изменило его жизнь. Да и радости большой не прибавило.

— Молчишь? Я ж понимаю... Ты ко мне вроде как к кошке.

— Ну почему? — из вежливости попытался возразить Волк. — Ты мне очень даже нравишься, мне с тобой хорошо.

— Я ж и говорю — вроде кошки. Они, знаешь, стрессы снимают, я читала. Ну и пусть! Мужик ты классный, у меня таких еще не было. И ласковый, и не напиваешься, как свинья... А замуж я все равно не собираюсь, чего и разводить всякую тягомотину — любовь, то-се?

И будто спохватившись, оборвала сама себя:

— Ладно, хватит философии разводить, проехали...

Время за встречами с ней шло незаметно — зима промелькнула как один долгий снежный вечер. Потом пролетела весна, а вот уже и лето в разгаре. И к грязной однообразной работе он привык: в конце концов, работа есть работа, за нее платят деньги, и, наверное, не следует ожидать от нее больше ничего особенного. Много ли людей могут похвастаться, что идут на работу с радостью?

Жизнь налаживалась, входила в устойчивую колею. Она была не такой яркой, красочной и острой, как его прошлая жизнь, но та, скорее всего, была сном. А эта была настоящей. И Владимир Григорьевич Волков уже не удивлялся той вялости, которая незаметно охватывала тренированный организм, словно кто-то медленно ослаблял в нем пружину, еще недавно туго закрученную.

* * *

Как-то, выходя после смены из райотдела, старший лейтенант Волков лицом к лицу столкнулся с бодрым гражданином весьма преуспевающего вида, который вдруг расплылся в широкой улыбке, бросился к нему навстречу и принялся яростно трясти руку. Удивленный, он даже не пытался освободиться.

— Здорово, Володя! Не узнаешь, что ли? Здоровый стал, чертяка, тебя тоже признать трудно...

В следующий миг Волк узнал бывшего одноклассника — Сашу Погодина, но удивление не прошло: не такие они закадычные друзья, чтобы столь бурно выражать свою радость. Скорей наоборот — лично он испытывал к Погодину глухую неприязнь: именно он дал ему на хранение самопал, который изъял участковый дядя Коля Лопухов.

— Рад тебя видеть! Болтали, что ты в Москве... Да разное болтали: даже что в тюрьме сидишь! А ты наоборот — сам милиционер! Рад, очень рад!

Глаза Погодина радостно блестели. Впрочем, он всегда был экзальтированным человеком.

— Слушай, а чего мы здесь стоим? Пойдем пива выпьем!

— Нельзя. Я же в форме.

— Ну...

Погодин на миг задумался, переложил солидный портфель из одной руки в другую, поправил шляпу.

— Знаешь что! — возбужденно воскликнул он. — Давай завтра ко мне в гости! Ты же помнишь, где я живу? Жена уехала к матери, посидим по-холостяцки, ничего особенного — обычный донской стол... Селедочка, картошечки отварим, пивко, водочка...

— Да вообще-то... — Волк хотел отказаться, сославшись на службу, но завтра у него как раз был выходной, а упустив приготовленный довод, он не успел убедительно придумать новый.

— Нет, нет, нет, — закрутил головой Погодин. — Не вздумай отказываться! Зазнался, что ли?

— Хорошо, приду, — кивнул Волк.

Погодин жил напротив сорок шестой школы, на третьем этаже кирпичной пятиэтажки. В скромной двухкомнатной квартире пахло вареной картошкой и укропом. Стол был накрыт по-тиходонски: свежепосоленная донская селедка, овощи, в эмалированной миске горка серебристой таранки, трехлитровый баллон пива и бутылка водки. Рядом Волк поставил свою бутылку.

— Ого! Куда столько? — в радостном возбуждении воскликнул Погодин. — А впрочем, не прокиснет! Давай садись, мы ведь никого не ждем!

Выпили по рюмке под селедку с картошкой, повторили, закусили еще, почистили на обрывки газеты твердую сухую тарашку и принялись смаковать, запивая жидковатым пивом.

— У нас новый пивзавод строится, — с набитым ртом сообщил Погодин. — Вот он будет классное пиво делать — не хуже чешского!

— А ты баварское когда-нибудь пил? — спросил Волк.

Погодин покачал головой:

— Не доводилось. А ты?

— Пил.

— И что?

— Пиво как пиво. Хорошее.

— А... Ну давай водочки?

— Давай.

Сидели они хорошо, Волк расслабился, чего уже давно с ним не происходило. В комнате было душно, по лицу тек пот. Погодин сбросил рубашку.

— Раздевайся. Чего церемонии разводить? Мы ведь никого не ждем!

Помешкав, Волк разделся.

— Ничего себе, — Погодин присвистнул. — Где ж это тебя так?

— В армии, — ответил Волк тоном, не располагающим к дальнейшим расспросам. — А ты мне, Саша, вот что скажи... Помнишь, как мы самопал покупали?

Все органы чувств Волка, как датчики детектора лжи, фиксировали реакции собеседника.

— Конечно, помню! — оживился тот. — В развалинах стреляли. А он затяжной выстрел дал, рикошетом чуть меня не убило! Вот дураки были!

— Ты потом мне его отдал. Сказал, что тебе домой нести нельзя...

— Это точно! Мой батя, если б нашел, задницу ремнем надрал, только так!

— А ко мне пришел участковый, Лопухов, — и забрал.

— Помню, помню... — кивал Погодин. — Еще бы не помнить — с меня Мороз трояк требовал! Где пушка, говорит, давай или пушку, или трояк! Еле отбоярился...

— И все?

— Что «все»?

— Лопухов ко мне спецом пришел. Он знал, что пистоль у меня. Откуда он это знал?

— Да ты что, Володя? Столько лет прошло, а ты меня пытаешь. Ты же сам милиционер, тебе видней! Чего это ты вдруг вспомнил? Давай еще по одной...

— Давай. Только **им** надо было, чтобы этот самопал у меня в доме оказался. И он оказался. И это ты его мне дал!

Погодин подкатил глаза и театрально схватился за сердце:

— Ну кончай, Володя, ерундить... Кому **им**? Я уже забыл про эту историю. Ты-то чего вспомнил? Она же без последствий обошлась!

Без последствий. Если не считать того, что **они** взяли отца на крючок, завербовали его и перевернули ему жизнь.

Реакции Погодина были совершенно естественными. Ни один датчик не зафиксировал лжи.

«Похоже, правду говорит, гнида, — подтвердил кот. — Но все равно, ты ему не доверяй. Скользкий тип...»

— Ладно, проехали, — Волк поднял рюмку. — Давай по одной.

Они чокнулись.

— Да и вообще, ты подумай, сколько мне тогда лет было? — держа рюмку на весу, вернулся к теме Погодин. — Мальчишка! Чьи задания я мог выполнять?

— Да Александра Ивановича! — буднично произнес Волк и выпил.

Рюмка дрогнула, водка капнула на скатерть.

— Какого Александра Ивановича? Ну какой Александр Иванович может давать задания двенадцатилетнему школьнику?

Датчики детектора лжи зашкалили.

«Врет, гнида, фуфло гонит!» — торжествующе закричал кот.

Александр Иванович как раз работал с молодежью. И именно по его заданию маленький Вольф искал пацанов, которые подожгли памятник пионерам-героям. Кстати, к этим поискам по своей воле присоединился и маленький Саша Погодин! Только сейчас до Волка дошла эта красноречивая деталь...

— Чего ты не пьешь? — добродушно спросил он, закусывая.

— Почему? Я пью...

Саша опрокинул рюмку, но без прежнего удовольствия. В дверь позвонили.

— Странно, кто это может быть? — удивился хозяин. — Мы ведь никого не ждем!

Про «никого не ждем» он сказал уже третий раз, и Волк понял, что пришел тот, кто и должен был прийти. Кого ждали.

— Здравствуйте, дядя Петя! Хорошо, что зашли! — оживленно воскликнул в прихожей Погодин. — Мы вот сидим с товарищем, пиво пьем. Заходите, присоединяйтесь.

— Зайду, зайду, с удовольствием зайду, — послышался голос, который показался смутно знакомым.

На пороге стоял... майор Мусин.

Волк засмеялся. Все громче, все безудержнее. Он хохотал, захлебывался смехом, сгибался пополам, чуть не падая со стула. В Комитете принято, что с человеком работает уже знакомый ему сотрудник. Между ними должен быть хороший контакт и доверительные отношения. Поэтому случайная встреча в неформальной обстановке — за столом у одноклассника — очень хорошее начало для оперативной комбинации. Но вышла одна накладка: как раз перед встречей объект пытает хозяина на предмет связей Конторой, тот очень правдоподобно от них открещивается с и вдруг посланник Конторы появляется на пороге! Вместо случайностей получается сплошной фарс!

Мусин застыл в дверях. Он был явно удивлен таким приемом.

— Ничего, дядя Петя, ничего, — сквозь смех произнес Волк. — Заходите, гостем будете. Водки много...

— А я за пивом сгоняю, — поспешно сказал Погодин и, накинув рубашку, выбежал из квартиры.

— Случайная встреча! — успокоившись, произнес Волк. — И наверняка у вас есть ко мне какое-нибудь предложение. Тоже случайное.

Майор нахмурился:

— Обижаете, Владимир Григорьевич. Разве я бы стал морочить вам голову, как неосведомленному гражданскому лицу? Да боже упаси! Саша действительно мой племянник, он вскользь сказал, что встречается с вами, и я решил воспользоваться удобным моментом. Потому что у нас к вам действительно есть дело.

— Пришли сообщить о мерах по обеспечению нашей безопасности?

— Что за меры? И разве вам угрожает какая-то опасность?

Волк махнул рукой:

— Да ладно. Это так, ерунда... Садитесь, выпьем за встречу.

Он откровенно издевался, но майор этого демонстративно не понимал.

Мусин присел к столу. Оперативник из уголовного розыска, чтобы преодолеть неловкость и наладить контакт, обязательно махнул бы рюмку водки или, по крайней мере, с хрустом оторвал голову таранке. Но в Комитете другие стандарты. Майор выпрямился и заговорил хотя и дружеским, но вместе с тем вполне официальным тоном:

— В Тиходонске действует преступная группировка, осуществляющая криминальные перевозки из республик Северного Кавказа в Россию. И, соответственно, из России в эти республики.

— Разве это ваша компетенция? — спросил Волк.

Мусин пожевал губами:

— На первый взгляд — нет. Но в Закавказье нарастают сепаратистские процессы. Эти же тенденции наблюдаются и в северокавказском регионе. Там накапливается оружие, создаются подпольные организации экстремистского толка, ведется пропагандистская работа среди населения. А это уже наша компетенция.

— Ну а я тут при чем? — снова спросил Волк.

— Криминальные элементы не могли бы осуществлять транзит запрещенных грузов, если бы у них не было связей с милицией. В частности, «окно» через Южный контрольный пост ГАИ обеспечивает ваш подчиненный — сержант Сергеев. Но его связи нам отследить не удалось. Пока это выглядит так, будто он действует по собственной инициативе. Получил полтинник или сотню — и обеспечил сопровождение! Но на самом деле от водил он денег не получает. Он выполняет свое задание — и все. А влезть в милицейскую систему мы не можем — это и практически сложно, и по инструкции не положено.

— Ну а при чем тут я? — повторил вопрос Волк.

— По нашей информации, в пятницу через Тиходонск проследует запрещенный груз. Если вы помешаете Сергееву обеспечить его доставку, то, с одной стороны, выполните свой долг, а с другой — поможете выявить всю сеть заинтересованных лиц. Они ведь все задергаются и начнут предпринимать какие-то меры. Надо зафиксировать все телодвижения, а потом мы их и прихлопнем.

Волк молчал. Но молчание, как известно, знак согласия.

Мусин улыбнулся и потянулся к бутылке:

— Может, выпьем за встречу, а?

Улыбка у него была не такая замечательная, как у Александра Ивановича, но все равно приятная.

* * *

Длинная синяя фура с чеченскими номерами шла следом за ПМГ-4 с включенным проблесковым маячком и коротко взревывающей сиреной. До КП ГАИ оставалось двести метров, но машины явно не собирались снижать скорость. Однако ПМГ-12 неожиданно выдвинулась из-за бетонной коробки поста и перегородила дорогу. Маячок у нее тоже был включен. ПМГ-4 начала экстренное торможение, фура последовала примеру машины сопровождения.

— Зря вы это, командир, — сказал Круглов. Он выглядел испуганным.

— Нормально, — сказал Волк, выходя на дорогу.

Навстречу ему, оставив дверцу открытой, выскочил Сергеев.

— Что случилось, командир?!

— Отправляйтесь на маршрут! — приказал Волк. — После смены напишете рапорт, как вы оказались в сопровождении иногороднего транспорта.

— Да рапорт написать недолго! — зло ответил сержант. — Только я действую по приказу...

— Кто отдал приказ? В чем его суть?

— Сейчас узнаете...

Он резко повернулся и полез в машину.

Через несколько минут в кабине ПМГ-12 ожила рация.

— Скала — двенадцатому. Доложите обстановку.

— Нахожусь на Южном КП ГАИ, — доложил Волк. — Обнаружил необоснованное сопровождение четвертой машиной транзитного транспорта. Сержанту Сергееву приказано вернуться на маршрут.

— Вас понял. Ждите указаний.

Этот диалог фиксируется магнитофоном. Теперь сохранить ситуацию в тайне невозможно.

Прошло пять минут. Десять. Пятнадцать. Сергеев надеялся на поддержку. Но вышла заминка. Где-то за кулисами звучали доклады и принимались решения, но, очевидно, выработать окончательное решение не удавалось. Одно дело, когда все идет «штатно», не оставляя следов в документах и памяти посторонних лиц, другое — когда к делу приковано внимание. И когда в центре событий столь странная фигура, как старший лейтенант Волков — то ли бывший комитетчик, до ли действующий под прикрытием и выполняющий задание по разоблачению коррупционных связей в тиходонской милиции.

— Скала — четвертому. Выполняйте распоряжение командира взвода — возвращайтесь на маршрут.

Даже на расстоянии было видно, как у Сергеева отвисла челюсть. Хлопнула дверь, ПМГ-4 сорвалась с места. Ожидавшие развязки гаишники хищно окружили фуру. Понурый водитель выскочил из кабины с пачкой документов в руках.

— Возвращаемся на маршрут, — сказал Волк.

— Ну вы даете, командир! — не по-уставному ответил Круглов и завел двигатель.

Никаких официальных последствий этот эпизод не повлек. Только Волку показалось, что некоторые сослуживцы стали его сторониться. И Барин, который уже давно перестал хвалить успехи взвода патрульно-постовой службы, на каждом совещании делал ядовитые замечания, подчеркивая, что руководить взводом и самому образцово исполнять служебные обязанности — вовсе не одно и то же. Несколько раз он сказал о необходимости правильно строить отношения с подчиненными и избегать ненужных конфликтов. Больше никакого «дерганья» скрытой криминальной сети не произошло. Если не считать одного ночного звонка.

— Не суй харю в чужие дела, мусор! — произнес грубый голос с жесткими интонациями, выдающими безжалостность натуры. — Кишки на сук намотаю!

— На парашу захотел, петух проткнутый! — рявкнул Расписной, но в трубке уже раздались короткие гудки.

Через два дня, возвращаясь с ночной смены, старший лейтенант Волков почувствовал одиночество и усталость, полную жизненную бесперспективность. Тиходонск был ему тесен, а Центральный райотдел казался камерой Владимирского централа. Только там он являлся разведчиком во вражеском стане, на штабных картах его фигура была отмечена жирным красным кружком и на нее делалась ставка в серьезной, политически значимой операции. О нем думали, по мере сил и возможностей заботились, оберегая от неприятностей. А впереди брезжила перспектива выполнения задания и связанные с этим приятные последствия. В числе которых и надежда на встречу с Софьей. И даже глупые иллюзии о том, что он сможет привязать эту женщину к себе и прожить с ней всю жизнь...

А здесь он был сам по себе, никому не нужный и никем

не защищаемый, и впереди был длинный темный туннель, ведущий к зловонному септику, как в политической зоне ИТК-18. Именно об этом думал, возвращаясь домой поздно вечером, командир взвода патрульно-постовой службы старший лейтенант Волков, держащий в левой руке завернутый в газету цилиндрический предмет.

Психолог отдела расценил бы эти мысли как депрессию и отнес старлея к группе риска, которую следует ограничивать в доступе к табельному оружию. Но психолог не мог разобраться в душах двухсот пятидесяти человек, среди которых значительная часть подвержена депрессиям, привычно нейтрализуемым с помощью проверенного сорокаградусного напитка. В его картотеке Волков числился наиболее психически уравновешенным и устойчивым к стрессам, а также равнодушным к алкоголю.

А Волков, шагая по темной, засыпающей улице, думал, какой мрачной тишиной встретит его пустой дом... Да и не дом — временное пристанище... Он купил бутылку водки, которая так хорошо помогала коллегам, да и миллионам советских граждан, но его огненная жидкость не веселила, только притупляла неудовлетворенность и обиду. И сейчас он не испытывал обычного для пьющих людей чувства радостного предвкушения, напротив — то, что он шел в форме с бутылкой, наивно завернутой в газету, раздражало и злило. А злость на самого себя — самое разрушительное чувство в мире. И водка здесь не помощник. И Нинка не помощница. Можно зайти к ней и завалиться в постель, можно вызвонить к себе, но это ничего не изменит. Хороший шашлык не заменишь вареной колбасой. Если бы в съемной квартире вдруг оказалась Софья, все вмиг изменилось бы и жизнь старшего лейтенанта осветилась солнцем радости и счастья.

«Эй, шухер! — заорал кот — Сзади!»

Волк прыгнул влево, резко развернулся и ударил назад. Кулак попал в темную фигуру, призрачно материализовавшуюся из темноты. Но в отличие от призрака она не была бесплотной: туго сложенные пальцы ударили в кость, раздался стон, тело безвольно отлетело и рухнуло на асфальт.

«Их трое, с пиками!» — предупредил кот.

Но Волк и не собирался наклоняться к упавшему, подставляя беззащитную спину. Он развернулся еще раз и обрушил бутылку на голову очередного врага. Раздался звон стекла и хруст кости, в руках осталось только горлышко с клочьями свисающей газеты. Этим горлышком он и ткнул третьего нападающего. Тот отчаянно, по-звериному, завыл. Пришлось ударить еще раз, но на этот раз эффект оказался меньшим, потому что человек не упал, а отчаянно матерясь, бросился бежать.

В доме стали зажигаться окна. Кто-то со скрипом распахнул раму.

— Эй, вы что, совсем оборзели?! Ночь уже!

— Вызовите милицию! — крикнул Волк. — Быстро!

* * *

Мотька Босой надеялся, что жизнь у него изменится. Кто он есть сейчас? Да никто — мелочь пузатая, мелкий карманш. И деньги у него не держатся, оттого и кликуха. И уважения никакого: все знают, что, хотя Мотька и платит в общак, серьезных корефанов у него нет и мазу тянуть за него некому.

Другое дело — если выгорит, если Холеный приблизит его, «приподнимет». То есть, конечно, не к себе лично приблизит — для Холеного Мотька слишком мелкая сошка, — но хотя бы возьмет в свою кодлу. Мотька очень на это надеялся, хотя и не понимал, зачем он может быть нужен такому авторитету, как Холеный. Может, тот проведал, что Мотька пацан правильный, никогда не крысятничал, с подельниками делился честно, от мусоров всегда держался подальше. И биография у него была хорошая: в пионерах не состоял, из школы выгнали, в спецучилище за кражи два года отмотал... С такой биографией даже короновать могут, не сейчас, конечно, эту честь еще заслужить надо, но если авторитетный человек за собой поведет и он сам не подкачает, то лет через десять — кто знает...

Разговаривал с Мотькой Басмач, правая рука Холеного — мрачный урка, явно с примесью какой-то азиатской крови, что сразу было понятно по раскосым злым глазам. Мотька опешил, услышав, что ему предлагают.

— Так я без вопросов, век воли не видать! Только зачем я вам нужен? — засуетился он.

В кодлу Басмача входили такие амбалы, от одного вида которых у Мотьки чуть сердце не выскакивало из задницы. Да и другие люди Холеного были им под стать.

— Сгодишься, — ухмыльнулся Басмач. — На подхвате будешь — вдруг на что и понадобишься по мелочи. Дел у нас много, всякое говно тоже нужно. Или думаешь, я тебя себе на смену готовлю? — Он посмотрел на Мотьку так, что у того душа ушла в пятки. Сладкие надежды были развеяны в прах.

— Какое там, ты что! Я ж понимаю... Свое место понимаю!

— Вот и хорошо, — заключил Басмач. — Тебе от нас много пользы будет — уже не сам по себе, должен понимать. Но уж если и правда чем понадобишься — хоть сдохни, а сделай, — добавил он с угрозой в голосе.

— Ясен перец, сукой буду, — заверил Мотька.

Теперь Мотька ждал, какие последствия будет иметь разговор с Басмачом. Тот насчет него выводы сделал, теперь доложит Холеному. А что тому взбредет в голову — никто не знает. Он то одно решит — и всем делать, хоть сдохните, то другое — и опять всем сдыхать, а делать! И звереет, если что не сразу удается, даже плевое какое-нибудь дельце, каприз какой-нибудь. Но если уж достиг больших вершин, значит, имеешь право на капризы. Даже наоборот — уважения прибавляет, когда во всем своего добиваешься, не зная мелочей.

Группировка Холеного была теснее других связана с Северным Кавказом. Именно он держал руку на «транзите», после того как отшил дагестанцев и расстрелял трех быков Лысого. Теперь он властвовал над трассой, получая львиную долю со всех перевозок — от партий ранних огурцов и паленой водки до грузов наркоты и краденых товаров.

Вообще-то в таком деле не было мелочей, за всем нужен был глаз да глаз. Так что действительно мог сгодиться и восемнадцатилетний Мотька: Холеный зорко следил за подрастающим поколением, выделяя особо перспективных и тут же забирая к себе в пристяжь. А Мотька, несмотря на то что все об него ноги вытирали, вполне мог считаться перспективным: ушлый и дошлый, готовый пролезть во все дырки и в лепешку расшибиться, выполняя поручение. Иначе с ним и разговаривать бы не стали.

Как он вскоре понял, использовали его только для сбора информации: кто, где, чем дышит, с чего живет. Мотька был ценен тем, что по роду своих занятий знал жизнь не только блатных, но и обыкновенных людей — соседей по дому, в котором жил один после смерти матери, их друзей и знакомых, знакомых их знакомых. Общительный он был, можно сказать, а от общительных как раз и бывает польза: в сеть их общения часто попадается что-нибудь стоящее.

— Слушай, — спросил как-то Басмач, — мент в вашем доме живет — чем он дышит?

— Да ничем, — пожал плечами Мотька. — Разнял раз драку во дворе. Да приезжал, когда одну хату выставили. А больше я ничего не знаю.

— А! — зевнул Басмач. — А чего говорят, будто он вором был до ментуры?

— Да брешут, наверно, — сказал Мотька, который тоже слышал эти байки. — Какой из него вор, и по роже даже не похоже, и вообще... А это бабы болтают — вроде его телка рассказывала кому-то, что он наколотый весь, как после зоны.

— А домой он когда приходит?

— По-разному. Что я, слежу за ним, что ли?

— А ты последи, не облезешь!

Разговор этот происходил между прочим — как и все разговоры, которые изредка вел Басмач. Ну, он последил, не трудно, даже график мента вычислил: понедельник и пятница у него ночные, за полночь возвращается. Ну и обсказал все Басмачу, тот остался доволен. Не то что обнял его и поцеловал, но не погрозил ничем, это и есть высшее выражение довольства.

А потом на мента возьми да напади трое каких-то бакланов, да как раз ночью в пятницу... Только все обернулось не так, как обычно: он двоим бошки проломил, а третьему всю харю бутылкой распанахал... Вот тебе и мент! Да еще сказал, что они сами между собой дрались, а он только разнимал! И самое удивительное, что бакланы это подтвердили! И остались кругом виноватыми. А Басмач ни при чем, и мент ни при чем, и он, Мотька, тем более ни при чем... Здорово!

Мотька пыжился от гордости, в рот смотрел Басмачу и готов был из кожи вон вылезти, если бы тот снизошел до настоящего поручения. Но что-то не слыхать было ничего настоящего.

Однажды Басмач сказал Мотьке — вскользь, как обычно:

— Ты вот что: в доме у тебя в гастрономе телка одна работает, надо приглядеться получше. Может, понадобится она для дела.

— Которая это? — заинтересовался Мотька.

— Продавщица из колбасного.

— А, Нинка! — догадался Мотька. — Так чего к ней приглядываться — она и так всем дает.

— Не твое дело, — отрезал Басмач. — Твое дело я сказал: приглядеться. Дает — понятно, все они дают. Кому, почему, когда?

— Да менту нашему и дает, — Мотька вдруг задумался. — А ведь больше никому последнее время и не дает!.. Нет, точно! Раньше-то у нее отбою не было, а сейчас вроде всех отшила. Но оно и понятно: он мужик здоровый, живет один — видно, ей хватает.

Мотьку разбирало любопытство. Конечно, Нинка — девка видная, а все-таки: почему к ней такой интерес?

— Присмотри за ней. И повнимательней.

Мотька так и не понял, к чему был этот разговор. Он, конечно, пригляделся к Нинке, но ничего нового не углядел. Все, что он и сказал Басмачу: торгует у себя в гастрономе, орет на теток. Кому надо — выдаст колбасу из-под прилавка, кого надо — пошлет подальше. Отоваривает районное начальство — не самое высокое, у тех свои места, а сошку помельче, что при власти крутится. Районную пристяжь. Но и этого на жизнь хватает: во всяком случае, про Нинку говорили, что живет она хорошо, зажиточно, все, что ей надо, может достать. Потому, мол, и замуж не выходит: сама себя обеспечивает, зачем ей обуза в дом? Трахается с ментом — ходит к нему чуть не каждый вечер, только койка скрипит. Это уже соседи рассказали, которые любили прислушаться, как там жизнь идет справа, слева, сверху и снизу — так просто, для общего развития.

В общем, Мотька вскоре забыл об этой Нинке — мало ли у него было дел, приходилось вертеться, чтобы и заработать себе на кусок хлеба с тонким слоем масла, и в тюрягу не пойти раньше времени. Правда, насчет тюряги Басмач его успокоил.

— Не ссы, — сказал он. — У нас везде свои люди, в обиду тебя не дадим, если заслужишь. Слушаться будешь — и в тюрьме проживешь королем. И пайку нормальную получишь, и водку, и бабу приведут. А продашь — утопят в параше, и все дела!

Мотька, правда, не знал, в чем он должен быть послушным, — но был готов.

Про Нинку его больше никто не спрашивал. Да она даже не здоровалась с ним при встрече — скользила равнодушным взглядом распутных коричневых глаз и шла себе дальше. «Ишь, стерва, — думал Мотька. — За человека не считает!»

Однажды он возвращался домой поздно. Стоял душный летний вечер, с южного небосклона ярко светили звезды. Мотька шел через неосвещенный двор к своему подъезду, удовлетворенно щупая в кармане пачку хрустов. Работа на базаре — дело прибыльное, хотя и нервное: поймают, вполне могут насмерть затоптать. Сегодня обошлось: и денег взял солидно, и рыжевье, да с барыгой договорился по-нормальному. Хороший день, короче, фартовый. Он уже расслабился, сбрасывал напряжение и предвкушал, как выпьет дома водки: еще со вчерашнего дня припасена была бутылочка. Даже шаги ускорил в этом приятном предвкушении.

И вдруг остановился как вкопанный, услышав впереди знакомый хриплый бас.

— Будешь нам помогать, мы тебе поможем! Нет — не обижайся!

— Да пошел ты! Видала я таких помогальщиков! — отвечал в темноте женский голос.

Мотька сразу узнал Нинку. А она-то здесь чего делает, небось к менту своему пришла? Но это он мельком подумал — гораздо больше интересовало его: чего же хочет от Нинки Басмач, чем она должна помогать?

— Не кипешись, — протянул Басмач. — От тебя простая малость требуется: приглядеть, чем он дышит, с кем встречается, кто к нему ходит. Трудно, что ли? Я знаю, раньше ты Сизому и наводки на денежные хаты подбрасывала...

— Да я и не знала ничего! К тому же что было — быльем поросло.

— Нет, так не бывает. Коготок увяз, всей птичке пропасть. Ты и так Сизому ни одной дачки не отправила. Должок за тобой, выходит!

— Ничего я тебе не должна! Отвяжись лучше...

— Смотри, как знаешь. По нашим правилам разговор короткий: на хор поставим и перо под сердце! Так что подумай хорошо.

— А ну пусти меня! Сейчас кричать буду!

— Кто тебя, дуру, держит? Иди... Надумаешь — свистни.

— Прям, разбежалась!

— Бежи, бежи... А через пару дней я зайду в магазин, и ты мне все обскажешь.

В темноте застучали каблучки. Мотька подождал и пошел искать Басмача: может, к нему тоже есть дела. Но Басмача уже не было видно — он исчез совершенно бесшумно, словно растворился в ночи.

И вдруг Мотьку прошибла догадка: так вот зачем он им понадобился! Из-за мента и Нинки! Ни про кого больше его не расспрашивали, никем не интересовались. Только эти двое... Какой же у Басмача к ним интерес? Нет, не к ним... Интерес может быть только к менту! А Нинка — наживка. Через нее все про него разузнать можно. А если грохнуть его надумают, она может его в условное место заманить или ночью дверь отпереть...

* * *

— Слышь, Володь, — сказала Нинка за чаем. После чая следовала постель. Все чаще она оставалась до утра. — Ко мне тут пристают всякие...

— Кто? — быстро спросил Волк. — И что значит — пристают?

Он действительно не понял, что имеет в виду Нинка под этим словом. Может, щиплют ее в магазине за аппетитные места, а может — предъявляют права бывшие ухажеры. Правда, он знал, что она вроде порубила все хвосты.

— Ты в голову не бери, это мои дела, — сказала раз она. — Что было — было, а сейчас ничего нет.

Голос у нее был гордый, но он не радовался: значит, готовит почву для дальнейшего сближения. Может, замуж хочет... А как на ней можно жениться? И так столько разговоров да пересудов. К тому же Нинка — это утеха для тела. Для души есть только Софья...

— Кто к тебе пристает? — раздраженно повторил он.

Нинка опустила голову:

— Я тут с одним встречалась, это давно было, год или полтора... А он оказался уголовник. Несколько квартир обворовал...

— А ты при чем? — насторожился Волк.

— Да при том, что моих покупателей... Я им колбасу носила, а он со мной увязывался, расспрашивал: как живут, есть ли ковры, сервизы... Откуда я знала, что у него на уме?

— А сейчас он где?

— Посадили его. Пять лет дали.

— Так чего ж ты волнуешься?

— Сегодня его дружок меня подкараулил. На туркмена похож или на узбека, в темноте не рассмотришь. Голос такой страшный, как рык звериный...

— Чего хотел?

— Про тебя выспрашивал, ругался, пугал... С ментом живешь, мол, а это западло...

Волк встал, прошелся по комнате, подошел к раскрытому окну, выглянул в ночной двор. Нинка и так компрометирует его перед знакомыми, а оказывается, она еще и связана с уголовниками... У сотрудника милиции не должно быть таких женщин.

— Что молчишь? — обиженно спросила она. Она вообще имела манеру обижаться — к месту, а чаще — не к месту. — Не нравится, что у меня жизнь замаранная?

— Не нравится, — не оборачиваясь, ответил Вольф.

— А я и не скрываю! — с вызовом сказала она. — И никогда не скрывала!

— Ну, хвастать тут, прямо скажем, нечем, — сухо ответил Волк.

— Вот ты как заговорил! А раньше сю-сю, лю-лю... Как под юбку залезть, так я хороша, а как в душу заглянуть, так говном намазано...

Нинка встала, зло скрипнув стулом.

— Значит, так, — сдерживая раздражение, сказал Волк. —

Хочешь, я тебя с оперативниками сведу: напишешь заявление и они займутся этим узбеком.

— Нет уж, спасибо! Чем с ментами связываться, я лучше в сторонке постою!

— Дело твое, — не оборачиваясь, пожал плечами Волк.

— Я домой пойду.

— Тоже твое дело.

Выходя, Нинка изо всей силы хлопнула дверью так, что посыпалась штукатурка.

— Сука! —в сердцах сказал Волк.

«Сука!» — с той же интонацией одновременно сказал кот.

* * *

«Встречай двадцать третьего, нетерпением жду встречи, твой лучший друг Иоганн».

— Ну? — спросил Генрих. — Что делать будем?

Владимир перечитал текст еще раз. Телеграмма как телеграмма. Если не знать всего, что ей предшествовало. А если знать, то впечатление меняется. Это предупреждение, угроза очень уважающего себя человека. Который вдобавок уверен,что адресат точно знает, о чем идет речь и что подразумевается между строк.

— Что делать... — Владимир свернул листок бумаги и небрежно бросил ее на стол. — Встретим.

— Может, мне с **ними** поговорить? — Генрих нервно потер руки. — Я, правда, последние годы ничем им не помогал. Возможности утрачены, да и вообще... Возраст, здоровье. Правда, они и не настаивали.

Владимир покачал головой:

— Только хуже будет: себе руки свяжем. Сделаем так...

Поезд «Москва — Тиходонск» приходил на конечную станцию в три часа дня. Генрих ждал на перроне с Витькой Розенблитом. Тот всегда с готовностью оказывал мелкие услуги и сейчас был готов наилучшим образом встретить старого друга дяди Генриха. Правда, он не понимал, почему надо делать вид, что Владимир по-прежнему живет в Москве, но особо не задумывался над этой проблемой. Надо так надо...

Скрежеща тормозами, состав остановился. Фогель вышел на перрон одним из первых. Для человека, отбывшего двенадцать лет в мордовской колонии усиленного режима, он выглядел довольно неплохо. Светлый летний костюм, легкая шляпа, небольшая сумка из мягкой кожи, ровный загар. Широко улыбаясь, он обнялся с Генрихом, за руку поздоровался с Розенблитом, небрежно передал ему свою сумку. После церемонии встречи все трое двинулись по перрону. Через пятьдесят метров толпа прибывших сворачивала к выходу в город. Но Генрих вел дядю Иоганна дальше. В конце перрона находился железнодорожный почтамт, за ним имелись ворота, через которые можно было выйти на привокзальную площадь. По предложению Владимира именно там Генрих оставил служебную машину.

Про эти ворота мало кто знал, поэтому ими и мало пользовались. Отследить проходящих через них людей гораздо проще, чем в обычной вокзальной толчее. Даже если не знаешь их в лицо. Но одного, как оказалось, Владимир знал. Это был Эйно Вялло. В белой шведке он не так походил на эсэсовца, как в черной арестантской робе, хотя все равно вид имел зловещий. С ним был какой-то незнакомец — крупный, с большой головой и резкими чертами лица. Они держались в отдалении, но когда Генрих с Фогелем прошли в подворотню, быстро побежали по перрону, сокращая дистанцию. За наружное наблюдение Владимир поставил бы им тройку с минусом.

Сам он в гражданской одежде сидел в помещении сортировочного узла и делал вид, что заполняет почтовую накладную. Широкое окно и настежь распахнутая дверь позволяли ему наблюдать за перроном и воротами. В кармане лежал «браунинг» с досланным в ствол патроном. В случае необходимости он должен был помочь взять ситуацию под контроль. Или изменить ее.

Генрих, Фогель и Витька Розенблит сели в служебную «Волгу» управления коммунального хозяйства. Водитель должен был стать вторым свидетелем, сдерживающим Фогеля. Впрочем, вряд ли дядя Иоганн лично станет стрелять или засаживать заточку... «Волга» медленно выруливала с вокзальной площади. Эйно Вялло и большеголовый погрузились в такси и поехали следом. Вольфа ждал замаливающий грехи нарушитель дорожных правил на видавшем виде «Москвиче», который пристроился в хвосте кортежа.

Когда «Москвич» подъехал к дому, Генрих с Фогелем и Розенблитом уже зашли в подъезд. Лизхен под благовидным предлогом отослали к подруге, Владимир проинструктировал отца не оставаться с Фогелем наедине и никому не открывать дверь.

Эйно Вялло и большеголовый выгрузились из такси, покрутились у входа, потом Эйно нырнул в подъезд, а его спутник отошел в сторону и сел на скамейку.

Владимир прогулочным шагом подошел к дому и тоже вошел в подъезд. Он напряг слух и разобрал какие-то звуки на самом верху. Чердак! Упругим шагом разведчика Волк бесшумно взлетел по лестнице. Действительно, против обыкновения чердачная дверь была приоткрыта. Он прокрался поближе, резко распахнул дверь и ворвался внутрь, оказавшись с Эйно лицом к лицу. Брови эстонского националиста изумленно поползли вверх, рука скользнула в карман. Поздно! Кулак Волка со скоростью курьерского поезда въехал ему в солнечное сплетение. Жилистое тело согнулось и рухнуло на пыльный пол. Порыв рвоты вывернул Эйно наизнанку.

Не отвлекаясь, Волк обшарил карманы. Ничего особенного. Только обычный кухонный нож, из тех, которые свободно продаются в любом хозяйственном магазине. И которыми в России совершаются почти все убийства. По эффективности милиционеры ставят его на второе место после автомата Клашникова.

Волк сгреб Эйно Вялло за ворот и рывком оторвал от пола. Рубаха затрещала.

— Твоя задача? Быстро!

Эйно не отвечал. Но играть в молчанку с бойцом специальной разведки — дело заведомо проигрышное. Быстрое «потрошение» является одним из основных предметов специальной подготовки. Железные пальцы сжали болевые точки у основания шеи, Эйно Вялло вскрикнул и потерял сознание. Потерев уши, Волк привел его в чувство.

— Твоя задача? Быстро! А то раздавлю яйца!

Тяжелый башмак нацелился в самую уязвимую точку тела. Эйно застонал.

— Кончить предателей... Сначала отца, потом тебя...

Ай да дядя Иоганн! Он оказался хорошим учеником и быстро расстался с белыми перчатками!

— Как?

— Отец выйдет проводить Иоганна, а я подойду сзади... Если не получится, подожду... И на обратном пути...

— Кто твой напарник?

— Из блатных. Тулой кличут. Он не в теме. Взяли на подхват...

— А со мной что решили?

— А тебя думали в Москве искать...

— Ну, вот он я! Нашелся! И что дальше?

Одной рукой Волк взял Эйно за затылок, другой — за острый подбородок. Тот смотрел, как обреченный на заклание баран.

— Твоя взяла... Может, отпустишь?

Волк на мгновение задумался, взвешивая «за» и «против». На чердаке пахло затхлостью и гнилью.

— Нет.

Резкий рывок, хруст шейных позвонков, конвульсивные движения тела... Все!

Атлетически сложенный, покрытый татуировками человек стоял на пыльном сыром чердаке, опустив тяжелые, удлинившиеся до колен руки. То, что он сейчас сделал, было необходимым для бойца разведки специального назначения по прозвищу Волк, которому приказы и инструкции не позволяли оставлять живых свидетелей в боевом поиске и которого специально учили не бояться смерти и крови. И для уголовника Расписного, который подчинялся не законам и инструкциям, а правилам и обычаям криминального мира, добить поверженного врага было естественной необходимостью, гарантировавшей от мести и повышающей авторитет среди себе подобных. Для Вольдемара Вольфа происшедшее являлось потрясением, вынужденным актом отчаянной самообороны, без которого невозможно было защитить свою семью. А вот для старшего лейтенанта милиции Волкова содеянное было тяжким преступлением — умышленным убийством...

Если бы Волк, Расписной, Вольф и Волков принялись

обсуждать происшедшее, то вышел бы жаркий спор, в котором каждый, несмотря на, казалось бы, самые убедительные аргументы, не смог бы убедить других. Но вместо четверых спорщиков на чердаке стоял один человек, и все противоречия взглядов и позиций проходили через его душу и сердце. Внутри у него что-то трещало, лопалось, ломалось. Сильно болела душа.

«Правильно сделал, не переживай, — сказал кот. — Иначе не разойтись».

«Надо еще тех двоих мочкануть, — кровожадно добавил пират. — За спиной никого оставлять нельзя».

«Одного. Главного», — подвел итог черт.

Человек на чердаке встряхнулся, превращаясь в Расписного. Для того все было ясно и понятно. Оглядевшись, он подошел к лазу на крышу, с трудом открыл маленькую тугую дверцу и выглянул наружу. С этой стороны дома располагался замусоренный пустырь с заброшенным котлованом, людей видно не было. Не мешкая, он вытащил тело Эйно Вялло на крышу и столкнул вниз.

Сам он тоже быстро спустился вниз, но по лестнице. На улице было сухо и солнечно. Как ни в чем не бывало прогуливались люди, мамаши катали в колясках детей, судачили на скамейках старушки, то и дело мимо проезжали машины. Большеголовый сидел в той же позе: прошло всего десять минут и он не успел устать. Ему предстояло участвовать в убийстве, он был к этому готов. И ничего не знал о том, что планы изменились. Расстегнув рубашку до пояса и зажав между ладоней завернутый в платок «браунинг», Расписной сел рядом, сделав вид, что вытирает руки. Большеголовый покосился недовольно и отвернулся.

— Здорово, Тула!

Большеголовый вздрогнул. Осведомленные незнакомцы не сулят ничего хорошего.

— Глянь сюда! — Расписной приподнял платок, показав нацеленный в живот соседу пистолет. — На чужую землю залез, разбираться надо... Железки есть?

Конечно, стрелять здесь было крайне нежелательно. Но блатные — народ дисциплинированный и под пушкой стараются не дергаться. К тому же Тула смотрел не столько на оружие, сколько на татуированную грудь Расписного.

— Я вообще не при делах, — хрипло сказал он, выворачивая карманы. — Мне бабки заплатили, я и поехал. Что скажут — то сделаю. Своего интереса нет.

— Тогда слушай внимательно, брателла, — по-блатному растягивая слова, сказал Расписной. — Твои дружки уже копыта отбросили. Наши ребята тебя хотят следом пустить. Но раз ты не при делах...

Он подумал, почмокал губами:

— Убили! Человека убили, — раздался издали истерический женский крик. Это произошло на удивление вовремя, чтобы произвести максимальный эффект.

— Из окна выбросили! Милицию вызывайте!

У Тулы на лице выступила испарина:

— Они мне не корефаны, я их знать не знаю...

— Ладно, живи! — выдержав паузу, наконец кивнул Расписной, и Тула перевел дух.

— Давай только, дергай из города по-быстрому. Чтоб через полчаса тебя здесь не было.

— Понял, братское сердце, — Тула встал, прижимая руки к груди. — Сукой буду — больше сюда не заявлюсь!

Большеголовый мгновенно исчез. Жадный до зрелищ народ бежал за дом, чтобы посмотреть на труп Эйно. Крики, шум, суматоха... Очень быстро подъехала ПМГ-6. Трансформировавшийся из Расписного старший лейтенант Волков подошел, поздоровался с сержантом Ивониным.

— Как отдыхается, командир? — весело спросил тот, потому что Волков взял законный выходной.

— Нормально. К отцу друг приехал, вот пришли в гости, а тут какая-то фигня...

— Не дают отдохнуть спокойно! — посочувствовал старший экипажа.

Они пробились сквозь толпу. При виде милицейской формы народ расступался без звука.

Эйно Вялло лежал между бетонной плитой и грудой битого кирпича. Ноги у него перекрутились, а руки были разбросаны. Смотреть более подробно Волков не хотел и не стал.

— Сам упал? Пьяный, наверное...

— Не повезло... Вон какая куча мусора, попал бы в нее, может, и жив остался, — судачили зеваки.

«Это вряд ли», — хихикнул кот. А может, так подумал сам Волков. Или Волк, или, скорей всего, Расписной.

Милиционер-водитель Смыков осмотрел труп, подошел, козырнул Волкову, доложил:

— Похоже, из окна выпал. Вроде трезвый и одет прилично...

— Сообщай дежурному, пусть присылают группу! — распорядился Волков, потому что командир взвода ППС всегда находится на посту, даже в свой собственный выходной.

В это время из подъезда вышли Фогель и Генрих. Витька Розенблит, следуя полученным инструкциям, ни на шаг не отставал от них. Фогель втянул голову в плечи. Ему явно не нравилось скопление народа, не нравилась милицейская машина, не нравилось отсутствие подельников.

— Что тут у тебя происходит, Генрих? — спросил он, то и дело оборачиваясь на дверь подъезда. Он был так озабочен происходящим, что не обратил внимание на подошедшего Владимира.

— Ничего особенного, дядя Иоганн, — сказал Расписной. — Эйно Вялло упал с крыши.

Фогель вздрогнул:

— Это ты?! Я думал, ты в Москве... А что с Эйно?

— Разбился в лепешку. Скажу вам по секрету, — Расписной понизил голос. — Он уже падал со сломанной шеей. Так что он теперь никак не сможет ударить отца ножом. И меня тоже.

— Что?! — воскликнул Генрих. — Почему ножом? Мы очень мирно попили чай, у Иоганна нет ко мне никаких претензий...

— Если претензии появятся, я вобью их ему в жопу! — так грозно сказал Расписной, что Витька Розенблит отступил на шаг.

Фогель молчал, нервно оглядываясь по сторонам.

— Тулу ищете? Молодец, дядя Иоганн, учел мои советы, с «черной мастью»[1] общий язык нашел! — похвалил Распис-

[1] «Черная масть» — блатные.

ной, гипнотизируя Фогеля тяжелым недобрым взглядом. — Только Тула скоропостижно умер. Утонул в канализации. В подвале оказался открытым люк, там кто угодно утонет, даже вы. Хотите посмотреть?

Расписной взял Фогеля за локоть и подтолкнул к подъезду, но тот уперся и стал вырываться:

— Пусти меня! Я никуда не пойду! Отпусти!

Рядом мгновенно появился сержант Ивонин.

— Что случилось, командир? — Он поигрывал наручниками, на лице читались желание и готовность их немедленно применить.

— Пока ничего. Не уезжай, пока я не скажу.

— Есть!

— Вот так, гражданин Фогель! — назидательно сказал лейтенант Волков. — Значит, в канализацию вы не хотите. Что ж, можно и по закону разобраться. Покушение на убийство — статья серьезная. К тому же у вас в карманах может анаша оказаться или патрончик... Лет на пять-семь потянет. И без всяких амнистий...

— Чего ты хочешь? — хрипло спросил Фогель.

— Ничего. Но за отца я тебе кадык вырву! — прошипел Расписной. — Помнишь, ты сказал, что сам заточку в брюхо совать не умеешь? Это точно! А вот я — все умею! Сваливай, и чтоб больше я тебя никогда не видел! Иначе — кранты! Ты меня понял, киллер яйцев?

Отпетый уголовник Расписной и облеченный властью старший лейтенант милиции Волков, объединившись в одном теле, способны убедить самого стойкого бойца за идею. Тем более что упорство в идеологической борьбе и способность поставить на кон собственную жизнь требуют совершенно разных личностных качеств.

Фогель кивнул:

— Я все понял, Вольдемар. Не надо волноваться.

Старший лейтенант Волков подозвал Ивонина.

— Отвезите его на вокзал и посадите в любой поезд. А если когда-нибудь еще увидите эту рожу — задерживайте и сообщайте мне. А я займусь им с пристрастием.

— Есть, командир, — козырнул старший экипажа.

— Я ничего не понял, — сказал Генрих, когда они остались одни. — Иоганн вел себя совершенно нормально, подчеркнуто миролюбиво. Сказал, что не осуждает меня, потому что это **они** меня вынудили. Мы расстались, как друзья, как прежде... Он приглашал меня в гости... Меня вновь стала мучить совесть. Почему ты так грубил ему, так ужасно угрожал... И кто этот человек, который разбился?

— Пусть твоя совесть успокоится, — Волк обнял отца за плечи. — Этот человек поджидал тебя в подъезде. Чтобы ударить ножом, когда ты пойдешь провожать своего друга Иоганна. И убить. План разработал твой друг Иоганн. Когда я погнался за этим человеком, он выбежал на крышу и сорвался вниз. Вот и все.

— Сам сорвался? — У Генриха было странное выражение лица. — Такие люди обычно крайне осторожны...

— Конечно, сам, — как можно искренне ответил Волк.
Но, похоже, отца он не убедил.

— И все же ты очень страшно говорил с ним. Я даже перестал узнавать своего сына. Ты говорил как... Как...

Генрих так и не смог подобрать нужного слова.

Волк тяжело вздохнул:

— Все мы меняемся, отец. И с этим ничего не поделать.

В голосе его прозвучала горечь.

* * *

Мотька уже подумывал, что не грех бы избавиться от своей дурацкой кликухи. Он еще молодой, не до смерти же с такой беспонтовщиной ходить... Когда человек меняется, и погоняло новое появляется.

А жизнь его теперь пошла в гору, это ясно. Басмач держал базар, поэтому Мотька встречался с ним каждый день. И получал небольшие, но важные задания.

Например, надо было приглядывать, не утаивают ли продавцы часть выручки, честно ли платят положенную дань.

— Я человек справедливый, — любил повторять Басмач. — Если торговля не выгорела, разве я не пойму? Сегодня меньше заплатишь, нет проблем. Но уж если дела хорошо идут — отдай на общее благо!

Басмач любил говорить замысловато, а в переводе на простой язык это означало, что размер дани определяется индивидуально и зависит от товара. То есть — следить надо постоянно, никого и ничего из виду не упуская.

Вот Мотька и следил, и докладывал. Идет между рыбными рядами и вдруг видит, что инвалид дядя Петя, который всегда вяленой таранкой да чехонью торговал, из-под прилавка осетровую икру продает! А ну, пес одноногий, давай по другой таксе отстегивай! Да плевать, что у тебя одна баночка приблудилась, теперь всегда будешь за осетрину платить, а не за таранку! Чтоб не крысятничал!

Или Матрена, что свинину продает, — заплатила за одну тушу, а выставляет уже третий окорок. Иди сюда, шалава, гони бабки!

Басмачу и его людям в такие мелочи вникать западло, а Мотька и камеру хранения проверит, и к машине сбегает, все выяснит, до грамма и копейки. Он тут самый главный инспектор, его решения не обжалуются... Скажет — выгнать с базара, и выгонят!

Мотьке нравится решать чужие судьбы. Недаром те, кто его раньше за грязь считал, теперь лебезят и заискивают. Он очень гордился своей значительностью. По карманам уже не шарил, незачем. Вечером отдаст собранное — до рваного рубля, до замызганной копеечки — это очень важно — и официально получит свою долю. Это не украденные деньги, а честным трудом заработанные!

Бывали и помельче поручения. Но ведь с Басмачом оно так — никогда не знаешь, не обернется ли какая-нибудь мелочь крупным делом и крупной наградой. Говорили, и Холеный — такой же. Большие люди, одно слово!

Например, как-то Басмач велел Мотьке:

— Вот что, помнишь, про телку спрашивал я тебя, в магазине которая?

— Помню, — кивнул Мотька, умолчав о том, что даже слышал разговор этой телки с Басмачом у собственного подъезда. — Так что?

— Так вот, — продолжал Басмач. — Твое дело будет маленькое: надо ее вызвать, короче, выманить, куда я скажу. Она ж тебя знает! Только так сделать надо, чтоб пришла, — подчеркнул он с обычной угрозой в голосе.

— Да как же я так скажу, чтоб пришла? — испугался

Мотька. — Нинка эта — уж больно девка самостоятельная, а на меня она вообще...

— А ты подумай. Что, совсем дурак? Зачем я тебя держу?

Басмач замолчал, презрительно глядя на Мотьку. У того сердце екнуло: ведь может все разрушиться, все доверие пропасть, и долгожданное уважение — тоже! И все из-за чего — из-за какой-то шалавы!

— Ты ей скажи, — посоветовал Басмач, — что тебя ее мент прислал. Неужели не пойдет?

— Пойдет! — обрадовался его подсказке Мотька. — Пойдет, куда она денется! На когда звать?

— Как магазин закроется, пускай к тюремному скверу подойдет. Там народу мало...

Сказав это, Басмач исчез в базарной толпе, оставив Мотьку в недоумении: мент-то мент, а почему вдруг он, Мотька, зовет Нинку к ее же менту на свиданку?

Когда гастроном закрылся, Мотька уже крутился у входа. Он знал, что сразу продавщицы не выходят: пока приберутся, пока товар в холодильники спрячут, пока посчитают — сколько продано да сколько наколдовано в свой карман... Час-полтора — не меньше. Но в таком деле лучше перестраховаться, сорвется — Басмач голову оторвет...

Нинка вышла часа через полтора, когда уже сгустились сумерки.

— Здрасьте, — подскочил Мотька. — Я к вам с поручением.

— Здравствуй, сосед. Тебе чего?

— Лейтенант меня твой послал, — сказал Босой. — Встретиться хочет.

Какое-то странное выражение промелькнуло в Нинкиных глазах. Видно было, что она удивилась.

— Так и сказал, что встретиться хочет? — спросила она, испытующе глядя прямо на Босого.

— Конечно. В парке ждет, вот здесь, за углом.

Нинка торжествующе улыбнулась:

— Видать, самому стыдно идти. Посыльного подослал. Значит, еще совесть осталась...

Мотька понял, что попал в цвет.

— Я ваших делов не знаю. Мое дело маленькое, я тебе передал. А там сами разбирайтесь.

И, стараясь не выдать своего волнения, Мотька повернулся и с независимым видом пошел по улице.

Глава 3
ЛИЧНЫЕ СЧЕТЫ

Ночной звонок повторился.

— Не понял предупреждения, мусор? — сказал тот же низкий, с блатной хрипотцой голос. — Теперь поймешь! А ты следующий!

— Да я тебя в параше утоплю! — заорал Расписной.

— Это все пустой базар. А ты скоро пожалеешь... Очень скоро!

В трубке раздались гудки отбоя. Владимир лег спать, но внезапно словно в яму провалился и с криком сел на кровати. Смутная тревога не давала ему уснуть, а он привык доверять своей интуиции. Тревога была связана с Ниной.

Назавтра он пошел в гастроном с утра, даже до развода.

— А нету ее, — охотно сообщила ему уборщица баба Катя. — Нету Нинки, и вчера не выходила.

— Как это — не выходила? — опешил Вольф. — Она же вчера во вторую должна была работать?

— Должна-то должна, а знаешь, какие у них теперь долги, у молодых? — сказала баба Катя, как будто Волков был старым. — Нашлись дела — а работа в лес не убежит. Ну ничего, Вадим Петрович ей покажет, как объявится! Больно она много об себе стала понимать, так ты ей и передай!

Он никогда не был у Нинки дома, но адрес знал. Знал и то, что жила она одна. Днем заехал и давил на кнопку звонка до посинения, пока наконец не вышла соседка из квартиры напротив.

— Вы к Нине? — спросила она, с любопытством рассматривая милиционера. — А что случилось?

— Да, собственно, ничего, — ответил Волков. — Она должна была... собиралась зайти сегодня утром в отделение — говорила, есть жалобы по гастроному. И не пришла, на работе тоже нет.

Молодая женщина чуть заметно улыбалась, слушая эту ерунду. Наверняка Нинка растрезвонила про своего татуированного старшего лейтенанта всему дому. Небось сейчас соседка прикидывает, действительно ли у него на интимном месте вытатуирована птичка или рыбка. Владимир почувствовал неловкость.

— Вы не знаете, где она?

— А я думала, она у вас ночевала, — сказала соседка, как будто он и не говорил этих глупостей про гастроном. — Она не приходила вчера, точно. Я вечером хватилась — соли нету, пошла к ней, а ее дома нет. Уже поздно было, часов двенадцать. И потом не приходила, слышно же, если бы дверь хлопнула. А у меня Светочка больная, я с ней всю ночь не спала.

Сердце у него бешено заколотилось. Не напрасна была его тревога, не случайно не мог он уснуть полночи!

— Вы дома будете? — спросил он.

— Дома, где ж мне быть.

— Возможно, придется дверь ломать.

Вернулся он через пятнадцать минут с Кругловым, техником-смотрителем из ЖЭКа и слесарем. В присутствии испуганных соседок они быстро отжали дверь.

Квартира была пуста. Никаких следов беспорядка или разгрома, все вещи на своих местах. Только пыльно. Хозяйки нет уже несколько дней. Он вдруг почувствовал, что та пружина внутри, которая казалась ему совсем ослабевшей, снова начала туго сворачиваться.

— На розыск надо заявлять, а, Владимир Григорьевич? — спросил Круглов.

— Пожалуй, — кивнул он.

Нинку искали три дня. Все это время Владимир не находил себе места. Конечно, Нинка не Софья, но, какая бы она ни была, они спали вместе, он привык к ее теплому дыханию, и к кокетливым взглядам, и к податливому телу. И, главное, он чувствовал вину за последний разговор. Получилось, что он выбросил ее за порог, как надоевшую собачонку. Если бы ничего не произошло и она как обычно торговала в своем гастрономе, стреляя по сторонам шалыми ищущими глазами, он бы и не вспомнил этот разговор. Но когда человек пропадает, все воспринимается совсем по-другому. Где она? Уехала к подругам или друзьям, загуляла? Но на нее не похоже, Нинка серьезно относилась к работе...

Приехала Нинкина старшая сестра, жившая в Степнянске под Тиходонском, пришла в отдел, разыскала Владимира. Он сразу понял, кто эта женщина: похожа была на Нинку, хотя и совсем другая — усталая какая-то, блеклая, с красными глазами и раскисшей тушью на ресницах.

— Елена Петровна я, сестра Нины Зайцевой, — она промакнула слезы. — Доигралась, сеструха... — Слезы лились все сильней. — Я ведь ей все время говорила: нельзя так, как ты, Нин, нельзя!

— Как это — так?

— Беспечно! Она ж как стрекоза какая, честное слово. Нет чтоб про завтрашний день позаботиться, чем надежным обзавестись. Ни тебе про семью подумать, ничего. Деньги — фук, и профукает, только и купит себе, что одежку помоднее да побрякушки. Любила пыль в глаза пускать, компании веселые любила — а больше и не надо ей было ничего!

Волков вдруг понял, что и сам, вслед за Нинкиной сестрой, готов думать о ней в прошедшем времени.

— А она мне, — продолжала та, сморкаясь в аккуратный, с вышивкой, платочек, — ты меня не учи, и все тут! Посмотри на себя, на кого ты похожа с завтрашним днем своим и с семьей своей. Конечно, у меня заботы, не сравнить с ейными. Так ведь со мной и не будет — чтобы пропала из дому, как кошка, и не знал никто!.. Говорила ей — смотри, прибьют тебя где-нибудь под забором.

— Чего вы раскаркались, — раздраженно сказал Владимир. — Прибьют, прибьют! Пока еще никого не прибили!

Ему неприятна была Нинкина сестра с ее неуместной нравоучительностью и дурными пророчествами. Но дурные пророчества чаще всего и сбываются.

Нинку нашли мертвой на Лысой горе. Она лежала в небольшой балке, слегка прикрытая каким-то строительным мусором. Те, кто прятал ее от людских глаз, не очень-то старались, а может, просто спешили...

Волк узнал об этом от опера уголовного розыска Фомина, который вел розыск пропавших и работал по неопознанным трупам. Тот встретил его в дежурке, дружески хлопнул по спине:

— Зайди ко мне, дело есть.

— Что, опознать надо? — ворохнулась нехорошая догадка, и голос предательски дрогнул.

— Да нет, что опознавать — с этим ясно, и сестра уже была... Просто зайди, поговорим.

Когда они остались наедине, Фомин сказал:

— Ты знаешь, я в чужие дела лезть не люблю, но одно дело — обычные сплетни, а совсем другое — сплетни вокруг убийства!

— Убийство? Точно?

— Точней некуда. Изнасиловали вдвоем, ножом истыкали, палец отрезали, уши...

У Волка потемнело в глазах. Он представил изрезанную Нину, присыпанную строительным мусором на пустыре...

— Кто?! Кто это сделал?!

— Спроси чего полегче. Только что-то тут странное... Какая-то бравада звериная, блатной почерк. Кольцо и серьги можно спокойно снять, зачем уши и палец резать? Они показать что-то хотели, вот в чем тут дело! Ты эти украшения помнишь? — продолжал Фомин. — Мне точные приметы нужны, для ориентировок.

— Да откуда мне помнить, — хрипло ответил Волк, сглотнув ком. — Я и внимания на них не обращал... Хотя...

И вдруг он вспомнил. Нинка как-то хвасталась кольцом и сережками и буквально заставила его рассмотреть эти вещицы.

— Кольцо такое, будто плетеное, с тремя камешками. А серьги похожи, но погрубее. И камешки россыпью.

— Точно! — оживился Фомин. — И сестра так же описала. Кольцо старинное, вроде с бриллиантами. От бабки. Она его как раз на безымянном пальце левой руки всегда носила, размер маленький был, потому и не снимала.

— А чего, бабка у нее графиня была? Откуда у бабки бриллианты?

Фомин пожал плечами:

— Может, краденые. А может, в войну на хлеб выменяла. Но это все лирика. Ты лучше скажи: ей кто-нибудь угрожал?

— Какой-то узбек, — кивнул Волк. — Дружок ее прежнего хахаля. За то, что с ментом связалась.

— Узбек? — Фомин задумчиво покачал головой. — Но за это не убивают.

— Неужели из-за кольца?

— Кто его знает? В принципе могли, за бутылку водки и то убивают. Хотя... Скорей это блатной вызов, бравада. Я так думаю.

Волк скрипнул зубами:

— Раскроешь?

Фомин пожал плечами еще раз.

— Помнишь, ты интересовался, мужик с вашего дома упал? Вчера дело прекратили. Прижизненных телесных повреждений нет, документов нет. Видать, бродяга, сорвался с крыши и сломал шею...

«Работнички, — прокомментировал кот. — Крученый перелом от обычного отличить не могут. Так они и по Нинке сработают».

* * *

Мотька так и не знал, пришла ли Нинка к скверу. Волновался — а вдруг сорвалось? Тогда он, Мотька, крайним окажется. Скажут, плохо позвал.

Но Басмач был доволен.

— Молодец! — похвалил он Мотьку. — Чисто сработал.

— Пришла?

— Все в порядке, остальное тебя не касается. Тебя видел кто-нибудь — ну, когда с ней разговаривал?

— Да я не заметил... Вроде нет. А что? — испугался Босой.

— Да ничего, не ссы, — успокоил Басмач. — Так, для порядка спросил. Держи, твоя доля!

Басмач опустил что-то прямо в Мотькин карман.

Мотька пощупал — в кармане было кольцо и еще какие-то побрякушки. «Золото, не иначе! — подумал он с удовольствием. — Или, может, серебро? Да нет, Басмач не станет мелочиться!»

Но уже дома, внимательно осмотрев кольцо и сережки, он похолодел. Радость как корова языком слизала. Украшения были не просто золотые, но еще и с бриллиантами! Не слишком ли щедро за то, что он вызвал телку на стрелку? Ну их, эти цацки, от греха подальше! Надо быстро спулить их с рук... Но кому? Толстому купцу? Больно ушлый... Пауку? Еще хуже... Он перебирал в уме всех скупщиков краденого, с которыми был хорошо знаком и провернул много дел. Но сейчас не мог выбрать, к кому обратиться безбоязненно. «Ладно, решим на месте», — подумал он.

Выходя утром на «работу», он спрятал цацки в потайной карман штанов — под самым коленом, хрен найдешь!

* * *

Волков каждый день интересовался, как идет розыск. Но Фомин только разводил руками. Он уже готов был сам подключиться к этому делу, но понятия не имел, с какого конца браться. Нужны зацепки, нужна информация, но для этого необходимо иметь сеть осведомителей... Тогда он стал фильтровать задержанных, особенно из приблатненной шпаны — авось кто-то что-то знает...

Результатов не было, но сама служба стала менее монотонной. Появился интерес.

— Скала — Двенадцатому, граждане карманника задержали, у главного входа в Центральный рынок.

— Поехали!

Карманники представляют особый интерес — они тесно связаны с блатными и осведомлены о многих делах...

У входа в рынок сельского вида мужик и несколько теток прижимали к забору худощавого молодого парня, который то и дело дергался, пытаясь вырваться из их цепких рук.

— Э... Старый знакомый.

Волк узнал задержанного: Матвей Сапогов — все, словно в насмешку, называли его Босой. Он жил в соседнем подъезде, нигде не работал и путался с блатными. Ничего более подробного Волков о нем не знал. Кажется, сейчас такая возможность представится.

Рукав пиджака у Босого был оторван, шесть рук держали

его крепко, одна даже в штаны вцепилась, и Матвей дергал ногой, пытаясь вырваться.

— Что случилось? — строго спросил Волков. Он заметил, что, узнав его, Босой перестал вырываться и побледнел. Интересно, чего он испугался?

— Стой, паскуда малая! — шипела толстая тетка с красным лицом. — Месяц назад кошелек у меня вытащил! Я за руку поймала, да он вырвался, гаденыш!

— Ты что мелешь, дура старая! — возмущался в ответ Босой. — Ты б еще прошлый год вспомнила! Не пойман — не вор, не знаешь?

— Я дура старая?! Ах ворюга!

Тетка дернула за штанину, послышался треск, что-то звякнуло, покатилось по мостовой.

— Ах ты, е... — матюкнулся Сапогов и сильно рванулся, но мужик с маху ударил его под дых, и тот обмяк.

— Вот, глядите, небось тоже украл, — тетка с неожиданной для ее комплекции ловкостью наклонилась и подняла упавший предмет. На ее потной ладони лежало ажурное кольцо с тремя сияющими камушками — в середине покрупнее, по краям — помельче...

— Откуда у тебя? — хрипло спросил Волков.

— Да я... Это не я...

— Круглов, наручники!

Сапогов дрожал, зубы у него колотились. Раздался щелчок — стальные браслеты защелкнулись на худых запястьях.

— Круглов, запиши свидетелей. Через час приходите в Центральный райотдел. К оперуполномоченному Фомину.

Волк тщательно обыскал Мотьку и нашел сережки.

— Ну, гадюка!! — В его голосе было столько ненависти, что Круглов удивленно обернулся.

— Не я это, не я! — повторил Босой, едва не срываясь на плач. — Дали мне это!

Волков запихал его в ПМГ, не в камеру для задержанных, а на заднее сиденье. И сам сел рядом.

— Поехали, — приказал он Круглову. — Давай на Лысую гору. Там я гаденыша и закопаю.

Потом повернулся к задержанному.

— Кто дал?! — Голос старшего лейтенанта был страшен.

— Басмач, — тут же ответил тот.

— Кто такой? Где найти?

— Да на базаре, его все знают, узбек или таджик — глаза косые...

— За что дал?

— Я ничего не знаю, ничего... — голос Сапогова снова сорвался. — Позвал только!..

— Когда, куда позвал?

Вдруг Волк заметил, что Сапогов уже отдышался, незаметно начал успокаиваться. Он тут же понял: упустит еще минуту — и все, больше он ничего не узнает. Поэтому он без замаха ударил его пудовым кулаком в грудь, так, что хрустнули кости.

— А-а! — завопил тот. — Ты чего, чего, убьешь!

— Куда ты ее позвал?

— В тюремный скверик, после работы... Зуб даю, больше ничего не знаю!

Похоже, больше он действительно ничего не знал.

— Давай в отдел, — приказал Волков, и Круглов невозмутимо изменил маршрут.

* * *

Мотька мог считать, что ему все-таки еще повезло. Могло быть хуже, выложи он под протокол то, что наболтал с перепугу этому татуированному менту. Пока оформляли бумаги, пока сидел в «аквариуме», пока переводили в ИВС, Мотька успел все хорошо обдумать.

Главная ошибка, конечно, что он назвал Басмача. О проклятых побрякушках, которые так и не удавалось сбыть залетному барыге и которые он, как последний придурок, сегодня понес все-таки продавать Пауку, можно было выдумать что угодно. В протокол он сказал, что вытащил их у кого-то из кармана! Значит, Басмач тут ни при чем. А лучше сказать, что нашел. Да, на следующем допросе скажет именно так. На базаре в толпе что угодно можно потерять и что угодно найти.

Обо всем остальном — что вызвал Нинку на стрелку, что его просил об этом Басмач — лучше вообще забыть навсегда. В протоколе он вместо «Басмач» уже говорил «Узбек»:

якобы это барыга, которому он хотел двинуть золото. Допрашивать еще много раз будут, каждый раз показания можно менять, они вконец запутаются.

Мотька повеселел: действительно, чего переживать? Все равно ему так и так светила когда-нибудь ходка[1] за карманные кражи, оно и для авторитета хорошо... А если не выдаст старших, те это не забудут. Обещал же Басмач поддержать его за решеткой... А может, вообще удастся выкрутиться!

Даже мрачный изолятор временного содержания Мотьку не слишком напугал. Что с того, что на окне «намордник», что твердые нары и постель не положена? Главное дело, он теперь знает, как надо отвечать на вопросы, которые задаст ему следователь.

Сначала он был в камере один. Еще удивился: не заскучать бы тут — Мотька был парень общительный. Но вскоре появился сокамерник, и, увидев его, Босой вовсе не обрадовался.

Грушевидная морда, ножевой шрам на щеке, гора мускулов, глаза, как у удава. Вылитый палач! Сердце у Мотьки екнуло. А вдруг Басмач прознал про его длинный язык? Этот кат задавит вмиг и глазом не моргнет...

Но удавливать Мотьку пока никто не собирался. Амбал не стал резину тянуть, сразу взял быка за рога.

— Вот чего, — он шмыгнул носом, — тебе велено передать: говорить будешь не чего в голову взбредет, а чего надо по делу.

— Я ж ничего... Я разве против? — привычно забормотал Мотька. — А по делу — это что?

— По делу, значит — ты сам видел, как телку мочили.

— К-как это?

В горле у Мотьки пересохло — ничего себе заход!

— Да так и видел — рядом стоял. Тебя мужики заставили на пустырь возле Богатяновского спуска ее выманить, как соседа, значит. Ты и выманил. Она кого-то кинула, рога наставила или еще что, — ты этого не знаешь. Ее там встретили, в машину посадили, вроде поговорить, и ты сел, потому что деньги свои получить хотел. Вывезли на Лысую гору, а

---

[1] Ходка — судимость.

там начались разборки, базары гнилые, крики... Короче, мужики ее и трахнули вдвоем. Ты в подробностях это дело не видал, отошел в сторонку, потому как они сказали, что тебе все равно не светит. Потом они, видно, и замочили ее. А тебе колечко с серьгами кинули — за услугу. Просек?

— Пр-р... — Мотька не мог выговорить ни слова.

— Чего мычишь? Непонятно, что ли?

— Да чего уж тут непонятного... — пробормотал он наконец. — Да ведь мне за это что ж?.. За это ж мне... Это мокруха, статья подрасстрельная...

— Много не дадут, — спокойно объяснил амбал. — Ты по первому разу попался, дел за тобой никаких нету. Сам не трахал, не мочил. Значит, соучастие и все. Так что дело плевое, не ссы. А на зоне тебя люди не забудут, это Басмач обещал. Если послушный будешь, конечно.

Мотька молчал. Он уже понял, что сопротивляться бесполезно: руки у Басмача длинные, везде достанут. И он лихорадочно соображал, какую выгоду может извлечь из всего этого. Хотя — какая уж тут выгода...

— А кто ж там был — ну, замочил ее кто? — вдруг сообразил он. — На кого показать? Я ж их знать должен! Если объяснять, что ни с того ни с сего выманил Нинку к незнакомым людям — фуфло получится. Навряд ли этому менты поверят.

— Покажешь на Кривого и Кожана. Скажешь, на базаре подошли, пригрозили. Вот и позвал.

Кривой и Кожан были людьми Басмача, притом из самых приближенных. Ничего себе — если уж ими решил пожертвовать Басмач, на что остается надеяться ему, Мотьке!

— Да ты не сомневайся, — ухмыльнулся амбал. — Они и наработали, хоть и правда сперму проверяй.

— Выходит, хана им теперь?

— Почему? Да пусть поймают сначала! Они уже далеко, руки коротки у ментов их достать. На Кавказ они ушли, понял? Басмач послал, важные дела делать. А чтоб вернее было — пусть знают, что тут им делать нечего...

Мотька похолодел. Вот как, значит. Вот как Басмач подстраховывается, держит своих на коротком поводке. Он вдруг понял: да для чего-нибудь подобного он сам и нужен был

Басмачу — как винтик в хорошо отлаженном механизме. И не даст он ему из этого механизма выпасть, живо вкрутит на место.

— Понял? — повторил амбал.

Мотька покорно кивнул:

— Тебя завтра на тюрьму повезут. А я к Басмачу вернусь и все обскажу, какой ты пацан правильный.

Босой вытаращил глаза:

— Как вернешься?

Амбал усмехнулся и похлопал его по плечу, чуть не выбив руку из сустава:

— Да очень просто. Терпила меня сегодня опознал, а завтра скажет, что ошибся. И алиби у меня к тому ж. Придется выпускать, куда мусорам деваться? А пока можем в очко на пальцах поиграть. Умеешь?

Мотька гордо кивнул. Он умел.

* * *

— Раскололи мы его, — сказал Фомин, улыбаясь. — До самой жопы лопнул.

Волк подобрался:

— Кто эти гады?

— Давние наши клиенты, Кривой и Кожан. Да ты их все равно не знаешь. Последнее время оба рэкетом занимались, а так — рецидивисты, ничего особенного. Обычная блатная шелупень.

— Точно они?

— Пока все в цвет. И сам Мотька расклад дал, и мы подработали... Кожана четыре года назад уже судили за изнасилование. Мы дело подняли: что там экспертиза, что здесь — один к одному!

Волк молчал, внимательно рассматривая оперативника. Это, конечно, убедительно, когда анализы совпадают. Но Мотька не про Кожана рассказывал. И не про Кривого. Он Басмача назвал. От Басмача и украшения Нинкины получил.

— Ну а сами они что? Колются?

Фомин поскучнел.

— Да нету их в городе. По информации, на Кавказ ушли.

Мы работаем, проверяем... Куда они денутся, вернутся рано или поздно.

— Ну-ну, — неопределенно сказал Волк. В деле было много странностей и нестыковок. Но за время работы в милиции он уже понял: дел и так невпроворот, поэтому когда вычислены убийцы, проверять какие-то неточности и сглаживать шероховатости никто не будет. Во всяком случае, в рамках официального расследования. Но им-то руководили личные чувства...

— А Басмач? — все-таки спросил он.

— Да он все время путался... То Басмач говорил, то Узбек, то вообще ничего про них вспомнить не мог. Мутная рыба был этот Босой, хотя и молодой совсем. Кольцо это с сережками...

— Что?!

— Туфта оказалась. Стекло. Три копейки в базарный день.

— Не может быть! Она ими так гордилась...

— Наверное, не знала, что к чему. Добросовестное заблуждение — вот как это называется...

Разговор подходил к концу. Но одно из произнесенных слов не улеглось в сознании Волка, а так и торчало колом.

— Почему «был»? — спросил он. — Почему Босой «был»? Куда он делся?

Фомин развел руками:

— Да повесился он. Как в СИЗО перевели, так и вздернулся на третьей шконке.

Волк вздрогнул:

— Как он мог повеситься?! Он же под блатного работал, ему тюрьма — что дом родной!

Опер еще раз развел руками:

— На словах мы все, как на роялях... А попал в общую камеру — и вздернулся! Там ад настоящий, дышать нечем, страх господний. Сходи посмотри, для интереса...

— Надо будет сходить... Ну а Басмач, он вообще кто такой?

— Числится завскладом вторсырья. По оперативной информации — рэкетирует на рынке. Официально на него ничего нет. Кстати, Кривой и Кожан на него работали.

— Так что теперь?

— Да ничего. Мотьку схоронили, а мы дело приостановим и объявим Кожана с дружком в розыск.

— А Басмач?

— Да что ты заладил про Басмача? Мало ли что этот пацан наболтает! Будут данные на Басмача, мы за него возьмемся... Они с Лысым в контрах. Того и гляди, друг дружку перестреляют. Вот тогда мы того, кто живым останется, и законопатим!

— А Лысый кто такой?

— Пастухов его фамилия, из боксеров. Спортивный клуб держит. «Олимпик». Но это так, для отвода глаз. И детективное агентство открыл — тоже понты, сколько на слежке за неверными женами можно заработать? У него сильная группировка из спортсменов. Рэкетируют, крыши ставят...

— А чего ж вы его не сажаете?

— Сажаете... Легко сказать. Ты же видишь, как жизнь поменялась, — Фомин прищурился. — Раньше-то просто было, все блатняки были у нас наперечет, и мы их вот где держали. А сейчас они повеселели — демократия, кооперативы, деньги большие появились... У этого Пастухова знаешь какая техника? Ни нам, ни соседям и не снилось. Даже «длинное ухо» есть, слыхал?

— Значит, блатные силу набирают?

— Конечно! И развелось их видимо-невидимо... Когда совсем расплодятся, начинают сталкиваться между собой, стреляют, взрывают друг друга... Так сами свою численность и регулируют.

— А мы что же?

— А мы контролируем процесс. Если получается, то и направляем.

— Что ж, спасибо за науку, — после паузы сказал Волк.

* * *

Спортклуб «Олимпик» выглядел гораздо лучше, чем ДФК. Новое трехэтажное здание из белого кирпича под зеленой металлочерепицей, с большими чистыми окнами и охраняемой автостоянкой. Вход тоже охранялся: в вестибюле за столиком сидел крепкий парень в белой шведке, обнажающей могучие бицепсы. Старший лейтенант Волков толкнул стеклянную дверь. Сейчас он был разведчиком, проникающим в стан противника.

— Вы... к кому? — несколько удивленно спросил парень, рассматривая посетителя. Волк специально надел майку без рукавов, так что весь его зверинец был виден как на ладони.

— Пастух у себя?

— Кто?! — Судя по округлившимся глазам охранника, к таким фамильярностям тут не привыкли.

— Ну Пастухов. Лысый. Короче, ты меня понял! — Волк тяжелым взглядом уставился парню в переносицу.

— Понял...

Он набрал номер на телефонном аппарате и, как будто его никто не слышал, сказал:

— Какой-то человек к шефу. Весь в татуировках. Называет его Пастухом и Лысым. Да. Нет, молодой. Из синих, сто процентов. Так не видно. Понял.

— Оружие есть? — Охранник встал. Он был чуть ниже Волка, хотя и плотнее. Впрочем, это ничего не значило.

— Нет.

В вестибюль стремительно вышли три человека. Посередине Пастух, по бокам от него два мордоворота, годные исключительно для душегубства. Они сразу зло уставились на Волка, будто прицелились в единственную подходящую мишень.

— Ты меня спрашивал? — Пастухов изменился мало — та же лысая голова, симпатичное лицо, уверенные манеры. Уверенности, правда, прибавилось. — Чего надо?

Волк улыбнулся:

— Да особо ничего и не надо, Николай. Поздороваться зашел.

Пастух наморщил лоб:

— Ты меня знаешь, что ли? Откуда?

— У Рывкина занимались в ДФК. Когда вы с Зубом сцепились, я между вами попал. Еле живой остался.

— Постой, постой... Ты ж еще совсем пацаном был! Но с характером, этому псу не дал швабру, он бы меня ею насквозь проткнул... Ну дела... Тебя не узнать!

Пастухов сделал знак телохранителям, и те сразу перестали целиться, превратившись из мордоворотов в обычных здоровых парней с деформированными боксом лицами.

— Ну, пойдем ко мне, потолкуем...

Кабинет у Пастухова был побольше, чем у генерала Вострецова, да и обставлен не в пример богаче.

— Про твои дела не спрашиваю, не принято это, — сказал Пастух, когда они остались одни. — Но ко мне у тебя дело имеется, иначе бы не пришел.

— С Басмачом у меня счеты. Он мою... подружку зарезал.

Пастух встрепенулся:

— На Лысой горе? Весь город об этом гудит. Чего только не болтают! И в карты ее проиграли, и кольцо у ней было охрененной ценности... Но то, что мочили с умыслом, — всех запугать, это точно!

— Короче, ты с Басмачом не очень-то дружишь, — сказал Волк. — А я его задавить хочу.

— Ну?

— А с чего начать — не знаю. Где его искать. И потом, у него кодла...

Пастух вскочил и нервно прошелся по кабинету:

— Я его б вместе с его кодлой сожрал. Но он под Холеным ходит. А того так просто не возьмешь...

— Почему? — спокойно спросил Волк. — Кто такой этот Холеный?

— Он мужик центровой, со связями. Открыл уже десяток фирм, городу помогает, во власть вхож... Скоро в депутаты избираться будет, теперь можно...

— Это все фигня, — так же спокойно сказал Волк. — Человек есть человек. И если ему выстрелить в голову, он умрет точно так же, как любой бомж с тиходонской свалки.

Пастухов остановился и внимательно посмотрел ему в лицо.

— А ведь верно... Помню, я тебя учил, что авторитет крепким кулаком добывается. С тех пор ты здорово продвинулся. Это зона. Она, конечно, кого ломает, кого полным дураком делает... Но иногда перековывает человека, переводит на другой уровень восприятия жизни. А с него действительно все просто выглядит...

И неожиданно спросил:

— Ты-то где сидел?

Волк пожал плечами. Сейчас каждое слово имело значение, и произносить их надо крайне осмотрительно, ибо за каждую неточность могут сделать предъяву.

— В разных кичах[1]. В Рохи Сафед, в Лефортове, во Владимирском централе, на восемнадцатой зоне в Потьме...

Пока что он не соврал. Почти не соврал.

Судя по взгляду, Пастух ему поверил. Хотя, конечно, проверит все тщательнейшим образом. И выяснит, кто такой на самом деле старый знакомый из секции бокса. Но это будет потом.

— Ну, ты возьмешься? — прищурился Пастух.

— За что?

— За то, что сказал.

— А как ты думаешь? За базар всегда отвечаю!

Пастух сел на место и надолго задумался.

— Пойми меня правильно, — наконец сказал он. — Мы с синими[2] вообще не работаем. А тут ты вынырнул неизвестно откуда, да с таким предложением. Как бы ты сам на моем месте поступил?

Теперь встал Волк.

— А тебе никак поступать и не надо. Дашь мне старенькую тачку да «длинное ухо». Наведешь на Басмача. Все остальное я сам сделаю.

— Про «ухо» откуда знаешь?

— В газете прочел, — усмехнулся Волк. — Весь город про него знает.

— Да мы и не скрываем... Только к «уху» надо и технического спеца добавить...

— Не надо. Сам обойдусь.

Пастух удивленно покрутил головой:

— Ты интересный парень! Надо будет сойтись с тобой поближе...

* * *

На Центральный рынок он пошел в воскресенье. Надел клетчатую рубашку, слегка закатав рукава, чтобы не привлекать лишнего внимания ни татуировками, ни одеждой не по

---

[1] Кича — тюрьма.

[2] Синие — уголовники старой волны, прозванные так за синие татуировки на теле.

сезону. Темные очки, кепка с большим козырьком, старые мешковатые брюки, сандалии на босу ногу. Обычный тиходонский мужик, из низов, которых здесь пруд пруди.

Прошелся через овощные ряды с пирамидами разнообразных помидоров: розовых, желтых, зеленоватых, «сливок», «бычьих сердец», с мешками огурцов: маленьких, остро-пупырчатых — для засолки, толстых с мясистой мякотью — для стола, с пучками кинзы, петрушки и укропа, с толстыми, как поросята, баклажанами, которые в здешних краях называют синенькими... Здесь можно было просто ходить и смотреть. Щедрая южная природа одарила людей обильно: в глазах пестрело от овощного многоцветья, свежие, аппетитные запахи заставляли сглатывать слюнки. В отличие от чахлых магазинных прилавков тиходонский базар являл собой умиротворяющую картину всеобщего изобилия... Если бы еще на цены не смотреть да в тоскливые глаза старушек, уныло слоняющихся в поисках упавшего или треснувшего помидора да закатившегося под прилавок огурца.

Опытный взгляд сканировал толпу, выделяя в пестрой толчее карманников, веселых девиц, готовых расплатиться за товар натурой, крикливых толстомясых теток с красными повязками — официальных контролеров рынка и наглых быстроглазых юнцов — неофициальных контролеров, которые и являлись здесь настоящими хозяевами, регулирующими местную неформальную жизнь.

Не привлекая к себе внимания, Волк обошел молочный павильон, где правили бал густая белизна сметаны, золотисто-розовое масло, нежнейший, рассыпчатый творог, граненые стаканчики с покрытым коричневой корочкой топленым молоком... Он выпил стаканчик, вытер молочные усы и через галерею вышел в мясные ряды. Здесь на зловещих, похожих на плахи колодах расторопные мясники разделывали огромными топорами свиные и говяжьи туши, развешивая на блестящих крюках парной филей, нежно-розовую вырезку, округлые окорока, похожие на рояльные клавиши ребра...

Пастух сказал, что именно здесь и обитает Басмач — большой любитель сырого парного мяса, которое ест отбитыми ломтями, густо посоленными, поперченными и политыми лимонным соком. Он показал и фотографию мордатого азиата со злыми глазами.

Поэтому Владимир узнал его сразу. Молодой мужик в спортивном костюме и кроссовках, плотный, приземистый, с блестящими черными волосами и раскосыми глазами, посверкивающими как угольки на смугловатом скуластом лице. Он бы не выделялся в толпе, разве что тройка парней, неотступно его сопровождавших, наводила на мысли о значительности этого человека в определенной среде: очень уж угрожающий был у них вид, очень уж цепкие, настороженные взгляды, очень разухабистые и хозяйские манеры...

— Эй, хозяин! — цеплялись к Волку мясники. — Бери вырезку, сам пожаришь, никакой жены не надо!

Видимо, по каким-то ведомым только им приметам они сразу угадывали в нем холостяка.

— Давай. Только без хрячьего запаха, — Волк достал зажигалку.

— Обижаешь, — мясник ловко отхватил огромным ножом крохотный кусок свинины, выставил его на острие, синий огонек обуглил розовую мякоть, сизая струйка дыма, постепенно рассеиваясь, скользнула к высокому потолку. Специфического запаха Волк не уловил и расплатился.

Потом, используя опыт «топтуна» из службы наружного наблюдения, он отследил контакты Басмача — в основном это были те самые быстроглазые юнцы, которые подходили по одному и совали ему пухлые свертки. После полудня Басмач в сопровождении телохранителей вышел из западного выхода рынка и уехал на редком для Тиходонска начала девяностых годов «Мерседесе».

Вспомнив старое, Волк взял азиата под наблюдение. Действовать приходилось в свободное от службы время, поэтому график наблюдения получился рваным, но ограниченность перемещений позволяла все равно сделать выводы о его образе жизни и привычках.

Жил Басмач в самом центре, на Магистральном проспекте в старом, сталинской постройки, доме. Отсюда рукой подать было до гостиницы «Интурист» — самого центрового места тех лет. Вечером он ужинал в ресторане «Сапфир», располагавшемся в двух первых этажах гостиницы.

Здесь он был в большом авторитете: швейцар угодливо открывал двери, радостно выбегали навстречу шустрые официанты, почтительно сопровождая к столику у окна с бутылками коньяка, шампанского, фруктами и табличкой «Зарезервировано». В его честь играл оркестр, к нему выходил поздороваться шеф-повар, по одному движению короткого пальца бросались со всех сторон дорогие центровые проститутки.

Но ни на базаре, ни в «Сапфире» Басмач серьезных встреч не проводил. Девки, шестерки, всякая мелочовка, которая заискивающе заглядывала ему в рот.

Но Волк обратил внимание, что время от времени азиат возит девчонок в небольшой частный дом на пустынной окраинной улочке, тянущейся вдоль Дона. При этом он оставлял всю свиту и ехал только со своим водителем — огромным парнем с вогнутым, как тарелка, лицом. Похоже, что это было тайное местечко, конспиративная квартира Басмача.

Напротив располагалась заброшенная ТЭЦ, и Волк подыскал место, с которого можно было контролировать происходящее в доме. Оставалось дождаться, чтобы вся проделанная работа привела к какому-то результату.

* * *

— Скала — Двенадцатому: Донская, четырнадцать, заявляют убийство, проверьте.

— Кто заявляет?

— Женщина, Марьянова фамилия. Плачет, говорит, соседа убили. Лежит в своем дворе, вокруг головы лужа крови. «Скорую» направили.

— Поехали! — приказал Волков, и Круглов привычно вдавил педаль газа.

ПМГ-12 прибыла на место раньше, чем «Скорая». Но оказалось, что слухи о смерти соседа сильно преувеличены.

То, что показалось Марьяновой лужей крови, было на самом деле вермутом розовым, тихо выливавшимся из бутылки с отбитым горлышком. Петр Степанович неосторожно опрокинул бутылку, падая с собственного крыльца, на которое вышел справить малую нужду. То ли потеря драгоценной жидкости заставила его лишиться чувств, то ли довольно сильный удар лицом о землю, но Петр Степаныч действительно напоминал покойника. Хотя и сидящего на крыльце и тихонько постанывающего.

— Неужели нельзя было сначала к человеку подойти, рассмотреть, что к чему, а уж потом милицию вызывать? — недовольно сказал Круглов. — Только зря бензин сожгли!

— А кто ж его знал! — затараторила соседка. — Лежал, ей-богу, что твой мертвец! И страшно подойти: потом скажут, я его бутылкой по голове и стукнула, затаскают... Вы бы лучше двадцать второй номер проверили — нечистые там дела творятся, ох нечистые!

Волк насторожился. Донская, 22, — это был адрес конспиративной базы Басмача.

Смеркалось, от реки поднималась прохлада, противно звенели комары.

— А чего ж там такое творится? — спросил Волков и зевнул.

— Да то! Вроде никто не живет, а потом понаедут всякие... С номерами ненашенскими, черные...

— Негры, что ли?

— Почему негры... Эти, кавказцы. Как сбор какой у них. И каждый месяц, в конце, числа двадцать восьмого—двадцать девятого...

— А сегодня двадцать шестое, — снова зевнул Волк. — Так что, на днях опять соберутся?

— Обязательно! — Марьянова размашисто перекрестилась. — Как стемнеет, так и съедутся!

Волк взял отгулы и, одевшись в черное спортивное трико, два вечера провел в брошенном здании ТЭЦ. Двадцать восьмого, как и предсказывала соседка, по темноте началось оживление: приехали вначале две машины, потом еще две. Гортанный говор, огоньки сигарет, хлопанье калитки...

Раскрыв чемоданчик с «длинным ухом», он собрал прибор, похожий на фоторужье, надел наушники и, прицелившись в окно дома, нажал кнопку. Лазерный луч уперся в стекло, фиксируя микронные колебания, которые повторяли колебания звуковых волн происходящего в комнате разговора. После обратного преобразования в наушниках возникали голоса говорящих.

— Через неделю, ровно, — услышал Волк хрипловатый, с легким акцентом, голос Басмача и тут же нажал кнопку записи. — Я сказал, почему не веришь?

— А вдруг сорвется, как в прошлый раз? — Человек, отвечавший Басмачу, тоже говорил с акцентом, но даже не слишком сведущий в таких делах Вольф услышал, что акцент не среднеазиатский, а явно кавказский. — Тогда груз другой был, только деньги потеряли. А сейчас, сам понимаешь. Риск большой, люди могут головы потерять. Проверь все хорошо, дорогой, да? Подготовься как надо!

— Ты же знаешь, канал у нас отлажен. Менты встречают, провожают, охраняют. Тогда накладка вышла. Новый лейтенант вмешался, все дело поломал. Мы его проучили так, что весь город напугали. Больше никто никуда лезть не будет.

— А если полезет? С кого ответ спрашивать? — Человек говорил подчеркнуто вежливо, но за этой вежливостью чувствовалась угроза.

— Я не от себя говорю, я от Холеного говорю, — ответил Басмач. — Разве Холеный когда-нибудь подводил? Вот мы вам штраф заплатили — разве мало? Или не веришь слову Холеного?

— Верю, верю, а то бы не пришел. Деньги на месте передадите, как всегда?

— Как всегда. А что изменилось?

— Сумма изменилась, дорогой. Такого товара еще не было. Но я просто так спросил, ничего. Твои ребята хорошо работают у нас, привет тебе передавали, — добавил кавказец с легким смешком.

— Им обратно передай. Это они того лейтенанта проучили. Бабу его пришили, все в Тиходонске об этом говорят. Это хорошо, пусть боятся. Нам тогда лучше работать будет.

— Они на тебя, дорогой, очень сердитые! Зачем, говорят, ты их подставил? Не мог молодых найти, у которых крупных интересов в городе нет?

— Молодые бы так не сработали, тут опыт нужен, — убедительным тоном произнес Басмач.

— Они не так говорят — говорят, ты их специально на это дело послал, чтобы они домой не скоро вернулись.

— Пусть не залупаются! Они в деле, пай имеют, деньги

капают... Время пройдет, обратно приедут! Ты кого слушаешь?

— Да ладно, о чем разговор! Мы с тобой друзья, у нас с тобой дела такие большие — а мы об обидах, прямо смешно слушать. Через неделю — пятого сентября, значит?

— Да, сказал же.

— На прежнем месте?

— Да, — снова подтвердил Басмач. — Место чистое, мы проверяли.

— Сам будешь?

— А как же! Я всегда сам.

— До встречи, дорогой!

Волк выключил запись и сложил прибор в чемоданчик. Через несколько минут машины разъехались. Тогда он осторожно выбрался с территории ТЭЦ и отправился домой. Там он сделал три копии записанного разговора.

* * *

— Дело, похоже, серьезное, — сказал майор Мусин, прослушав запись. — Это и есть тот самый «кавказский канал», мы его несколько лет пытаемся нащупать. Информации много, но фактов — ноль! А это уже не простая болтовня. Откуда у тебя эта пленка?

— Подброшена, — невозмутимо сказал Волков. — Неизвестным лицом в почтовый ящик.

— Да ну? — умилился майор. — Чего ж ее мне не подбросили?

— Не знаю. От авторитета человека зависит. Если сидишь, жопой стулья полируешь, никто тебе ничего не принесет. А если бегаешь, стараешься, трясешь разных негодяев, тогда и помочь могут.

— Ясно. Значит, я жопой стулья протираю, а ты бегаешь и стараешься. — Мусин встал. — Пойду, доложу руководству.

Вернулся он через полчаса с виноватым видом.

— Говорят, фактов мало. Что за груз, неизвестно — может, это водка на свадьбу. А больше ничего конкретного. Болтовня про убийство, про ментов — обычные сплетни. Даже место встречи не установлено.

— Извините, — сказал Волк и встал. — Буду ждать, когда мне более подробную информацию подкинут.

— Только знаешь, пленку мы тебе не отдадим.

Волк махнул рукой:

— И не надо. Лишь бы не отдали ее никуда. Особенно Холеному. Или моим коллегам.

— Да ты что? — обиделся Мусин. — Мы ее засекретим и в архив!

— Тогда ладно.

* * *

Пастух отнесся к записи совсем по-другому.

— Попались, звери! — Он потер руки и возбужденно прошелся по кабинету. — Ну ты даешь, Володя! Как профессионал сработал. Иди ко мне в детективное агентство? Ты-то чем на жизнь зарабатываешь?

— Пока есть занятие, — уклончиво сказал Волк.

Ему уже осточертела душная кабина «уазика», постоянные вызовы на происшествия, грязные, расхристанные, агрессивные хулиганы и прочий сброд. Осточертели косые взгляды сослуживцев, глупые сплетни за спиной, глухое противодействие всему правильному и положенному, чему он хотел научить личный состав. Они не хотели учиться положенному. Они хотели разъезжать с гордым видом в служебных машинах, бить задержанных, грабить пьяных, катать, а потом драть в тесных кабинах блядей, подвозить ночью «королей» за сотню в аэропорт, есть шашлыки и пить водку на природе. Конечно, этого хотели не все, но те, кто хотел, как раз и задавали тон, они переучивали новичков, и те более или менее охотно принимали их правила, потому что несогласных выживали, а соблазн вести себя на службе не так, как требуют скучные инструкции, а так, как хочется, перевешивал. Тем более что с каждым годом дисциплина падала, и можно было работать не для пользы дела, а для пользы себя.

Плетью обуха не перешибешь! — в конце концов решил Волк. Но тогда к чему все это? Нищенская зарплата едва позволяла сводить концы с концами, грязная и тяжелая работа не приносила удовлетворения, не было ясной и понятной цели, которая присутствовала в специальной разведке и в органах безопасности. Вся атмосфера душила, обволакивала по рукам и ногам клейкой паутиной. Надо было или закрыть глаза, превратиться в кокон и проснуться пауком-кровопийцей, или бежать на свежий воздух.

— Впрочем, я подумаю.

— Теперь давай о деле, — Пастух перестал улыбаться. — Мы сядем на хвост Басмачу, выследим их место и накроем при передаче товара. Ты едешь с нами, чтобы... Ну, в общем, ясно зачем. Получаешь свою долю — двадцать процентов. Идет?

Волк покачал головой.

— Почему? Это очень хороший кусок!

— Не в том дело. Ты решаешь вопрос с Басмачом, забираешь у него деньги и уходишь. Доли мне не надо.

— А груз?

— Груз заберу я сам.

— Ты?! — Пастух даже подскочил на месте. — Такой кусочище?! Куда ты его денешь?

— Сдам государству.

Пастух окаменел. В таком разговоре шутить не принято. А сказанные всерьез эти слова означают только одно...

— Давай в открытую, чтобы не было непоняток, — сказал Волк. — Я действительно отсидел почти год в разных местах. Но сейчас я работаю в милиции. Мне это не нравится, и я хочу уйти. Могу к тебе, если предложение остается в силе. Наш договор — это наш договор. Я договариваюсь как частное лицо и выполню все свои обязательства. Но груз я тебе не отдам.

Кровь прилила к лицу Пастуха, челюсть отвисла.

— Бред какой-то! Ты мент? С такой шкурой? Или ты на Холеного работаешь?!

Старший лейтенант Волков извлек удостоверение, раскрыл и положил на стол. Пастух схватил красную корочку, как голодная щука хватает блесну.

— А с Холеным, если понадобится, я разберусь, как и обещал. И сделаю это тоже как частное лицо.

— Бредятина! — Пастух бросил документ обратно на

стол. — Что же это выходит? — Он потер виски, привычно промассировал бритый череп. И неожиданно рассмеялся: — А ведь ничего особенного и не выходит! Мы уже работали с ментами, и Басмач с ними работает. Так что все обычно. Только мы работали с предателями, а ты вроде правильный мент и остаться таким хочешь. Только разве получится?

Пронзительные голубые глаза в упор рассматривали лейтенанта Волкова.

— Не знаю, — честно ответил он.

* * *

Третьего сентября Волкова неожиданно отправили в отгулы. Замнач райотдела Трофимов сказал, что это личное указание Барина: мол, накопилось много переработок, при любой проверке могут взгреть так, что мало не покажется. На первый взгляд объяснение правдоподобное, особенно если не знать, что в милиции никто и никогда не компенсирует переработок и ни одна проверка не обращает на нарушения трудового законодательства никакого внимания.

Два дня Волков отдыхал, а в «день Ч» приготовился к выезду и постоянно держал включенной полученную от Пастуха рацию.

Когда стемнело, Пастух вышел на связь:

— Он выезжает.

После этого одетый в форменную одежду Волк сел в видавшую виды «копейку», тоже полученную от Пастуха, и стал ждать дальнейших сообщений. Он знал, что сейчас пять-семь раций находятся на приеме, а Пастух координирует их, как дежурный по городу координирует действия ПМГ. Только у Пастуха была своя собственная волна и рации куда лучше, чем в патрульных машинах.

— Следует в сторону аэропорта, — немногословно сказал Пастух.

Волк завел двигатель. Значит, фура пройдет или через Восточный КП ГАИ, или через Александровский мост.

— Свернул на Александровское шоссе. Подтягиваемся.

Волк увеличил скорость.

— Выехал на мост. Движется на юг.

Все ясно. Груз повезут через КП на Ставропольской трассе.

— Съехал на проселок на третьем километре. С ним еще машина. Человек восемь. Коля, Сгон, высадите бойцов и езжайте дальше. Через километр станьте и гоняйте двигатели. Остальные тоже высаживаются и пешком, с двух сторон. Старайтесь без шума...

Пастух был если и не стратегом, то тактиком. До Александровского КП километра три, а ночью хорошо слышно... Двигатели двух машин должны заглушить звуки стрельбы.

Мост был освещен лампами дневного света, потом «копейку» поглотила непроглядная тьма. На третьем километре стояли три «Волги», людей возле них видно не было. Волк прислушался. Ему показалось, что со стороны рощи донеслись слабые хлопки, словно разом открыли несколько бутылок шампанского. Он сильнее вдавил педаль газа. Еще дальше по трассе стояли две машины с открытыми капотами. Надсадно ревели двигатели. Коля и Сгон старались вовсю.

— Мы закончили, — сказал по рации Пастух. — Уезжаем.

Волку хотелось узнать подробности, но сейчас это было невозможно.

КП ГАИ был ярко освещен. Волк наискосок пересек трассу и резко затормозил у входа. Пораженные такой наглостью гаишники бросились к потрепанной «копейке», но, увидев за рулем коллегу, успокоились.

— Что случилось, коллега? — спросил крепкий старлей, очевидно, старший смены.

— Здравствуйте! — Волк одернул форму. — Старший лейтенант милиции Волков, командир взвода ППС Центрального райотдела.

Он поднес удостоверение к лицу старлея. Тот внимательно вчитался.

— Слушаю вас, товарищ старший лейтенант! — уже другим тоном произнес он. Сзади, построжав лицами, подошли младший сержант и сержант. Официальное представление создало соответствующую атмосферу. На пост в гражданской машине прибыл не неизвестный человек в милицейской форме, а командир одного из подразделений милиции.

— Сейчас через пост пойдет грузовик с криминальным

грузом, — строго сказал Волков. — Возможно, его будет сопровождать ПМГ. Это ложное сопровождение, соответствующих документов у них нет. Задача: тщательно проверить грузовик, о ложном сопровождении доложить ответственному по УВД. Я прибыл на усиление.

Гаишники переглянулись. Вид у них был довольно растерянный. Может быть, с ними уже говорили об этом транзите, причем с прямо противоположными установками. Может, смущало, что задачу ставит не прямой начальник, а сотрудник другой службы, не имеющий никакого отношения к посту. Но то, что он говорил, совпадало с их служебными обязанностями, а сам факт его появления свидетельствовал о контроле за подозрительным грузовиком. Кто бы ни осуществлял этот контроль, службу следовало нести без каких-либо отклонений.

— Н-да...— Старлей почесал в затылке. — Вот, значит, какое дело!

— Вон, идут! — закричал младший сержант, показывая на мигающий в ночи синий маяк.

— Опускай шлагбаум! — скомандовал старлей.

Полосатая труба перекрыла проезд, включился красный светофор. Через пару минут перед шлагбаумом затормозила ПМГ-4. За ней остановилась огромная фура с азербайджанскими номерами. Возбужденный Сергеев выскочил наружу.

— Что за дела, ребята! Я сопровождаю специальный груз!

— Документы на сопровождение? — спросил старлей.

— Да какие документы? Вы что? Вас же предупреждали! — возмутился старший ПМГ-4.

— Доложи, — сквозь зубы приказал старлей. — Вызови подкрепление, включи «ежа».

Младший сержант бросился к посту.

— Не надо никуда докладывать! — закричал Сергеев. — Вы чего, ребята!

В это время он увидел Волкова и осекся. Лицо его побелело.

— Сдайте оружие, сержант! — приказал Волк, быстро приближаясь. — Ну!

Он находился в шаге от сержанта. Очевидно, тот еще не забыл спарринг. Чуть помешкав, старший экипажа расстегнул кобуру, и Волк тут же завладел пистолетом. Сзади послышался скрежет. Это выходила из щели в асфальте система принудительной остановки транспорта «еж». Поскольку грузовик только наполовину вошел в досмотровый «карман», шипы вылезли прямо под ним, примерно посередине. Вовремя! Сквозь стекло фуры было видно встревоженное лицо водителя. Разоружение сержанта Сергеева наглядно показывало, что отработанный план провалился.

Внезапно включился двигатель, грузовик резко рванул назад. Толстые шипы пропороли передние колеса, огромная кабина осела на землю. Два человека выпрыгнули наружу и бросились в темноту.

— Стой! — закричал старлей. — Стой, стрелять буду!

— Ты правого, я левого! — крикнул Волк, бросаясь в погоню. Он отлично все видел, глаза под ключицами, как инфракрасные прожектора, пронизывали мрак, высвечивая каждый камешек, каждую травинку под ногами. Впереди изо всех сил бежал человек в узких джинсах и обтягивающей красной майке. «Оружие?» — подумал Волк.

«Нету у него ничего, — сказал кот. — Кажется... Но ты осторожней...»

Волк легко догнал бегущего, высоко прыгнул и двумя ногами ударил его в спину. Когда-то так сбивал с ног отстающих новобранцев сержант Чувак в учебном взводе Рохи Сафед. Человек в красной майке с силой ударился о землю и лежал не шевелясь. Волк обыскал его, связал ремнем руки за спиной и повел обратно к посту. Там раздались выстрелы: один, другой, третий...

— Второй сбежал, — сказал старлей, пряча пистолет. Он не особо запыхался, очевидно, не рискнул углубляться в ночную степь. Тем более что в отличие от Волка ничего не видел.

— Давай посмотрим, что у них там...

В кабине нашли два пистолета, а в кузове — ящики с автоматами и гранатами.

Сергеев сидел на земле, обхватив голову руками, и раскачивался, словно молился языческим богам. Его напарник Долин хвостом ходил за Волком.

— Честное слово, ничего не знал, товарищ старший лейтенант... Он сказал — сопроводим машину, получим по стольнику, и все дела... Я думал, они персики везут или апельсины...

Вскоре на пост прибыли две машины усиления, микроавтобус с оперативной группой, потом начало собираться начальство.

— Здесь неподалеку две машины расстреляны, в них девять трупов, — услышал Волк обрывки разговоров. — У них самодельные автоматы...

— Выходит, это «Призраки»?

— Получается, так...

— Если бы эта фура прошла в Тиходонск, самодельные автоматы нашим бандитам уже бы не понадобились...

— Да, гаишники хорошо сработали...

Приехал и Барин. Против ожидания он напустился на Волка.

— Вы не на службе, почему в форме? И что вы вообще тут делаете? Кто вам дал право отбирать оружие у сержанта Сергеева? — с трудом сдерживаясь, чтобы не сорваться на крик, наседал он. — Это превышение служебных полномочий! Вы уже не в госбезопасности, надо и вести себя соответственно! Будете наказаны! Завтра в десять зайдете ко мне! А пистолет немедленно верните Сергееву!

Но Сергеев этой же ночью был арестован. А когда в десять утра Волк пришел в приемную к начальнику РОВД, то увидел, как три «волкодава» в гражданском выводили Барина из кабинета в наручниках. Голова у него безвольно болталась, будто был перебит позвоночный столб.

Он прошел в дежурку.

— Нашу машину из ремонта не вернули?

Майор Чекин даже не оторвался от своих бумаг.

— Я про машину спрашиваю.

— Звони на автобазу и спрашивай, — буркнул тот, не поднимая головы.

— Чего это он? — обратился Волков к помощнику. Но и сержант Гвоздикин обратил на него внимания не больше, чем на сидящего в «аквариуме» бомжа.

Волк направился в помещение взвода. Атмосфера в отделе была нервозной и напряженной. В коридоре он встретил

Марина. Тот сухо кивнул и, не подав руки, прошел мимо. По дороге Волков заглянул в кабинет к Фомину. За последнее время между ними установились довольно теплые отношения. Но и тот держался холодно.

— Вчера Басмача убили, — сообщил он. — И с ним еще человек девять.

— Да?! — изобразил изумление Волк. — А кто, где, за что?

— Ты у своих друзей комитетчиков спроси, они лучше знают, — ответил Фомин.

Волк хмыкнул:

— Спрошу. Хотя наша дружба явно преувеличена.

— Не знаю, — хмуро глянул Фомин. — Но до сих пор в отделе арестов не было!

Личный состав взвода тоже был мрачен. Когда вошел командир, разговоры прекратились. Но судя по тому, что в центре внимания находился Долин, он рассказывал о вчерашних событиях.

— Скажите, командир, вы про меня что написали? — жалобно спросил он.

— Где написал?

— Ну в рапорте своем или в протоколе, не знаю...

— А что я должен про тебя писать? ПМГ-4 задержана на Александровском контрольном посту ГАИ, старший экипажа Сергеев, милиционер-водитель Долин. Как было, так и писал.

— Но у меня же дети... Мне что приказывали, то я и делал... А сейчас если арестуют — мне вилы!

— Ты милиционер или уголовник? Почему на жаргоне говоришь? — укорил его Волков.

— А вы кто, командир? — откровенно враждебно сказал Ивонин. — Если милиционер, то почему в татуировках с ног до головы?

Отвечать было нечего, поэтому Волков не обратил на эту дерзость внимания и продолжил разговор с младшим сержантом.

— Вряд ли тебя станут арестовывать. Не та ты фигура. Только на допросах говори правду, не зли следака. А пока... От несения службы я тебя отстраняю!

Через три дня у Ивонина был день рождения. Обычно

это отмечалось после смены, но на этот раз никаких приготовлений заметно не было. Очевидно, нервозная обстановка в РОВД не располагала к веселью. Уходя, Волков поймал ожидающие взгляды Шатова и Волосова, но не обратил на это внимания. Так же, как на то, что никто из коллег не торопился уходить.

По дороге домой он вспомнил, что забыл в холодильнике колбасу. Возвращаться не хотелось, но дома никакой еды нет, бутерброды с колбасой планировались на ужин, а яичница с колбасой — на завтрак. С полдороги он повернул обратно. И наткнулся на веселое застолье: взвод отмечал день рождения своего товарища. Без командира. Его появление вызвало некоторое замешательство.

— Садитесь с нами, товарищ лейтенант, — предложил Волосов, явно для проформы, чтобы сгладить неловкость. Вроде ничего не произошло, командир ушел, а потому не оказался за столом.

— Спасибо, некогда, — он прошел в угол, достал свою колбасу и вышел на улицу. С чувством, что получил черную метку.

* * *

— Нет, этих я никогда не видел, — почти искренне сказал Волк, возвращая фотографии. Узнал он только Басмача, безжизненно свесившегося с переднего сиденья своего «Мерседеса». Судя по всему, его расстреляли в упор. Остальные трупы принадлежали неизвестным.

— А что это у них? — Он задержал последний снимок.

— Самодельные автоматы, — пояснил Мусин. — Вот этот шариками стреляет, а этот — маленькими бронзовыми пульками. Серьезная банда. Только те, кто с ними разделался, еще серьезней. Я думаю, это как-то связано с транзитом. Там же рядом. Таких совпадений не бывает!

— Не знаю, — не стал развивать тему Волк.

— Здорово сработали, как по нотам, — искренне радовался майор Мусин. — Я же говорил, мы давно их отслеживали. А теперь — раз! — и все они в кулаке...

— Где ж вы работали? — хмуро спросил Волк. — Чего-то я вас на Александровском КП не видел...

Он не звал комитетчика в гости, тот сам пришел, как

будто они были старыми друзьями. Сказал, что у него есть какое-то дело, но до сути его пока не дошел.

— А чего нам там делать? — не смутился майор. — Мы когда получили информацию о задержании груза, так сразу и подключились. Если бы не мы, дело бы перевозкой оружия и ограничилось: водила, его помощник, и все. Милицейская сеть осталась бы в стороне. А так... Сегодня мы Долина арестовали. Он хоть и второстепенную роль играл, но все равно замазан. Дело громкое получается, таких еще не было!

— Небось ордена получите? — с издевкой спросил Волк.

— Не исключено. Но мы помним о твоей роли в этом деле...

— Я свои ордена за другое получал...

Мусин достал из внутреннего кармана пиджака конверт и положил на стол.

— Это премия. Деньги тебе не помешают. Ваши, слышал, тоже отметили?

Вчера специально приехавший в Центральный райотдел подполковник Уварин торжественно вручил Волкову капитанские погоны. «За успехи в борьбе с преступностью». Зал отреагировал вяло — несколько хлопков и все. И потом никто не подошел, не поздравил.

Волк усмехнулся:

— Областное начальство отметило. А наши... Так и жду выстрела в спину.

— Почему?

— Да потому. Все смотрят, как на врага народа. Шарахаются, не разговаривают.

«А чего ты удивляешься, — вмешался кот. — Если своих заложил, думаешь, тебя будут в задницу целовать?»

— Заткнись! — рявкнул Волк.

— Гм... Так я вроде молчу, — неприятно удивился Мусин.

— Это я не вам.

— Гм... А кому?

— Коту. Вечно лезет не в свое дело...

— Какому коту?!

— Да вот этому, — Волк показал на плечо.

— А... Ну конечно... Бывает... Я пойду, мне пора.

Мусин поспешно ушел, так и не рассказав, по какому делу он приходил.

— Чего ты вякаешь? — зло сказал Волк коту. — Чего суешь свою тюремную морду туда, в чем ничего не понимаешь?

«А что тут понимать? Если ты в кодле, то своих сдавать нельзя. Они и раньше подозревали, что ты к ним заслан, а теперь в этом уверены. И каждый боится за свою жопу...»

— А чего тому же Волосову бояться? Или Фомину?

«Чего, чего... Грехи у каждого есть. И теперь каждый думает, что ты на него настучал».

«Стучать — последнее дело», — подключился к разговору пират.

«За это в петушатник загоняют», — добавил черт.

«Я всегда говорила, что он цветной»[1], — выматерилась женщина с креста.

«Не нашего ума дело, — вмешалась русалка. — Лучше его не злить. А то он нас срежет, как перстни посрезал!»

Картинки заспорили между собой. Большинство фигурок осуждали хозяина, некоторые поддерживали. Рыцарь и монах соблюдали нейтралитет.

Сам виновник спора чувствовал себя очень неуютно. Как будто ссорились и восставали против него части его тела. Только сейчас он осознал, что рисованные картинки были его компанией, его микромиром, заменяющим отсутствующих друзей и дающим поддержку в сложных ситуациях. И значащим для него больше, чем весь остальной, большой мир. Пожалуй, кроме родителей и еще одного человека...

* * *

— Они зажрались, обнаглели, поэтому все прошло легко, — улыбался Пастух, затягивая зубами шнуровку перчаток. Перчатки были американские — мягкие, из хорошей кожи. Большой дефицит. — Они просто не ожидали, что кто-то может осмелиться... А от доли ты зря отказался — кусок ог-

---

[1] Цветной — жаргонное обозначение сотрудника милиции.

ромный... Только вот как дальше будет? — Пастух перестал улыбаться.

Шлемы для профессионалов были еще большим дефицитом, в России таких отродясь не водилось. Легкие, гладкие, они оставляли хороший обзор и вместе с тем надежно защищали лицо и голову.

— Что «дальше»? — спросил Волк. Он давно не надевал боксерского снаряжения и потому долго возился со шнурками перчаток.

— Да то... На Левом берегу были три группы. Те, кто вез груз, люди Басмача и мои. Первые за решеткой, вторые на том свете... Поднялся скандал, даже в ментовке начали сажать всех подряд. Говорят, с твоей подачи! Готов?

— Готов. Но вначале договори.

— Все просто. Если ты сдашь и нас, то мы пойдем следом за остальными. Ты ничем не замазан, поэтому гарантий у нас нет. Вот и вопрос: что с тобой делать?

Лицо Пастуха не сулило ничего хорошего. И его предложение «постучать» в спарринге уже не казалось сентиментальной тягой к прошлому. Тем более что ринг окружали шесть хмурых бойцов. Вряд ли из любви к боксу.

— Ну что, пошли? — Пастух опять улыбнулся и вставил в рот капу. Время разговоров закончилось. На пути к рингу Волк подумал, что все происходящее ему что-то напоминает. Но что?

Ринг тоже был хороший. Прекрасное бестеневое освещение, безупречное покрытие, нарядные упругие канаты. На нем вполне можно проводить чемпионаты мира. Шестерка «болельщиков» мрачно рассматривала татуированное тело Волка. Они уже наверняка навели о нем справки. И соответственно подготовились. Наверное, сценарий боя расписан: Пастух должен нокаутировать его, а очнется он уже в мутной донской воде со связанными за спиной руками и грузом на ногах.

Перчатки соперников коротко соприкоснулись в приветствии и взметнулись на уровень боевой позиции. Рефери не было. Волк наконец вспомнил, на что это похоже: давний спарринг в секции Рывкина. Пастухов против Борисова по кличке Зуб. Тогда не было такого шикарного ринга и импортного снаряжения, но так же пахло неопределенной угрозой, которая вылилась в попытку убийства. Правда, сейчас в зале не было стойкого мальчика, готового до конца противиться убийству, не было Семена Григорьевича Рывкина, умеющего коротким ударом пресечь драку, не было атмосферы добра и справедливости, в которой черным планам трудно осуществиться.

Пастух пошел в атаку. Он всегда прижимал подбородок к груди, ослепляя противника блестящей лысиной, но сейчас лысина скрывалась под шлемом. Волк ударил левой в лицо, правой в солнечное, выполнив свою излюбленную «двойку», которой его Пастух же и научил. Первый удар партнер отвел, второй попал в цель и сразу сбил дыхание.

Теперь атаковал Пастух, удары сыпались один за другим, но Волк жил в другом ритме, он ощущал происходящее, как в замедленном кино, и легко отпрыгивал, подныривал, закрывался. Он мог мгновенно прекратить бой — одним ударом... Он мог даже убить спарринг-партнера, несмотря на шлем и перчатки. Потому что он был боевой машиной, а Пастух — всего-навсего обычным бандюганом с боксерским прошлым.

Убивать противника Волк не стал. Провел два прямых в голову, поймал на крюк в челюсть, несколько раз пушечно ударил в корпус. Стало очевидно, что нокаутировать синего не получится. Пастух поднял руки и выплюнул капу на пол.

— Все! Я вижу, ты эти годы тренировался всерьез!

— Точно, — не стал его разочаровывать Волк. — Я все делаю всерьез. И не допускаю, чтобы кто-то решал, что со мной делать.

— Это как? — насторожился Пастух.

— У меня на службе есть сейф. В нем письмо в конверте. Сейф вскроют, если со мной что-то случится. Это называется страховка.

Пастух снял шлем. На лице отражалась напряженная работа мысли. Наконец он засмеялся:

— Так вот ты что подумал? Что я хочу замочить тебя прямо на ринге? А в перчатке у меня спрятан ядовитый шип?

Волк засмеялся в ответ:

— Ну, не совсем так. Но что-то в этом роде.

— Ерунда! — Пастух махнул рукой, и бойцы разжали кольцо вокруг ринга.

В прекрасно оборудованной душевой они вымылись, потом в раздевалке, развалившись в кожаных креслах, пили пиво.

— Мне звонил Холеный, — неожиданно сообщил Пастух. — Хотел повесить на меня и деньги, и груз. Но с грузом потом прояснилось, все знают, что его забрали менты. И с чьей подачи — тоже знают. Холеный сказал, чтобы я убрал тебя.

«Они в сговоре, гниды», — сказал кот. Он долго не разговаривал, и Волк обрадовался, будто ощутил поддержку надежного друга.

— Я отказался...

«Врет. Сегодня позвонит и скажет, что ничего не вышло», — прокомментировал кот.

— Теперь он наверняка вызовет тебя к себе. Манера у него такая — справедливый разбор, чтоб всем было понятно. Сделаешь, что обещал?

— Конечно, — кивнул Расписной. — Я всегда держу слово.

* * *

Вечером в квартире прозвонил телефон. Не ожидая ничего хорошего, Владимир поднял трубку.

— Здорово, Волчище! — раздался знакомый голос. Голос из давнего далека. — Ты еще не прокис в своем Тиходонске?

— Здорово, Серж! — обрадовался Волк. — Начинаю закисать. А как у тебя дела?

— Отлично! Новая жизнь, новые перспективы. Аж голова кружится. Нам нужен специалист...

— Кому «нам»?

— Не цепляйся к словам. Мне нужен человек для заграничной командировки. Помнишь, мы ездили в такую?

— Ну...

— Только сейчас это связано с хорошей оплатой. Очень хорошей. Нам и не снилось! Что скажешь?

— Можем обсудить...

— Давай приезжай в Москву.

— Приеду, как раз вчера я взял отпуск. Ты не видел Софью?

Наступила пауза. Волк думал, что Серж, как всегда, отопрется.

— Видел. Совершенно случайно, в ресторане...

Сердце Волка заколотилось.

— Тут у меня проблема... Разрешу и сразу выеду.

— Что за проблема? Если хочешь, я пришлю разборную бригаду. Ребята весь Тиходонск на уши поставят!

— Нет, спасибо. Мы сами разрешаем свои проблемы...

— Ну как знаешь... Тогда я тебя жду.

— Да, кстати, как ты узнал мой телефон?

Но в трубке уже раздавались короткие гудки.

Волк забегал по квартире. Ветер перемен будоражил все его существо, он прямо сейчас готов был мчаться в аэропорт и лететь навстречу яркой и красочной жизни. В которой была Софья... Но оставлять за спиной неразрешенные дела, непонятки, как сказал бы Расписной, было нельзя. Здесь живут отец с матерью. Тогда стрелки могут перевести на них...

А что, если... Если действительно попросить Сержа прислать бригаду? Хотя... Не все так просто. И дело предстоит иметь не с простыми людьми... Может закрутиться такая карусель!

Утром Волк собрался зайти к родителям. Сегодня суббота, отец должен быть дома.

Как всегда, он надел белую рубашку с длинным рукавом, свободные штаны, туфли с твердым рантом, взял со стола широкую пачку сигарет «Данхилл». Он искал их по всему городу — это единственная марка, которая ему подходила. Когда он спустился во двор, его окликнули.

— Владимир Григорьевич!

У подъезда стояла черная «Волга» с номером «0005 ТД». Это была серия госбезопасности. От машины отделился человек в строгом костюме. Лицо специфическое, хотя специфичность была довольно широкого диапазона. Квадратная челюсть, узкий лоб, волосы стрижены жестким ежиком, внимательный, цепкий взгляд. Такая внешность может быть и у продвинутого бандита, и у сотрудника контрразведки или уголовного розыска.

— Константинов, старший оперуполномоченный, — представился человек и поднес к лицу Волка раскрытое удостоверение. «Комитет государственной безопасности СССР», — прочел он над фотографией. Точно такое удостоверение было у него в Москве. Только здесь фамилия не впечатана типографским шрифтом, а вписана от руки черными чернилами. Может быть, до периферии новшества оформления еще не добрались.

— И что? — не очень любезно спросил Волк.

— С вами хочет встретиться один человек, — сказал Константинов. — По интересующему вас делу. Проедем ненадолго.

Кто мог хотеть с ним встретиться, Волк не знал. Может, кто-то приехал из Москвы по старым делам? А может, Серж решил привлечь местные силовые структуры? Или его хотят вернуть в Контору? Петрунов намекал на такую возможность.

— Поедем, я свободен...

— Извините, оружие у вас есть?

— Откуда, я же в отпуске! И потом, у нас нет постоянного ношения...

Константинов кивнул и пошевелил пальцами.

— Вы позволите? Это всего лишь формальность.

Волк пожал плечами и поднял руки. В одной он держал пачку «Данхилла», в другой зажигалку.

Опер быстро пробежался руками по телу. Особое внимание уделил штанинам: летом спрятать оружие проще всего под брюками.

— Извините. Прошу в машину.

На всякий случай Волк сел назад, никто его не поправил. Водитель доброжелательно ответил на приветствие и сразу набрал скорость.

— Мы поедем в «Сторожевую вышку», сейчас ведь время завтрака, — предупредительно сказал Константинов.

«Чего это он так стелется? — спросил кот. — Разве он тебе должен?»

Волк не ответил. Пока что единственной странностью в происходящем было то, что к нему приехал незнакомый человек. По правилам оперативной работы в машине должен был сидеть Мусин. Да еще чернила вместо шрифта. Мелочи. Хотели бы застрелить — уже застрелили бы!

«Волга» вылетела на Левый берег Дона, дежурный гаишник отдал честь.

— Почет и уважение! — прокомментировал Волк.

Константинов улыбнулся:

— Не мне. Это машина начальника Управления.

Странно. У начальника обычно номер 01, потом идут номера заместителей по степени важности...

Вот и «Сторожевая вышка». «Волга» заехала прямо на территорию, к отдаленной, увитой зеленью беседке на самом берегу. Вокруг беседки прогуливались четыре официально одетых человека, еще четверо в спортивных костюмах со скучающим видом стояли в стороне.

— Оружия нет, я проверил, — сказал Константинов, не обращая больше на Волка никакого внимания.

Волка провели в беседку. За накрытым столом сидел человек средних лет с внешностью партийно-советского руководителя выше среднего ранга. Худощавый, с узкими губами на бледном лице, с небольшими глазами неопределенно-серого цвета, свысока взирающими на окружающий мир. Но в нем чувствовался особый лоск. Такой приобретается от длительного осознания собственной значительности, ежедневно подтверждаемой окружающими. И дорогой летний костюм светло-песочного цвета без единой морщинки, и крахмальная сорочка со стромким воротничком, и ухоженные руки говорили, что человек следит за собой. И вдруг Волк понял, кто перед ним! Это и был Холеный собственной персоной!

— Присаживайся, — Холеный сделал жест, которым подзывают собаку.

Волк присел на резную лавку.

— Но у меня нет тарелки!

— А я тебя не завтракать позвал, — сказал Холеный, намазывая масло на свежую булочку. — Я хочу узнать, что ты за птица такая. Болтают-то много, я тоже навел справки... В нескольких домах ты засветился, и роспись у тебя правильная. Но как тогда ты в ментовку попал?

— Сейчас демократия. С двумя судимостями берут.

Холеный саркастически поднял брови:

— Шутник! Мне на твою биографию плевать. А вот шутки, когда меня накалывают на тысячи долларов, не нравятся. Зачем ты это сделал? Ты ведь знаешь, кто я? И знал, что груз мой!

Волк незаметно осмотрелся. Черная «Волга» уехала. Четыре человека в костюмах и галстуках по-прежнему окружали беседку, остальные рассеялись по территории. Рядом плескался Дон. У гладких дощатых мостков был пришвартован белый глиссер. У штурвала дежурил мускулистый красавец в морской фуражке.

— Что-то я не пойму, — сказал Волк. — Милиция задержала груз. При чем здесь вы?

— Милиция состоит из людей. А люди должны знать, как себя вести. Иначе порядка не будет. Не будет уважения. Вот потому ты здесь. Ты знал, что груз мой?

— Да какая разница, кто везет оружие!

— Очень большая. У меня шесть фирм, в том числе по производству куриных окорочков. Я даю деньги в городской бюджет, я дружу с городскими руководителями. Через год я буду избираться в депутаты. И пройду, можешь быть уверен. А ты кто такой?

— Почитайте мое личное дело.

— Читал. Ты никто. А замахнулся на меня. Это большая ошибка. Я возмещу своим партнерам убытки. А кто возместит тебе твою жизнь?

Волк молчал.

— Ты видел машину, на которой тебя привезли? Она сегодня не выходила из гаража. Через полчаса у меня встреча с одним из городских руководителей. А ты умрешь через час. Я не буду иметь к этому никакого отношения.

От Холеного исходила абсолютная уверенность. Уверенность неуязвимого и неприкасаемого человека, самостоятельно решающего, кому жить, а кому умирать.

Он не знал, что находится в сигаретной пачке «Данхилл», которую Волк вертел в руках на протяжении всего разговора. Там ждал своего часа трофейный «браунинг». Он не проходил по толщине, пришлось снять костяные щечки. На боевых качествах это никак не сказывается. Патрон в стволе, предохранитель снят. Надо только крепко сжать его в руке, чтобы выключить второй предохранитель в торце рукоятки. На сигаретную пачку никто и никогда не обращает внимания, это психологический феномен, используемый специальными службами. Когда-то в Конторе сделали стреляющий портсигар, который успешно использовали для целевой ликвидации. Но Холеный ничего этого не знал. Потому и считал себя божеством, определяющим чужие судьбы.

— А все остальные получат хороший урок и не станут повторять твоих ошибок. — Холеный повысил голос, чтобы его могли слышать свидетели справедливого и жестокого суда, которые тесно обступили беседку и внимательно слушали.

В кинофильмах герой, перед тем как свершить акт мщения, много и долго говорит, чтобы даже самый тупой зритель понял, что к чему. В жизни слова не ценятся, только дела.

Волк не торопясь раскрыл пачку и вытряхнул оружие на ладонь. Никто еще ничего не понял, слишком неожиданно появился на свет маленький, будто игрушечный пистолетик. Он крепко зажал его в ладони и протянул руку вперед. Теперь от ствола до головы Холеного было сантиметров семьдесят, не больше. Лоск вмиг слетел с него, надменное лицо исказилось ужасом, короткопалая рука с растопыренными пальцами взметнулась вверх, защищаясь от возникшей опасности. Палец вдавил спуск. Несмотря на игрушечные размеры оружия, выстрел был самым настоящим: грохочущим и резким. Пуля пробила растопыренную ладонь и врезалась в лоб. Голова хозяина жизни сильно дернулась назад, безвольно мотнулась вперед и безжизненно свесилась на грудь. Светло-песочный костюм залило кровью. Тело обмякло и сползло на пол.

Волк вскочил и обвел вооруженной рукой стоящих вокруг людей, как будто хотел их сосчитать. Четверо. В пистолете оставалось еще пять патронов. Хватит на всех. Они застыли, как парализованные. Одно дело, когда убивают других, и совсем другое, когда хотят убить тебя.

— На землю! — страшным голосом приказал Волк.

Все четверо повалились на аккуратно подметенный асфальт. Волк быстро пошел к мосткам. Главное, не бежать, чтобы у врагов не включился инстинкт преследования. Тщательно оструганные и покрытые лаком доски пружинили под ногами. Красавец в морской фуражке смотрел, как кролик на стремительно приближающегося удава. Волк перепрыгнул на борт глиссера.

— Заводи! — скомандовал он. Взревел мощный мотор, и катер, подпрыгивая, помчался по слегка морщинистой водной глади.

Глава 4

ВТОРОЙ РАЗ В ТУ ЖЕ РЕКУ

Поезд «Тиходонск — Москва» шел с приличной скоростью, за окном мелькали сирые пейзажи средней полосы. Волк проспал двенадцать часов подряд и почувствовал себя бодрым и отдохнувшим. Лежа на второй полке уютного, даже комфортабельного купе — редкие поезда в нашей стране отличались такой чистотой и ухоженностью вагонов, он читал московские газеты. Похоже, в столице шла совсем другая жизнь. Массажные салоны, предложения о содержании, реклама казино... В информации о городской жизни он наткнулся на интервью общественного деятеля Якова Шнитмана, пострадавшего в годы застоя за прогрессивные убеждения.

Да... Поговорка гласит, что нельзя дважды войти в одну и ту же реку. Но похоже, что это уже другая река...

Когда прибыли в Москву, Волк с легкой сумкой через плечо пошел к вокзалу, обгоняя увешанных багажом пассажиров. Вид тепловоза, уткнувшегося носом в перрон, показался ему символичным: впереди тупик. Из автомата он позвонил в Тиходонск, Пастуху.

— Как дела? — не представляясь и не называя имен, спросил он.

— Все просто зашибись, — весело отозвался Лысый. — Они в глубокой жопе. Такого просто никто не ожидал, даже представить не могли. Полностью деморализованы. Я уже начал их подгребать под себя.

— Меня интересует только один вопрос.

— Мстить никто не будет. Им не до этого. И потом — все сделано честно, красиво, по понятиям. Вопросов нет!

— А...

— Нет. В этой среде не принято давать показания. Будь спокоен.

Потом он позвонил Сержу.

— Извини, что сам не встречаю, много дел, — сразу отозвался тот. — Но водитель стоит на площади. Запиши номер... Он тебя отвезет, разместит. А вечером поужинаем, поговорим о делах.

На новеньком «Мерседесе» боксерского вида, но изрядно отяжелевший мужик отвез Волка в частную гостиницу на Фрунзенской набережной.

— У нас здесь офис, а наверху разгрузочный центр: два номера, банька, бассейн, — рассказывал по дороге водитель. — Там дядя Вася командует, он и за порядком следит, и безопасность обеспечивает. У тебя пушка есть?

— Нет.

— Ничего. Дядя Вася —молоток. Если что подозрительное заметит, у него ребята на подхвате имеются. Мигом все порешают.

— Что порешают?

— Да все. Любые вопросы.

Волк так и не понял, за кого его принимает бывший боксер.

Кряжистый, немногословный, с лицом бывалого человека, дядя Вася, не задавая никаких вопросов, провел его в трехкомнатный люкс, обставленный дорогой деревянной мебелью, с двумя телефонными аппаратами, огромным телевизором и шикарной ванной. Не привыкший к роскоши Волк мог сравнить его только с апартаментами президентского дворца в Борсхане. Правда, там все было перевернуто вверх дном и изуродовано пулевыми пробоинами и потеками крови, а также валявшимися тут и там трупами. Здесь же царили идеальный порядок и чистота.

— Вас приказано по первому разряду обслуживать, — сказал дядя Вася. — В холодильнике выпивка, баня прогрета, бассейн вымыт, три телки ждут — черная, белая, рыжая. Внизу машина с водителем, рядом ресторан — надо, обед принесут. А если что сверх того понадобится, вот на этом, красном, два нолика нажмите, я и отзовусь...

— Что «сверх того»?

— Все, что надо, — эти слова прозвучали столь торжественно-убедительно, что верилось сразу: для дяди Васи нет ничего невозможного. Может, и телефоны здесь волшебные?

Он набрал номер Софьи.

— Алe, — сразу отозвался голос с неповторимыми певучими интонациями.

— Только не говори, что ты меня не слышишь!

— Почему не слышу? Прекрасно слышу. Это ты, Володя? Ты где?

— В Москве.

— Да? Надолго? — Похоже, Софью это не удивило.

— Может быть. Ты не хочешь увидеться?

Волк затаил дыхание. Сердце колотилось, как у мальчишки, договаривающегося о первом свидании.

— Почему не хочу? Как раз сейчас я свободна.

Телефон действительно оказался волшебным.

— Здорово! Сейчас я за тобой приеду!

— Зачем тратить время и кататься туда-сюда? Скажи адрес, я сама подъеду.

— Только, знаешь, захвати свою фотографию. А лучше две или три. На время.

Софья заливисто засмеялась:

— Зачем они тебе?

— Потом узнаешь. Но я тебе их отдам.

— Хорошо!

Волк подпрыгнул на месте. Да, телефон был волшебным. Или сама жизнь стала волшебной, заиграла яркими красками, как радуга. Теперь оставалось реализовать еще одну задумку.

Порывшись в записной книжке, он откопал номер, записанный просто так, на всякий случай. Волшебный телефон протренькал свой очередной «сезам».

— Слухаю! — молодцевато гаркнули на другом конце провода.

— Здорово, Потапыч...

Трубка настороженно молчала.

— Это Володя.

Тишина.

— Лефортово, помните?

Послышался неопределенный звук, и снова наступило молчание.

— Вы рисунков много нарисовали. А потом я у вас в гостях был.

— Здорово, Петро. Ты от кого звонишь?

— От себя. Из гостиницы.

— Не по поручению, значит... А какое у тебя дело?

Потапыч был лишен дипломатических способностей и не признавал всяких промежуточных, не несущих информации разговоров.

— Мне надо еще одну картинку добавить...

— Кто приказал?

— Никто. Я сам хочу.

Потапыч закряхтел:

— А тебе чего, мало, что ли?

— Да нет, не мало...

— А я тебе что, художник?

— Да нет, не художник...

Сейчас Потапыч должен был сказать что-то типа: «Ну и все!» и, не прощаясь, положить трубку. Волку удалось его опередить.

— Просто я к руководству иду докладываться...

Тишина в трубке стала заинтересованной.

— По новому делу...

— Ты там не болтай! — сурово предостерег Потапыч.

— Молчу. А для него лучше картинку добавить. Я сам смекнул. Инициативно.

Знакомые слова смягчили Потапыча.

— Так ты по заданию... Другое дело! Тогда заходь, сделаю. А баловства я не уважаю. К большому начальству?

— Потапыч! — укорил старого энкавэдэшника Волк.

— Правильно, молодец, — смущенно закашлялся старик. — Давай прямо завтра с утреца...

Потом Волк набрал два нуля на внутреннем телефоне и заказал букет цветов и обед на двоих. Когда он в плавках вышел из ванной, дядя Вася уже сервировал стол. Глянув на гостя, он на миг утратил обычную невозмутимость и задержал на нем взгляд дольше, чем позволяют приличия. Похоже, он даже хотел что-то сказать, но сдержался.

* * *

Обед остался нетронутым. Ноги у Софьи были такими же нежными и, как всегда, пахли кремом. То ли персиковым, то ли абрикосовым — это не имело значения. Как всегда, она билась в его объятиях, кричала, умирала и воскресала вновь. Волк забыл про Тиходонск, про подчиненный взвод ППС, про Эйно Вялло и Холеного, забыл про самого себя.

Время пролетело быстро. Около семи позвонил Серж.

— Я заказал столик в ресторане. Можешь взять ее с собой.

— Кого?

— Софью. Дядя Вася очень удивился, что ты проигнорировал готовых молодых телок и привел стареющую женщину.

— Дурак он, вот и все.

Серж засмеялся:

— Он действительно так сказал. Ну давай, закругляйся. Я заеду через час.

Волк предложил Софье совместный ужин, но она отказалась.

— Не получится, я должна спешить. Скоро придет Николай Павлович. Кстати, зачем тебе мои фотографии?

— Сюрприз. Завтра узнаешь.

Серж приехал на огромном «мерсе» в сопровождении двух телохранителей. Они обнялись. Покружив по центру, которого Волк не узнавал, автомобиль остановился возле китайского ресторана. Раньше таких просто не было. По крайней мере в СССР. У входа извивался неоновый дракон. В вестибюле гостей встречал живой крокодильчик. Просторный, погруженный в полумрак зал был заполнен едва ли на четверть. Вдоль стен стояли плоские аквариумы, в которых плавали пираньи. Когда-то Волк и Серж изучали их в курсе выживания, в теме «Опасные животные». И конечно, не предполагали встретиться с хищными рыбами при столь благоприятных обстоятельствах. Столы были тоже в виде аквариумов: под прозрачной крышкой в подсвеченной воде плавали более мирные рыбки.

Телохранители остались у входа, внимательно оглядывая зал. Серж сделал заказ на свой вкус. Они болтали на нейтральные темы. Официантка явно выраженной азиатской внешности принесла замысловатые закуски и бутылку, внутри которой колыхалась свернутая кольцами змея.

— Это мне что-то напоминает, — сказал Владимир.

— Водка «Вечная молодость», — пояснил Серж. — Говорят, она тонизирует организм, повышает потенцию, а если пить всю жизнь, то проживешь очень долго.

— А что мы едим? — поинтересовался Волк, осторожно пережевывая упругие похрустывающие кусочки под острым соусом.

— Медузу.

— Медузу?! Разве ее можно приготовить? Она же вся из воды. Вода испарится и что останется?

— Как видишь.

— Уроки выживания. Змеи, пауки, лягушки, ящерицы — вот какие у меня ассоциации.

— Сравнил! — усмехнулся Серж. — Там их подавали сырыми... А тут настоящие китайские повара.

— Что значит «настоящие»?

— Значит, китайцы. Официантки не настоящие. Казашки, кореянки... Давай выпьем за встречу и за совместные дела!

Водка оказалась слабой, с неприятным вкусом. Волк отставил рюмку.

— Я, наверное, никогда не стану долгожителем.

Серж тут же сделал знак, и через минуту на столе появилась бутылка «Абсолюта».

— Их надо смешивать, так лучше, — посоветовал он. — Попробуй.

Действительно, в смеси «Вечная молодость» оказалась гораздо приятней, придавая коктейлю пикантный привкус.

— Ты слышал что-нибудь про «Консорциум»? — спросил Серж, когда подали запеченных в гриле королевских креветок.

— Нет.

— Это очень мощная структура, в ней работают наши отставники. Комитетчики, спецназовцы, разведчики. Финансовый фундамент сопоставим с государственным бюджетом.

Это и есть государство. Последние три года и я там обретаюсь.

Волк сосредоточенно резал плотное мясо. Он не любил задавать вопросы.

— Так вот, у «Консорциума» есть финансовые интересы в Африке. В Борсхане. Очень серьезные интересы. Алмазные копи. Представляешь? Положи нож, вот так, смотри!

Серж взял креветку за красный неочищенный кончик хвоста, обмакнул в соус и ловко отправил в рот.

— А ведь верно, — Волк последовал его примеру.

— Но в последнее время возникли проблемы, — Серж вымыл руки в пиале с плавающим в воде лимоном.

— Их президент, он полный отморозок, людоед, расторг договор. Право разработки на пятьдесят лет — псу под хвост! Международный арбитраж — побоку! Часть персонала успела эвакуироваться, а кто остался — пропали без вести. Скорее всего, их нет в живых. Не исключено, что этот Мулай Джуба их съел.

— В каком смысле?!

— В прямом. Он обожает жареные пальцы. Особенно белых людей...

Лжекитаянка принесла жареную утку. Хрустящая золотистая корочка, рассыпающееся мясо, в круглой деревянной коробочке — рисовые лепешки, какие-то зеленые стебли, напоминающие молодой лук. Серж замолчал и принялся за новое блюдо: заворачивал в лепешку кусочек утки вместе со стеблями и приправой и ел, как в русских деревнях едят блины со сметаной. Волку это показалось сложным, и он ел утку отдельно, а лепешки отдельно. Было очень вкусно. Они еще выпили.

— Эту проблему можно решить только одним путем...

Серж сделал паузу, доедая утку. И давая возможность собеседнику задать вопрос. Но утка кончилась, а вопроса не последовало.

— ...Сменив людоеда на нормального человека. Дружески настроенного к нашей стране.

— И к «Консорциуму», — уточнил Волк.

— Совершенно верно. И к «Консорциуму». Сейчас ведется подбор специалистов. На эту работу выделено три миллиона долларов.

— Сколько?!

— Три миллиона. А ведь когда-то мы уже сделали это. Причем совершенно бесплатно. А тот, кто сделал что-то однажды, может сделать это и второй раз. Что скажешь?

«Не соглашайся! — быстро сказал кот. — На фиг нам эти башли? А шкуру точно попортить могут!»

Владимир тщательно промокнул губы тонкой полотняной салфеткой.

— А ты участвуешь?

Серж отвел глаза.

— Только в координации и общем руководстве. У меня обеспечивающие функции.

— Я так и думал.

— Почему? Почему ты так и думал?

— Потому, что ты уже привык комфортно жить, вкусно есть, в общем, наслаждаться жизнью. После этого трудно идти под пули.

Волк ожидал, что Серж разозлится, но тот только усмехнулся:

— Пожалуй, ты прав. Но я уже устроен в этой жизни. А ты еще нет. И эта операция — ключ к такому же положению, как у меня. Ты будешь работать на «Консорциум» и иметь все, что пожелаешь. Впрочем, твоя доля позволит тебе и не работать. Хотя, на мой взгляд, без работы человек закисает. Так что ты скажешь?

Серж смотрел внимательно, словно хотел проникнуть сквозь татуированную кожу и заглянуть Волку в душу. Пауза затягивалась.

— Я подумаю, — наконец сказал Волк.

Серж перевел дух. Похоже, он боялся услышать отказ.

— Конечно. Это вполне естественно. Что ты скажешь насчет зеленого чая?

— На это я без раздумья скажу «да», — усмехнулся Волк.

* * *

— Баба как баба, — сказал Потапыч, рассматривая фотографии. Крупный план: Софья улыбается, жемчужные зубки гармонируют с жемчужным ожерельем. Софья в купальнике на морском берегу, маленькие ступни омывает прозрачная волна. Софья верхом на вороном жеребце, рука сжимает повод, можно заметить, что маникюр выглядит безукоризненно. Потапыч этих нюансов, конечно же, не ухватывал.

— И чего ее колоть, не пойму...

— Так надо!

— А-а-а... Небось это чья-то связь и на нее замыкается твоя легенда...

— Точно.

— Тогда другое дело! Как ее рисовать?

— В полный рост. И чтоб лицо было хорошо видно. Чтоб узнавалось.

— Да что я тебе, Айвазовский? — буркнул Потапыч. — И куда ее колоть? У тебя уже живого места нет. Может, на животе, под трусами?

«Вот точно, — захихикал черт. — Там ей самое место. Чтоб недалеко тянуться».

— Нет. Вот здесь, на левом боку, у сердца.

— Так ведь видно плохо будет! — Кольщик наложил на фотографию кальку и сосредоточенно начал копировать.

— Ничего. Кому надо, увидит. А говорить она научится?

— Чего?! Это как так — говорить?! — вскинулся Потапыч.

«Да научится, научится, — захихикал черт. — Всему научится. Я тут с ней рядом буду, я ее всему обучу».

Волк шлепнул себя по предплечью так, что покраснела кожа.

«А я при чем!» — возмущенно закричала русалка.

— Тихо сидите, а то кишки вырву, — злобно сказал Волк. — Я за базар отвечаю!

«И правда, не заводите хозяина, хуже будет», — опасливо сказал кот.

— Да это ты кому?! — Старик снова оторвался от своего занятия.

— Зверинцу своему. Черту, русалке. Болтают всякую херню!

Потапыч покачал головой:

— Ой, смотри, Петро! От такой работы крыша запросто может съехать. Отдохнуть бы тебе надо. На море съездить, на песочке поваляться.

«Дед по делу базарит, — обрадовался кот. — Лучше на море, чем под пули. А зачем ты эту кралю рисуешь?»

Волк не успел ему ответить.

— Ну, Петро, ляжь на бок и затихни, — Потапыч приготовил свою механическую бритву. — Начинаю...

Б-ж-ж-ж... Б-ж-ж-ж... Б-ж-ж-ж-ж-ж...

Бритва переделана в татуировочную машинку: дергающийся шток приводит в движение три связанные между собой иглы с пропитанным тушью ватным фитильком посередине, они прокалывают кожу, впрыскивают в ранку очередную каплю красителя и строчат дальше по шаблону.

Б-ж-ж-ж... Б-ж-ж-ж... Б-ж-ж...

Иглы строчат по живому телу, и Волк приготовился к боли, но ее не было — только легкое щекотание, и все... Совсем не так, как в прошлый раз!

— Терпи, Петро, терпи, теперь немного... — привычно бубнит Потапыч.

Б-ж-ж-ж... Б-ж-ж-ж-ж-ж...

— Гляди, как легко идет, — удивляется кольщик. — Как строчка по сапогу. Я ведь когда-то сапоги тачал. Ну, учеником был у сапожника...

Б-ж-ж-ж... Б-ж-ж-ж... Б-ж-ж-ж...

Идея пришла в голову Волку тогда, когда он понял, что татуированные картинки составляют его единственную постоянную компанию и являются его основными друзьями на всю жизнь. Но он дружить с ними не хотел. И решил связать жизнь с Софьей. Хотя бы на своей коже.

Б-ж-ж-ж... Б-ж-ж-ж... Б-ж-ж-ж...

— Ну, вот и все. В этот раз быстро. И как ловко вышло! Ты гля, у тебя так кожа задубела, что даже красной не стала... Ни кровинки, ни слезинки, ни воспаления...

— Да и не больно совсем, — удивился Волк. — В зеркало глянуть можно?

— А то! Гляди, конечно. Это ты так тушью пропитался, что тебе все нипочем...

Волк подошел к старинному трюмо, глянул в мутноватое стекло. Да, теперь у него на левом боку, у сердца, жила Софья. Настоящая Софья — и лицо, и фигура... Точь-в-точь, как на фотографии.

«Хорошая бабенка, сдобная, — прокомментировал черт. — Как раз по мне».

— Лезвие есть? — спросил Волк.

Потапыч стоял сзади, ожидая одобрения.

— Бритовка-то? Конечно...

Кольщик протянул сточенный «Спутник». Волк прошел в облупленную ванную.

«Ну что, краля, стебаться будем? — не унимался черт. — Сегодня я тебя точно...»

Волк полоснул бритвой сверху вниз, распоров черта пополам. Из раны хлынула черная чертячья кровь. Потом пошла красная. Он зажал рану платком.

— Потапыч, йод есть? И бинт?

«Ну, что я вам говорил!» — мяукнул кот.

«Только меня не трогай, я молчала», — жалобно пропищала русалка.

— Чего с тобой такое? — спросил Потапыч.

— Да вот, порезался.

— Ничо себе! Как же у тебя так вышло? — Он обработал рану йодом и прижал тампон из бинта. — Держи вот так. Сейчас стрептоцид истолку, присыплю, он хорошо кровь останавливает.

— Слышь, Потапыч, а из него черная кровь шла!

— Из кого?!

— Ну из черта.

— Кончай глупить, Петро. Это из тебя кровь шла. Только у тебя под шкурой столько туши накопилось, что она вначале и вылетела! Вот тебе и черная!

Потапыч истолок таблетку стрептоцида, присыпал разрез.

— Ты знаешь, она и так остановилась. На тебе все как на собаке заживает.

— Это на черте зажило...

Кольщик нахмурился:

— Ладно, Петро, дело мы сделали, прощевай. А то моя старуха на жаре парится.

Волк достал деньги, но Потапыч сурово покачал головой:

— И не думай. Одно дело — бутылку выпить, другое — купи-продай! Я этим никогда не занимался. Не то что нынешние...

Распрощались они без особого тепла.

* * *

— Ты что, смеешься? — широко распахнутые глаза распахнулись еще больше, почти округлившись. — Это какая-то уродливая клякса! Где тут мое лицо, где моя фигура?! Как будто осел хвостом малевал...

— Странно, я вижу ее совсем по-другому...

Николай Павлович Чучканов уехал инспектировать войска, поэтому прямо от Потапыча Волк, купив ликер «Амаретто» и букет белых роз, отправился к Софье домой. Сейчас он крошил бутоны на гладкое Софьино тело, удовлетворенно раскинувшееся на измятом супружеском ложе генерала. Белые шелковистые лепестки сливались с белой шелковистой кожей, выделяясь только на морщинках распластанной груди и на розовых окружностях сосков.

— Значит, у тебя перед глазами стоит мой образ, — довольно засмеялась Софья. — Его-то ты и видишь... Как тебе китайская кухня?

— Сейчас я приготовлю одно из их блюд, — сказал Волк, облизывая пересохшие губы.

Взяв бутылку ликера, он принялся капать на лепестки. Коричневые капли то и дело попадали на кожу, постепенно усевая все тело Софьи. Устрашающе рыча, Волк принялся слизывать их, одну за другой, когда попадался розовый лепесток, он проглатывал его, как настоящий оголодавший волк. Софья дергалась и смеялась.

— Ой, щекотно, щекотно, перестань! Ну Володя...

Но, перекатываясь с боку на бок, она, случайно или нарочно, принимала соблазнительные позы, что только стимулировало Волка. В конце концов он вновь обрел силы и вступил в самый прекрасный бой из тех, которые ведутся на земле.

— Разве это китайское блюдо? — лукаво спросила Софья, придя в себя. — Принеси мне воды, умираю — хочу пить.

Волк сходил на кухню и налил боржоми в высокий хрустальный стакан. Со дна всплывали и лопались пузырьки. Он разобрал неуловимый аромат йода. Реальный запах вывел его из виртуального мира под названием Софья. Вмиг вернулась трезвость сознания, аналитичность мышления и критичность оценок.

— Ты что, разговаривала с Сержем?! — резко спросил он.

— С чего ты взял? — Софья потянулась, демонстрируя чисто выбритые подмышки.

— А откуда ты знаешь про китайский ресторан?!

— А-а-а... — Софья зевнула, округлив яркие сочные губы. — Это он со мной разговаривал. Позвонил утром и спросил, почему я не пошла с вами в китайский ресторан.

— Ты же говорила, что вы не поддерживаете отношений! Да и он всегда отвечает, что не видел тебя сто лет!

— Ну перестань, Володя, — капризно протянула она и положила ногу за ногу. Промежность у нее была тоже гладко выбрита. — Телефонный звонок — разве это отношения?

Волк смотрел на розовую подошву, утрачивая трезвость, аналитичность и критичность. Виртуальный мир Софьи втягивал его обратно.

— Ну ладно... Давай выпьем ликера...

Когда приторно-горьковатый аромат миндаля обволок рот, Волк неожиданно для себя сказал:

— Серж предложил мне одно дело. На нем можно заработать много денег. И остаться в Москве навсегда.

— Тогда соглашайся! Это же здорово!

— Но дело очень рисковое...

— Вы же с Сержем друзья, он тебе поможет.

Мягкая розовая подошва погладила его по лицу.

— И потом, он плохого не предложит.

— Пожалуй, ты права...

* * *

Смеркалось. Волк шел от метро пешком, напряженно размышляя. Возвращаться в Тиходонск он не хотел. И соглашаться на предложение Сержа — тоже. Слишком малы шансы на благополучный исход. Даже если боевая часть операции пройдет успешно, скорее всего, всех участников ликвидируют. Когда дело сделано, отдавать три миллиона не имеет практического смысла. Слишком большие деньги, чтобы делиться ими с кем попало.

«Точняк, хозяин, не лезь ты в это дело. Лучше здесь хаты бомбить», — скулил кот.

Впереди послышался шум: звуки ударов и крики.

— Давай, Карзубый, введи лоху наркоз! Будет знать, как на лисички[1] жидиться!

Уличная драка пугает и притягивает одновременно, поэтому зеваки обычно обступают ее таким образом, чтобы, с одной стороны, не пропустить ничего интересного, а с другой — не получить по морде. Диаметр кольца при этом прямо пропорционален чувству уверенности в собственной безопасности. Сейчас в плохо освещенном сквере на Фрунзенской набережной полтора десятка прохожих держались метрах в пяти от развивающегося действа, тем самым демонстрируя отсутствие особого страха и достаточную обыденность происходящего.

Дело действительно было обычным.

Четверо пьяных дегенератов — из тех, кого на зоне называют «бакланами», или «рогометами», или еще как-нибудь похуже, избивали справного домашнего мужика, неосмотрительно выскочившего, на свою беду, по сумеркам из-за надежной стальной двери в каменные джунгли столицы — то ли в магазин, то ли в аптеку, то ли по какой-то другой житейской надобности. Точнее, избивал один — в расхристанной до пупа розовой шведке и с выкрошенными передними зубами. Двое его дружков терлись рядом, злорадно скалясь и иногда отвешивая жертве пинок или зуботычину. Долговязый явно верховодил в этой компании, он стоял чуть в стороне, наслаждался зрелищем и изгалялся в меру своих способностей.

— Сделай ему клоуна, отбей памарки! Гы-гы-гы...

К подобным переделкам мужик был явно не приспособлен: он не пытался сопротивляться или убегать, лишь неловко прикрывал руками разбитое лицо и пятился к реке, нерасчетливо удаляясь от людей, на помощь которых, очевидно, совершенно не надеялся.

И действительно, среди любопытных явно не находилось желающих прийти ему на выручку. Волку тоже не хотелось

---

[1] Лисички — сигареты *(блатной жарг.)*.

лезть в это дело. Но он изменил маршрут и вошел в полумрак сквера. Зеваки рассматривали высокого светловолосого парня.

Синяя рубашка с длинными, не по сезону, рукавами туго обтягивала широкие плечи и треугольную спину, джинсы и белые кроссовки довершали наряд. Парень должен был нравиться женщинам — блондин нордического типа, высокий лоб, развитые надбровные дуги, мощный прямой нос с чуть деформированной переносицей, широкий, с ямочкой, подбородок. Облик супермена из голливудского фильма, воплощение мужественности и силы.

Но ему тоже не хотелось вмешиваться: в отличие от экранных героев у реальных суперменов хватает своих проблем. Взглянув на сцену избиения, он поморщился и повернулся, чтобы уйти.

После очередного удара мужик упал. Парень в джинсах медленно шагал к Комсомольскому проспекту и этого не видел.

— Чердак смажь, Карзубый, да погладь по кумполу! — восторженно взвизгнул длинный. В отличие от десятка опасливо переминающихся с ноги на ногу зевак он явно ничего не боялся.

И Волку это не понравилось. Он поморщился еще раз и развернулся. Движения его стали быстрыми и целеустремленными. Оттолкнув крупного дядьку с полиэтиленовым пакетом в руках, парень рассек круг любопытных и активно вмешался в ход событий.

— Стоять, шакалы! — гаркнул он, легко отшвырнув в сторону Карзубого. — Быстро дергайте отсюда, пока целы!

Парень был не только атлетически сложен, но решителен и уверен в себе. Холодные голубые глаза в жестком прищуре пристально рассматривали противников. Ясно было, что это не простой обыватель. Так ведет себя хозяин, вожак, медведь в волчьей стае, и если бы нападающие были трезвыми, то они, скорей всего, воспользовались бы советом. Но они были пьяны, к тому же находились на своей территории, а неизвестный, несмотря на свою наглость и силу, являлся здесь чужаком. Три пары мутных глаз вопросительно уставились на старшака.

— Гля, пацаны, ему жить надоело! — ощерил железные фиксы долговязый. Костлявая, перевитая венами кисть нырнула в карман и с опасной ловкостью выскользнула обратно. Щелкнула выкидуха, тускло блеснул остро заточенный клинок.

— Нож! Нож! — Зрители испуганно шарахнулись назад, расширяя кольцо. Действие перешло на совершенно другие, опасные рельсы.

— Спрячь, сука, убью! — негромко сказал незнакомец, но долговязый, презрительно сплюнув, присел на широко расставленных ногах и выставил нож перед собой, то ли выказывая навыки к такого рода работе, то ли подражая героям крутых кинобоевиков.

Избитый мужик, из-за которого и разгорелся сыр-бор, вжимаясь в землю, отползал в сторону. Но на него уже никто не обращал внимания.

— На кого тянешь, волчара позорный?! — Дружок Карзубого истерически рванул ворот засаленной клетчатой рубахи, горохом застучали по асфальту отлетевшие пуговицы. Мертвенный свет единственного действующего фонаря высветил татуировки на впалой груди: летящего голубя и воткнутый в пенек кинжал, обвитый змеей. Карзубый крадучись обходил наглого фраера слева. Четвертый, с испещренным оспой лицом, привычно зажал между пальцами лезвие бритвы и стал заходить за спину справа.

Кодла действовала слаженно, чувствовалось, что у нее изрядный опыт в таких делах и на счету немало кровавых побед. Но сейчас что-то нарушилось. Карзубый и рябой неожиданно оказались друг перед другом и против своей воли продолжили движение, с силой столкнувшись головами, причем бритва чиркнула совсем не того, кого следовало: Карзубый взвыл, перехватил руку полой шведки, розовая ткань медленно набухала красным.

Вожак прыгнул на подмогу, но едва успел отвести клинок: вместо врага перед ним оказался рябой кореш, летевший спиной вперед. В следующую секунду два тела с треском столкнулись и сбитыми кеглями повалились в кусты. Со стороны казалось, что все эти диковинные финты они проделывают самостоятельно, по собственной воле, а светловолосый смельчак только ассистирует: помогает, придерживает, направляет.

Но татуированный стоял близко, все видел и понял, что они влипли вглухую. Наступила его очередь: светловолосый парень сделал быстрый скользящий шаг, стремительно сокращая расстояние. Разумней всего было рвать когти, но потом перед своими не оправдаешься. Да и оставаться целым при таком раскладе западло...

— А-а-а-а! — страшно заорал он и присел, лихорадочно шаря руками под собой: хоть камень, хоть палку, хоть кусок трубы, хоть что-нибудь! Как назло, ничего не попадалось, пальцы судорожно скребли по земле и, сжимаясь, хватали воздух.

Удар белой кроссовки чуть не вогнал синего голубя в грудную клетку и опрокинул блатаря вверх тормашками. Теперь чужак повернулся к баюкавшему распоротую руку Карзубому.

— Сейчас, король параши, я тебе клоуна сделаю![1]

Тот попятился.

— Ты кто? Кончай! Тут непонятка вышла... Ты из чьих?

Ответом послужил жестокий пинок в живот. С утробным всхлипом Карзубый согнулся, но белая кроссовка в том же махе с хрустом подцепила его под челюсть и распрямила, впрочем, стоять он почему-то не стал, а грохнулся спиной наземь.

Светлоголовый легко скользнул в сторону, резко выставил назад левый локоть и развернулся через правое плечо. Проделанный чисто рефлекторно, этот хитрый маневр спас ему жизнь.

Потому что вожак и рябой успели очухаться и бросились сзади, клинок ножа уже хищно нацелился в левую часть поясницы дерзкого чужака, и лишь двадцать сантиметров отделяли холодную острую сталь от нежной почечной паренхимы. Опережающим сознанием длинный уже видел последствия особо изощренного блатного удара: ранение почки вызывает резкое падение кровяного давления и мгновенную смерть. Но у него в очередной раз ничего не вышло — ост-

---

[1] Делать клоуна — жестоко избивать *(блатной жарг.)*.

рие выкидухи только распороло выпроставшуюся из джинсов рубаху, а каменный локоть гулко врезался в прогнувшиеся ребра, сбив дыхание и почти остановив сердце. Костлявая кисть разжалась, нож лязгнул об асфальт.

Рябой внезапно оказался с противником лицом к лицу, попытался схватить за горло, но руки соскользнули с мощной шеи и мертвой хваткой вцепились в ворот рубахи. Холодные голубые глаза были совсем близко, они гипнотизировали и внушали животный ужас, рябой понял, что пропал, и безвольно обмяк, мигом утратив агрессивность и потеряв способность к сопротивлению. Страшные глаза резко надвинулись на изрытое оспой лицо, выпуклый лоб глухо ударил в переносицу — словно в праздник Пасхи крашеное яйцо-биток проломило более тонкую скорлупу. Рябой запрокинулся на спину, но кисти не разжал — рубашка незнакомца с треском лопнула, скрюченные пальцы потащили ее за собой, и синяя ткань накрыла разбитую физиономию упавшего, будто кто-то позаботился о покойнике.

Парень снова резко развернулся и сильным боксерским крюком сшиб скособоченного, жадно хватающего воздух главаря. С начала схватки прошло не больше минуты. На асфальтовом пятачке бесформенными кулями валялись три еще недавно грозных хулигана. Четвертый, татуированный, сумел подняться и чуть покачивался на дрожащих ногах, совершенно деморализованный и не способный к дальнейшей схватке. Привыкший доводить дело до конца, светлоголовый шагнул к нему. Тот попятился и бессвязно замычал, выпученными глазами уставясь на оставшегося по пояс голым противника. Окровавленные губы дрожали, растопыренная пятерня поднялась, заслоняя лицо.

Победитель бугрился мышцами. Он явно занимался культуризмом и специально накачивал бицепсы, трицепсы, пресс, грудные, широчайшие, дельтавидные... Но не груда мускулов испугала босяка. Парень был сплошь покрыт синими узорами татуировок. Многокупольный храм во всю грудь, звезды вокруг сосков, витые погоны на плечах выдавали опыт многочисленных ходок в зону и высокое положение в уголовной иерархии. Под ключицами имелась еще одна пара глаз — жестокие, широко открытые, они презрительно разглядывали босяка с его жалкими бакланскими[1] наколками — ничтожного ефрейтора, посмевшего схлестнуться с генералом криминального мира.

— Я... Я... Ты... М-м-м...

Баклан был настолько шокирован, что даже потерял способность внятно говорить, и светловолосый, сплюнув, остановился, решив не добивать морально уничтоженного врага. Но поведение генерала не укладывалось в сознании ефрейтора, и, промычавшись, он все же выдавил застрявший в гортани вопрос:

— Брателла, как же так?.. Что же ты своих мочишь?

Лучше бы он промолчал. Странный незнакомец скривился, будто от зубной боли, и вновь рванулся вперед.

— Какой я тебе «свой», мразь...

Длинный прямой удар добавил к трем лежащим еще одно обмякшее тело. Теперь все закончилось окончательно. Зрители стали расходиться.

Татуированный атлет осмотрел поле битвы, усмехнулся:

— Что ж, по-моему, все вышло красиво, — негромко произнес он.

Потом поднял разорванную рубашку, расправил ее, критически хмыкнул и, зажав скомканную ткань под мышкой, направился к избитому мужику, осторожно щупающему в сторонке дрожащими руками начинающее распухать лицо.

— Как вы? Сильно досталось?

— Пожалел волк кобылу...— не поворачивая головы буркнул тот, облизывая разбитые губы.

— Что? — растерянно переспросил атлет.

— Да то! — Мужика прорвало, лицо исказила гримаса злобы, боли и отчаянной готовности ко всему. — Что ты комедию ломаешь! Ты такой же, как они! Между собой что-то не поделили, а теперь спасителя разыгрываешь? Да я бы всех вас к стенке ставил без разговоров! К стенке!

Лицо Волка окаменело. Он молча повернулся и пошел прочь.

От реки тянуло прохладным ветерком, но он не освежал обнаженного торса. Волк уже давно не мог почувствовать

---

[1] Баклан — хулиган *(жарг.)*.

себя раздетым. Сняв одежду, он не становился голым, как все нормальные люди. Причудливые татуированные узоры: все эти купола, звезды, кресты, погоны, цепи, кинжалы — так густо покрывали тело и так глубоко въелись в кожу, что превратились в тонкий плотный панцирь, кольчугу, мешающую ощутить умиротворяющую прохладу выглаженных простыней или расслабляющее тепло пара доброй баньки, насладиться ласковыми каплями летнего дождя или нежными прикосновениями пальчиков любимой женщины.

Эта броня из синей туши отделяла его от всей остальной Вселенной тем особым смыслом, который был зашифрован в линиях рисунков, в странных, неизвестных большинству людей символах, понятных лишь немногим надписях... К тому же нарисованный мир жил своей жизнью: звонили колокола, лязгали мечи и кинжалы, скрипела колючая проволока, звякали цепи, переговаривались, ругались, ссорились и мирились орлы, черти, русалки, рыцари...

Все они отличались от привычных сказочных персонажей специфическим значением каждого изображения, и мало кто знал, что, например, кот в цилиндре и бабочке, выколотый на левом предплечье, — не просто забавная зверушка, а Коренной Обитатель Тюрьмы. Это были буйные, сварливые и малоприятные особи, с жестокими законами бытия, деформированными представлениями о добре и зле и вывернутой наизнанку моралью. Являясь частью его существа, они, конечно же, оказывали влияние на своего носителя, но не удовлетворялись этим и пытались полностью навязать свою волю, диктовать чувства, мысли, поступки.

Вот и сейчас кот с левого предплечья — символ фарта и воровской удачи — поправил когтистыми лапами щегольский цилиндр и недовольно прошипел:

«Дал он им хорошо. Только чего было за какого-то вахлака мазу тянуть? На хер он нам нужен?»

«Ни за что ребят обидел!» — поддержал кота пират с правого плеча. Он был с серьгой и в косынке, вместо одного глаза — черная повязка, в зубах зажата финка с надписью «ИРА». Надпись не имела отношения ни к женскому имени, ни к Ирландской революционной армии: просто аббревиатура, означающая угрозу: «Иду резать актив». «А самому бы понравилось — ни с уха, ни с рыла — и по рогам?»

— Заткнуться всем! — рявкнул носитель татуированного мира. Живо обсуждавшие происшествие дядька с кульком и две женщины испуганно замолчали и шарахнулись в стороны. На всем протяжении пути этот эффект повторялся: когда он проходил мимо, люди переставали разговаривать, зато сзади немедленно всколыхивался оживленный шепоток. Он знал, о чем говорят у него за спиной.

Между тем к месту недавней драки подкатил раскрашенный милицейский «Форд».

Долговязый и татуированный уже очухались и теперь откачивали сотоварищей. Ослабевший от потери крови Карзубый наконец сел, привалившись к скамейке, и озабоченно двигал пальцами отвисшую, тихо похрустывающую челюсть. Рябой не приходил в сознание, из носа сочилась густая черная кровь. Чуть в стороне приводила себя в порядок их недавняя жертва.

— Что тут произошло? — строго спросил сидящий за рулем сержант. У него было грубое, будто вырубленное топором лицо и недобрые глаза.

Никто не отвечал. Потерпевший не собирался связываться с милицией, а блатным кодекс чести не позволял «кидать заяву». На мужика, впрочем, патруль внимания не обратил: по сравнению со своими обидчиками он имел вполне пристойный вид, благодаря чему смог неторопливо отойти в сторону и затеряться в сумерках.

— У кого спрашивают? — открыв правую дверцу, высунулся из машины флегматичного вида лейтенант с округлым и мягким, будто только что выпеченная сдоба, лицом: неподрумяненная булочка с глазками-изюминками и мятым ртом. По сравнению с водителем он держался менее уверенно, и если бы не знаки различия, можно было подумать, что это он находится в подчинении у сержанта, а не наоборот. Возможно, в реальной, а не уставной жизни так и было. Но лейтенант знал о производимом впечатлении и при каждом удобном случае старался его рассеять.

— Вы что, оглохли? Может, уши прочистить? — нарочито грубо произнес лейтенант и помахал увесистой резиновой палкой. — Что случилось?

— Что, что, — не поворачиваясь, пробурчал долговязый. — Или не видите? «Скорую» вызывать надо — вот что!

— Щас ты у меня покомандуешь, — мрачно пообещал водитель и полез наружу. Задняя дверь «Форда» распахнулась, и, подкрепляя весомость слов напарника, там обозначился еще один, стриженный наголо милиционер в скрывающем погоны бронежилете и с коротким автоматом наперевес.

— Товарищ лейтенант! — К машине подскочил крупный мужчина с полиэтиленовым пакетом в руке и зашептал что-то в самое ухо офицеру, показывая пальцем в сторону Комсомольского проспекта.

— Один, что ли? — мигнул глазами-изюминками старший патруля. — Как же он с четырьмя справился?

— Такой бандит десятерых зарежет! Весь в наколках, живого места нет, видно, из лагеря не выходил! Вы поосторожней с ним...

Лейтенант озабоченно кивнул. Захлопнулись дверцы, и «Форд» рванул с места.

Метров через восемьсот они догнали того, кого преследовали.

— Ничего себе! — присвистнул шофер. — Видели когда-нибудь такого синюка? Ну зверюга...

— Когда в конвойке работал, видал я всяких расписных[1], — сказал милиционер в бронежилете. — Но сейчас их мало...

— Так чего делать будем? — размышлял вслух лейтенант. — С одной стороны, он своих же дружков раскатал, нам вроде и дела нет. Но он еще чего угодно залепит на нашем участке...

— Брать надо! — Водитель азартно припал к рулю.

Подпрыгнув на бордюре, «Форд» легко выскочил на тротуар и преградил дорогу голому по пояс светловолосому парню.

— Стоять, руки на затылок! — рявкнул сержант, выска-

---

[1] Расписной — человек с большим количеством татуировок *(жарг.)*.

кивая из машины, и одновременно вытянул задерживаемого палкой поперек спины. Литая резина смачно впилась в мускулистое тело, багровая полоса под лопатками перечеркнула упитанного монаха в развевающейся рясе, усердно бьющего в большой и маленький колокола.

— Кхе! Кхе! — Резкий кашель вырвался из груди парня, дыхание у него перехватило, глаза вылезли из орбит.

— Руки! Руки, тебе говорят! — Ствол автомата въехал в солнечное сплетение, оставив отпечаток раструба в навершии массивного креста с распятой женской фигурой.

Волк согнулся. Его вырвало.

Водитель и стриженый сноровисто завернули руки назад, лейтенант быстро надел наручники.

— Готово! — Офицер с облегчением вздохнул и вытер вспотевший лоб. — Иванцов, обыщи его! А ты, Уткин, сторожи — вдруг бечь кинется... Или в воду нырнет...

Сержант-водитель обшарил джинсы, вытащил электронную записную книжку и портмоне из натуральной кожи.

— Гля, чего теперь синюки носят! Культурные, гады, стали...

Лейтенант протянул руку, но водитель дал ему только пластмассовый футляр блокнота, а портмоне сунул себе в карман.

Волка затолкали на заднее сиденье, Иванцов поднял с земли разорванную рубашку и засунул задержанному под мышку.

— Держи при себе свое добро! — сказал он, подмигивая Уткину. — Нам чужого не надо!

Оба засмеялись.

— Хватит зубы скалить, — раздраженно сказал лейтенант. — Давайте в отделение!

— Есть, командир! — с едва заметным шутовским оттенком ответил Иванцов и снова подмигнул напарнику. — Надо еще заехать переобуть его. Зачем в камере такие кроссовки?

«Форд» быстро набрал скорость и мягко помчался по широкой магистрали. Несмотря на великолепные ходовые качества, внутри он имел обычный затрапезный вид, характерный для любого отечественного патрульного автомобиля, который возит не ухоженных мужчин и изысканных женщин, а пьяниц, наркоманов, преступников и проституток. Порванные коврики, обшарпанные, в пятнах, сиденья, густой дух немытого человеческого тела, пролитого вина, табачного дыма, оружейной смазки... Сейчас в салоне непривычно запахло хорошим парфюмом.

— От кого это так поперло? От него? — завертел головой лейтенант.

Уткин переложил автомат в другую руку и, наклонившись, обнюхал задержанного.

— Точно... Как в парикмахерской!

— Странно! — Офицер машинально поправил фуражку. — Обычно от них только потом воняет. Да и одет он не так... Что скажешь, Иванцов?

— А нам чего? Отвезем, пусть разбираются...

У водителя заметно испортилось настроение. Если в машине сидит не спившийся босявка, а какой-нибудь шишкарь со связями, «новый русский» из бывших зэков, то это задержание может иметь самые непредсказуемые последствия для всего экипажа. Впрочем, такой вариант маловероятен. Ни крутой тачки, ни телохранителей, ни мобилы[1], да и денег не густо... К тому же шишкари не дерутся на кулаках и не расхаживают по улицам, выставив напоказ татуировки...

Несколько минут сержант напряженно размышлял, потом все-таки поинтересовался:

— Слышь, мужик, ты сам откуда? Не местный?

Задержанный прокашлялся:

— Из Тиходонска... Чего ж ты сразу не спросил — кто да откуда?

Голос у него был сиплым и прерывистым, будто в трахее застряли кусочки отбитого легкого.

Водитель облегченно вздохнул:

— На хер ты нужен, тебя спрашивать. Сразу видно — бандит. Тиходонск вообще бандитский город.

У входа в отделение милиции задержанный остановился, внимательно читая вывеску.

— Давай, грамотей, заходи! — Сержант толкнул его в спину, автоматчик на входе посторонился, и татуированный

---

[1] Мобила — мобильный телефон *(сленг)*.

человек шагнул в мир, который был ему очень хорошо, до мелочей, известен, где каждая деталь и предмет являлись привычными и близкими.

В дежурной части царило удивительное спокойствие. Камеры для задержанных пустовали, не толклись у стойки родственники, потерпевшие и заявители. В глубине коридора гремели ведра уборщицы. Сильно пахло гуталином заступившего в ночь взвода ППС и слабо — карболкой. Утром, когда обработают камеры, интенсивность запахов поменяется.

Майор с красной повязкой на руке составлял сводку, старший сержант с такой же повязкой сидел за пультом, на котором горела единственная лампочка задействованного канала связи, и успокаивал кого-то в грубую черную трубку:

— Ну почему обязательно украли? Может, муж потратил, а вам не сказал... Вот приедет — и все выяснится...

Возле обитой железом двери оружейной комнаты висел большой плакат с пистолетом Макарова в разрезе, на другой стене красовалось пособие по строевой подготовке: лубочного вида милиционеры мужского и женского пола замерли по стойке «смирно»: в анфас и в профиль, в летней, зимней форме и в плащах. Кители, брюки, юбки, шинели отутюжены до немыслимой стромкости, погоны, эмблемы и шевроны расположены на точно отведенных местах, ни на миллиметр в сторону. Ни один из этих образцово-показательных сотрудников не надел бы повязку дежурного на короткий рукав летней рубашки, как майор с помощником.

— Скучаете? Гляньте, какого мы зверя повязали! Он на набережной четверых своих дружков отмудохал до потери пульса! — молодецким голосом объявил сержант.

Майор поднял голову. У него было красное лицо службиста и цепкий взгляд бывалого мента.

— Да? А заявок не было. Ладно, сейчас разберемся.

— Вызовите ответственного! Я капитан милиции, меня безосновательно задержали и избили, хотели ограбить, — властно приказал задержанный. — Следователя прокуратуры поднимайте, пусть закрывает этих шакалов!

Эта фраза произвела эффект разорвавшейся бомбы. Дежурный и помощник вытаращили глаза, у Иванцова отвисла челюсть, Уткин чуть не уронил автомат, соляным столбом замер в проеме двери лейтенант.

Сейчас каждый третий из доставленных в милицию блатует по-своему: кричит, козыряет известными фамилиями, выдает себя за чьего-то друга или родственника, грозит неминуемыми карами... Но этот полуголый татуированный всплошную громила держался солидно, правильно употреблял служебные обороты речи и, самое главное, знал, что кроме штатного дежурного, здесь обязательно несет службу представитель руководства — начальник или кто-то из заместителей, который должен разбираться в особо сложных ситуациях и принимать решения в случае любого ЧП. А задержание сотрудника милиции — серьезное ЧП, хотя и не столь редкое, как в былые времена. Особенно незаконное задержание, да еще связанное с избиением.

— Ты че, совсем? — визгливо вскрикнул Иванцов. — Какой ты капитан милиции?!

— Удостоверение в рубашке. В нагрудном кармане, — спокойно произнес человек.

Воцарилась мертвая тишина. Помощник дежурного подошел, взял измятый комок синей ткани и передал майору. Тот расправил разрезанную, испачканную кровью рубашку, расстегнул пуговицу кармана и извлек стандартное красное удостоверение, точно такое же, как те, что имелись у каждого из присутствующих.

— Капитан милиции Волков Владимир Григорьевич, — негромко прочел дежурный, но все услышали. — Командир взвода ППС Центрального РОВД города Тиходонска...

— Наручники снимите! — властно потребовал Волков.

Начальник патруля достал было ключи, но Иванцов, наплевав на субординацию, преградил лейтенанту путь.

— Да вы что? — завопил сержант. — Где вы видали таких капитанов? У него ксива поддельная! Сейчас снимем браслеты, и он нас в куски порвет!

Аргумент был резонным: времена, когда безоглядно верили любым документам, давно прошли.

— Соединись по спецсвязи с Тиходонском, — приказал майор помощнику. И через несколько минут разговаривал со своим далеким коллегой. Остальные напряженно слушали. Все они были набраны по лимиту, и сейчас это выглядело особенно наглядно: встревоженные крестьяне в форме с чужого плеча. На их фоне тиходонский оперативник казался былинным богатырем, героем какой-нибудь саги о викингах или Песни о Нибелунгах. Но он вслушивался в разговор с не меньшим напряжением.

— Есть такой? — переспросил дежурный. — Здоровый, весь в татуировках? Да? Так и называют? Ну вы там даете! И много у вас таких Расписных? Один, говоришь... А где он сейчас должен находиться? Ага... В Москве и находится, только проводит отпуск очень своеобразно... Что? В каком смысле? Да уже понял кой-чего... Ладно, спасибо за подсказку.

Майор положил трубку таким жестом, каким ставят точку в затянувшейся истории. Начальник патруля положил на стойку электронный блокнот и снял с задержанного наручники. Тот принялся растирать запястья, вращать могучими плечами, махать руками, восстанавливая кровообращение.

— А чего, на нем написано, что капитан? — неизвестно у кого спросил стриженный наголо милиционер с автоматом. — Идет без рубахи, весь исколот — натуральный зэк!

Дежурный вернул Волкову удостоверение. На пальцах задержанного он заметил грубые шрамы.

— Перстни срезал прямо с кожей?

Тиходонец не ответил.

— Нет, правда, скажи: зачем ты так искололся?

— Для смеха...

— Да, видать, ты парень веселый. Только товарищи тебя не очень-то любят...

— Товарищи любят. Крысы — нет. Где мой бумажник?

Осторожно ступая, бочком, подошел Иванцов, стараясь не приближаться, опасливо протянул портмоне. Интуиция сержанта не подвела: Волков поймал его за кисть, подломил и лишь тогда другой рукой взял бумажник.

— Ой! Кончай! Больно!

— Сколько вынул? — спросил Волков, раскрывая портмоне.

— Ничего не брал, честно! Если только выпало...

— Я так и думал, что ты крыса!

Волк без замаха ударил тыльной стороной раскрытой ладони. Восходящее солнце хрустко припечаталось к физиономии сержанта, тот, запрокинув голову, отлетел к стене, сильно ударился затылком и сполз на обшарпанный, давно не крашенный пол. Из носа у него потекла густая темная кровь, как недавно у рябого.

— Ты что?!

Дежурный, побагровев, схватился за кобуру. Уткин передернул затвор автомата. Но татуированный человек стоял спокойно и больше агрессивности не проявлял.

— Если бы он просто саданул меня в горячке, я бы его не тронул. Но это гад под нашим мундиром. Ему нравится калечить и грабить людей, да еще прикрываться погонами! Крыса!

— Какой ты весь правильный и честный! — Майор убрал руку с кобуры и взялся за внутренний телефон. — Только если бы позвонили сюда и спросили про меня, про него, про него, — дежурный пальцем показал на помощника, автоматчика, лейтенанта, — ответили бы одно: железные ребята, вы их там не прессуйте! Даже не спрашивали бы, за что задержали! Это ментовской закон — своих выручать! А ты, выходит, не свой! Потому что твой товарищ из Тиходонска сказал: с ним держите ухо востро, он любую козу подстроить может! И еще кое-что сказал!

Лицо Волкова исказила гримаса, словно стрельнуло в нерве больного зуба. Он напрягся.

— Стоять! — выставил автомат милиционер в бронежилете. — Ты Ваську убил, дернешься — я из тебя решето сделаю! Под суд пойдешь, сука, лет восемь точно схлопочешь. В зоне тебе самое и место!

Тем временем майор докладывал обстановку ответственному дежурному.

— Да, личность подтвердили. Но когда сняли наручники, он ударил Иванцова так, что тот лежит, как убитый...

Через пару минут в дежурку вошел коренастый подполковник. Отглаженный, как на плакате, мундир, аккуратная прическа, дорогой одеколон, властная уверенность в себе, — все это выгодно отличало ответственного дежурного от подчиненных. Казалось, что они служат в разных милициях.

Он быстро нагнулся к неподвижному сержанту, потрогал пульс на горле, оттянув веко, заглянул в зрачок.

— Живой. В нокауте. Переносица наверняка сломана. Вызовите «Скорую помощь».

Помощник нажал рычажок на пульте, подполковник осмотрел Волкова, презрительно скривил губы:

— Я еще такого милиционера не видел. Ваше удостоверение!

Заглянув в документ, ответственный прошел за стойку и положил удостоверение дежурному на стол.

— Что ж, сотрудник милиции не депутат, иммунитетом не пользуется...

Майор потянулся к уху начальника:

— В Тиходонске сказали, что парень очень говнистый. В Контору ему настучать — раз плюнуть. Предупредили, чтобы с ним были очень осторожны...

Дежурный почти шептал, а подполковник ответил ему громко, показывая, что он хозяин положения и полностью контролирует ситуацию:

— А нам бояться нечего, мы полностью по закону действуем. Сейчас пошлите наряд на место, найдите тех, кого он побил да порезал. Это будет один эпизод. Потом Уткин и Камнев напишут рапорта про сопротивление при задержании. Вот и второй эпизод...

Лейтенант со сдобным лицом переступил с ноги на ногу:

— Он не особо сопротивлялся, товарищ подполковник. То есть совсем... Не успел.

Подполковник нахмурился и впился в него взглядом:

— Ты что, адвокатом стал? Тогда снимай форму — и шагом марш!

— Да нет... Я просто уточнить хотел...

— В рапорте и уточнишь! А нападение на Иванцова — третий эпизод! Он прокурорского следователя просил? Вызывайте! Тот его в ИВС[1] закроет. А пока посадите в «обезьянник». Пусть начинает понимать, что тут не Тиходонск, где такая образина может служить в милиции!

— Без оскорблений! — зло огрызнулся Волков. — Эту

[1] ИВС — изолятор временного содержания.

«образину» делали здесь, в Москве! И там, куда вас и сейчас без пропуска не впустят!

— В клетку! — не вступая в дискуссию, приказал подполковник.

Камнев и Уткин осторожно приблизились с двух сторон. Пример товарища служил наглядным и убедительным уроком, они явно боялись задержанного.

— Гражданин, пройдите, — не очень уверенно сказал лейтенант.

— Иди, говорят! — рявкнул стриженый милиционер, держа автомат на изготовку. — И без фокусов!

Волков тяжело вздохнул:

— Я имею право позвонить!

— Звони, — равнодушно произнес подполковник и направился к выходу из дежурной части. — Хоть министру, хоть президенту, хоть самому господу Богу...

Дежурный придвинул телефон, Волков принялся набирать номер. Он хорошо знал нравы Системы и понимал, что вляпался в дерьмо по уши. С Иванцовым он переборщил, такое не прощается, и накрутят ему на всю катушку... Набираемые цифры являлись единственной ниточкой, ведущей на свободу, хотя и в самое пекло... Ну да черт с ним! Хоть бы Серегин не отключил мобильник! Из камеры не позвонишь, а потом время уйдет — и все!

— Я слушаю, — отозвалась трубка знакомым голосом.

Волков перевел дух:

— Здравствуй, дружище! Я согласен...

— Волк?! — после короткой паузы отозвался Серегин. — Я был на сто процентов уверен, что ты откажешься...

— Я тоже был в этом уверен.

— У тебя проблемы?

— Да. Я у коллег, но они настроены меня посадить.

— В каком отделении? — деловито спросил Серегин, и Волков почувствовал, что ниточка на волю превращается в толстый и прочный канат. Он назвал номер.

— Сейчас тебя отпустят. Сам доберешься?

Волк прислушался к своим ощущениям. Сил совершенно не было, ломило спину, болело под ложечкой, тошнило. Он держался на нервах.

— Нет. Я еле на ногах стою. К тому же без рубашки...

— Тогда жди, я за тобой заеду. Минут через тридцать.

Волков положил трубку. Помдеж уже открыл решетчатую дверь камеры и нетерпеливо постукивал огромным ключом по стальному уголку.

— Позвонили? — дружелюбно спросил майор. — Вот и хорошо. Теперь пожалуйте...

Он сделал приглашающий жест.

— Дайте я ему врежу вначале, — раздался хриплый голос. Иванцов пришел в себя, вытер рукавом кровь и разразился отборной нецензурной бранью, за которую самый мягкосердечный судья без колебания отвешивает полных пятнадцать суток. — Он мне нос сломал, паскуда! Дышать не могу... Где палка?

Но ему было не до палки. С трудом встав на ноги, сержант доковылял до ближайшего стула и, запрокинув голову, плюхнулся на жесткое сиденье. Уткин водой из графина смочил не первой свежести платок и положил напарнику на переносицу.

— Болит? — сочувственно спросил майор. — Чуть полегчает, давай — рапорток накатай, как он на тебя напал.

Прозвенел внутренний телефон.

— Вызывали, — подтвердил дежурный. — Пропускай.

И пояснил своим:

— «Скорая» приехала.

Потом повернулся к чужаку и заговорил совсем другим, жестким тоном:

— Долго думаешь тут маячить? Ты же порядки знаешь, ночь впереди, к чему тебе лишние проблемы? Сказали — в клетку, значит, дуй в клетку. Ну!

Тяжело вздохнув, Волков направился к решетчатой двери. В его жизни было много подобных дверей — и точно таких, и сплошных — с кормушкой и глазком, и глухих дверей автозаков... Он искренне надеялся, что они остались в прошлом вместе с гулкими серыми коридорами, звяканьем длинных ключей, отрывистыми командами надзирателей...

В дежурку зашли высокий мужчина и сухощавая женщина в белых халатах. Мужчина нес в руках чемоданчик с красным крестом.

— Кому тут плохо стало? — спросил он, внимательно осматриваясь.

Их глаза встретились, и Волка будто ударило током. Человек в белом халате не был похож на врача! И его спутница слишком грамотно стала у двери, контролируя и дежурку и коридор... Неужели Серегин избрал такой метод вытащить его отсюда?! Но это безумие! И потом, его личность установлена, значит, надо всех... А звонок в Тиходонск? Он-то и свяжет концы! Но Серегин ничего не знает про звонок... Вот и прокол! Это будет очень, очень некрасиво!

— Нашему сотруднику, похоже, сломали нос, — обиженно сообщил майор, будто пожаловался. — Вот этот задержанный.

Зазвонил телефон.

— Задержанный? Сотруднику? — изумился мужчина в халате, переводя взгляд на хрюкающего в углу Иванцова. — Такое у меня в первый раз!

Он открыл чемоданчик. Там были обычные медицинские штучки — бинты, вата, какие-то пузырьки, упаковки разовых шприцев... Волков расслабился.

— Да. Так точно. Я все понял. Есть!

Внимание всех находящихся в дежурной части сосредоточилось на врачах, хлопочущих вокруг перепачканного кровью Иванцова, между тем главное сейчас происходило у пульта дежурного. Майор разговаривал с кем-то, стоя по стойке «смирно», его лицо стало еще краснее, будто вся кровь ударила в голову, свободной рукой он делал какие-то знаки помощнику, будто стряхивал с пальцев невидимую липкую гадость. Осознавший чрезвычайность ситуации, помощник тоже вскочил, но знаков не понимал и стоял в стойке готовности к немедленному исполнению любого приказа.

— Выпусти его! — полушепотом прокричал майор, положив трубку и щелкая переключателем на пульте.

— Товарищ подполковник, только что звонил Дубинин, приказал вам срочно с ним связаться! — выпалил он в микрофон внутренней связи. — Да, сам, лично! Да!

— Что стоишь как столб! — уже в полный голос закричал

дежурный на остолбеневшего сержанта. — Выпускай капитана!

Волков понял, что Серегин избрал цивилизованный способ. А все остальные поняли, что звонок, грянувший из милицейского поднебесья, напрямую связан со странным татуированным ментом из провинциального Тиходонска.

Лязгнул замок, решетка открылась. Это было самое короткое заточение в жизни Расписного.

Майор встретил его на пороге с неизвестно откуда взявшейся щеткой в руках.

— Давайте я вас почищу! — Он ловко прошелся жесткой щетиной по джинсам. — Сколько ни говорю уборщице, а скамейка там все равно грязная...

Волков не успел присесть на скамейку «обезьянника», но останавливать дежурного не стал — просто не было сил. Хотелось лечь, вытянуть ноги, расслабиться и провалиться в глубокий освежающий сон.

— Неужели и вправду министру позвонили? — откуда-то снизу спросил майор. — Ну и ну... А я что... Вы же порядок знаете: мне команду дали — я исполнил.

Закончившие работу врачи обалдело смотрели, как дежурный по отделению милиции чистит щеточкой татуированного детину, сломавшего нос милицейскому сержанту.

— Всех посторонних попрошу покинуть помещение, — распорядился показавшийся на пороге ответственный дежурный. В руках он держал отглаженную форменную рубашку с подполковничьими погонами и серый форменный галстук.

— Докторам спасибо за помощь, до свиданья. Уткин, отвези Иванцова домой, пусть отдыхает. Это для вас, не ходить же голым. Погоны можно снять...

— Спасибо, снимать погоны не по моей части, — Волков отвел протянутую рубашку. — Мне ничего не надо. Сейчас за мной приедут.

— Как угодно, — сухо поклонился подполковник. Он держался с достоинством, хотя удавалось это с трудом. — Вы не должны иметь к нам претензий. Мы действовали по закону.

— Я не в претензии, — Волков сел на стул, еще не успевший остыть от Иванцова, откинулся на спинку, почти как тот, и закрыл глаза.

Помявшись несколько секунд в неловкости, подполковник ушел.

— А мне что теперь делать? — спросил у дежурного лейтенант с булочкоподобным лицом.

— Увольняйся, пока не поздно, — не открывая глаз, посоветовал Волков.

Лейтенант встрепенулся:

— Почему? Вы будете жаловаться?

— Нет. Просто ты этими шакалами не командуешь, а отвечать за них обязан. Рано или поздно они подведут тебя под статью.

Больше тиходонец не разговаривал: сидел с закрытыми глазами, скрестив на татуированной груди могучие татуированные руки, и непонятно было — спит он или бодрствует.

Через полчаса в дежурную часть стремительно зашли три человека — высокие, крупные, с решительными лицами и резкими движениями. Один был в тонком и даже на вид очень дорогом летнем костюме с галстуком, его спутники тоже в костюмах, но попроще. Почему-то автоматчик у входа ночных визитеров не остановил и даже не доложил об их приходе.

— Ты точен, Серж! — Капитан Волков поднялся навстречу человеку в дорогом костюме.

— Как всегда, Волк!

Они крепко обнялись.

— Тут все в порядке? — Серж строго, как надзирающий прокурор, осмотрел дежурный наряд.

— Так точно! — подчиняясь велению души, доложил майор. — Разобрались!

— Ну ладно...

Один из его спутников развернул белую рубашку с длинными рукавами. Волков быстро надел ее и наглухо застегнулся. Рубашка оказалась впору.

— Поехали!

Все четверо вышли на улицу, где у машин их ожидали еще несколько человек. Охранники распахнули дверцы напоминающего черную каплю «Мерседеса-600», Серж и Волк сели на заднее сиденье, сопровождающие погрузились в огромный черный джип, и кавалькада растворилась в изобилующей чудесами московской ночи. Обессиленный Волк откинулся на сиденье и закрыл глаза. Спина болела, перетянутый дубинкой монах ругался последними словами. Что-то бормотал кот.

«Тебе больно, Володя? — раздался вдруг нежный голос Софьи. — Бедный, мне тебя так жалко! Сейчас поцелую и все пройдет...»

«Заговорила! — вскрикнул Волк, но сумел сдержаться и вскрикнул молча, не раскрывая рта. — Как здорово, что ты наконец заговорила! И что ты теперь всегда будешь со мной!»

Боль неожиданно прошла, Волк ощутил прилив сил. Энергия била через край, он был готов к любым подвигам.

— Детали обговорим завтра, — вслух сказал он, и Серж удивился бодрому тону.

— Хорошо. А ты по-прежнему быстро восстанавливаешься! Может, заедем, поедим устриц?

— Поехали!

Машины набирали скорость. На черном небе появились светлые полоски — первые признаки рассвета.

2000—2003 гг.
Ростов-на-Дону

Литературно-художественное издание

Корецкий Данил Аркадьевич

РАСПИСНОЙ

Издано в авторской редакции

Ответственный редактор *С. Рубис*

Художественный редактор *В. Щербаков*

Художник *В. Петелин*

Компьютерная обработка оформления *И. Дякина*

Технический редактор *Н. Носова*

Компьютерная верстка *А. Щербакова*

Корректор *Н. Хаустова*

ООО «Издательство «Эксмо».

127299, Москва, ул. Клары Цеткин, д. 18, корп. 5. Тел.: 411-68-86, 956-39-21.

Интернет/Home page — www.eksmo.ru

Электронная почта (E-mail) — **info@ eksmo.ru**

Подписано в печать с оригинал-макета 25.08.2003.

Формат 60×90 $^1/_{16}$. Гарнитура «Таймс». Печать офсетная.

Бум. газетная. Усл. печ. л. 27,0. Уч.-изд. л. 21,5.

Тираж 100 000 экз. Заказ № 0309700.

Отпечатано на MBS в полном соответствии
с качеством предоставленного оригинал-макета
в ОАО «Ярославский полиграфкомбинат»
150049, Ярославль, ул. Свободы, 97.